新世纪生活译丛

Food—Your
Miracle Medicine

神 奇 的 食 物

——百种疾病的食物疗法

〔美〕简·卡珀　著

王大鲲　刘玉涛　李再波　译

新 华 出 版 社

图书在版编目（CIP）数据

神奇的食物：百种疾病的食物疗法／（美）卡珀著；王大
鲲等译．－北京：新华出版社，1998.1
　（新世纪生活译丛）
　ISBN 7-5011-3897-4

Ⅰ.神… Ⅱ.①卡… ②王… Ⅲ.食物疗法 Ⅳ.R247.1

中国版本图书馆 CIP 数据核字（97）第 28126 号

神奇的食物
——百种疾病的食物疗法

〔美〕简·卡珀　著

王大鲲　刘玉涛　李再波　译

*

新华出版社出版发行

（北京宣武门西大街 57 号　邮编：100803）

新 华 书 店 经 销

新华出版社印刷厂印刷

*

850×1168 毫米　32 开本　13 印张　300 千字

2001 年 5 月第二版　　2001 年 5 月北京第二次印刷

ISBN 7-5011-3897-4/R·29　　定价：25.00 元

序

在大多数人看来，实验室中精心研制出的那些大大小小的药片才是治疗我们身上大疾小恙的灵丹妙药。而事实并非如此，现在，正有越来越多的科学家致力于开发和研究另一种大相径庭的药用资源——它们来自于其他的动物和植物，在这个星球上已经存在了上百万年，它们就是我们每日无意识中随餐而入的食物。

这些物质与药物具有同样甚至是更为神奇的魔力，对我们的健康有着非同小可的影响。它们在我们身体的细胞内发挥着从宏观角度看非常微小的作用，以至于常常被我们所忽视。但正是这些微小的作用在日积月累中，彻底地影响着每一个细胞的命运，最终影响着整个个体的命运。

现代科学的研究已经向我们揭示了许多过去鲜为人知的食物的魔力：大蒜可以杀灭癌细胞，菠菜中含有可以抑制造成宫颈癌的病毒生长的成分，芦笋和鳄梨中的某些组成成分可以阻断当今世界最令人恐惧的艾滋病病毒的增加与繁殖，卷心菜可以帮助人们对付日趋严重的空气污染带来的身体损害，一些植物可以在体内代谢后产生一些可以对抗由于生活水平提高进食高脂肪饮食所导致的血栓形成，并降低肝脏中胆固醇的合成和输出，保护心脑等重要器官。我们所引以自豪的区别于其他生物的人类特征——情绪、记忆、警觉状态等甚至也无一例外地受着食物的影响，它们可以进入大脑，并调节神经元之间的信息传递。

总之，饮食对于人体健康绝不是一件无足轻重的琐事。近些年来，科学界首次在人类历史上投入力量研究，并渐渐意识到，这些来源于自然的物质对生存或死亡意义重大。选择了正确的饮食，就是选择了健康与长寿，反之，就选择了疾病与死亡。它能使我们思路敏捷、情绪饱满，而有些又有镇静甚至是过度抑制的作用；食物能在不知不觉中损害我们的关节、阻塞我们的血管，而有些又能治疗和逆转由各种其他原因造成的有关疾病；在我们青年时代或童年时代错误的饮食结构，到中年后会面临多发性硬化，老年后会发生帕金森氏病。食物还能促进细胞内最终会导致癌变的异常活动，有些又能清除这些异常变化，防癌治癌，等等。何去何从，选择权在我们自己的手中。本书正是为了使读者了解更多的食物与健康和疾病的关系，从而做出正确的选择，踏上健康之路。

在此书之前，我已于 1988 年出版了一本叫《食物药理学》的专著。应该说它与哥伦布航海发现新大陆一样，具有划时代的意义。它标志着人们初次认识到饮食与健康的重大关联。短短几年的时间，得益于世界各国科学家们和政府相应机构的共同努力，以及新技术的不断发现和利用，使这一主题有了更多更新更深入的内涵。书上提到的见地与观念是

我参考了大量的最新文献后奉献给大家的，这些文献包括
《科学与医学杂志》 （MEDLARS）、 《自然的提示》
（NAPRALERT），涉及了多达上万项的最新研究。

因此，我将自豪地向您推荐它，并保证您一定会受益匪
浅。

同时，我还想要对读者再说几句：首先，饮食对健康的
确意义重大，但并不是疾病发生的惟一环节。环境中的致病
源及个体对疾病的遗传易感性也非常重要。因此，读者在预
防或治疗某种疾病的时候不能只依赖饮食的调整，在没有医
生许可的情况下不可擅自停药而只用食疗。更不能为防病和
保健而片面地只进食某种或某类食物，因为不同的食物每日
为我们提供各种必要的营养，有些我们已熟知，有些仍尚待
研究，绝不可轻易地放弃一些本书中未提到的食物。其次，
本书并非医学专著，读者阅读后在具体实施时应征求医生的
意见。第三，除非特殊说明，本书的内容主要针对成人，并
非儿童。

目
录

1　序

1　食物与疾病关系研究的历史和现在

4　本书涉及的三大基本理论

第一部分　饮食与心血管
系统疾病

3　饮食与心脏病

15　饮食与血脂代谢

31　饮食与血栓形成

41　饮食与高血压

51　饮食与脑血管意外

第二部分　饮食与消化
系统疾病

59　饮食与便秘

64　饮食与腹泻

74　饮食与胃部不适

75　饮食与恶心

78 饮食与返酸

79 饮食与胃痛

80 饮食与排气

84 乳糖不耐受性

86 饮食与烧心

91 饮食与腹部绞痛

95 饮食与肠易激惹综合征

100 饮食与胃肠憩室

102 饮食与溃疡病

112 饮食与胆结石

118 饮食与肾结石

第三部分　饮食与癌症

131 总论

139 饮食与乳腺癌

147 饮食与结肠癌

155 饮食与肺癌

159 饮食与胰腺癌

163 饮食与胃癌

166 饮食与其他癌症

第四部分　使你感觉更好、
更聪明的食物

171 饮食与智力

184 饮食与心情

192 饮食与焦虑、紧张

199 饮食与行为

204 饮食与头痛

第五部分　饮食与感染及呼吸疾病

225　饮食与感染、免疫

234　饮食与伤风流感、支气管炎、
　　　鼻窦疾病及干草热

243　饮食与哮喘

252　饮食与膀胱感染

255　饥饿饮食与疱疹病毒

第六部分　饮食与骨、关节疾病

263　饮食与类风湿性关节炎

280　饮食与骨质疏松

第七部分　饮食与生殖功能

289　饮食与性、激素、生殖力

296　饮食与月经异常

第八部分　饮食与糖尿病及其他疾病

307　饮食与糖尿病

320　饮食与其他疾病

343　食物中的药物成分与健康

363　60 种普通食物的抗疾病能力

第九部分　附　　录

379　富含 β-胡萝卜素的食物

380　富含钙的食物

381　富含叶酸的食物

382　富含钾的食物

383 | 富含硒的食物

383 | 富含锌的食物

384 | 富含 Vit C 的食物

385 | 富含 Vit D 的食物

385 | 富含 Vit E 的食物

386 | 油中脂肪酸的类型

387 | 海产品中 Ω-3 型脂肪酸含量

神奇的食物

食物与疾病关系研究的
历史和现在

在古代，食疗是医生们治疗疾病的主要手段。在古印度，大蒜被认为有神奇的药效，被奉为有魔力的食品，当时人们还大量种植和收集甘蓝，据说它可以治疗 87 种疾病，其中包括腹泻、头痛、耳聋、痛风等；洋葱也被用于 28 种疾病的治疗；在古罗马，小扁豆被用来对付腹泻，同时还用它来镇静、安神；其他像葡萄等也都有很多医用的记载。

当时的医生们之所以使用这些自然之物作为治疗手段，主要是他们结合了自身的生活经验和祖先延袭下来的一些传统。这些实践经验在时间长河的锤炼中保存了下来，必然有其合理性。而且，至今世界上仍有 75% 的人在依靠这些自然之物作为药物。同时，有至少 25% 的现代药物其最终来源仍是自然界中的动植物。例如，新近开发的一种叫紫杉醇的抗癌药物就是自然界中紫杉树的成分提取物。但是，以当时的科学发展水平，对于这些食物的药疗机理，他们却一无所知。他们把这些问题留给了我们这些现代人。

在早一些的时候，科学家们一直把这些宝贵的经验仅仅当做是民间的传说、偏方，认为它们缺乏科学依据，并没有给予应有的重视和研究。

但近几十年来，现代科学得到了史无前例的发展，科学家们得以从细胞甚至更深的层次去研究各种医学问题。人体约有 6.0×10^{19} 个细胞，每个细胞小巧、精密而完整，所谓

1

"麻雀虽小，五脏俱全"。每一分钟，有成亿的化学反应在一个细胞内发生，每一个反应都仿佛是一场战争，每一个细胞都在为整个人体的健康而战。而科学家们日益认识到，为这些事关重大的战斗提供能量和物质基础的便是我们每日摄入的食物，因而也有越来越多的科学工作者投身到这项研究中去。

他们运用很多先进的科学仪器和手段，用复杂而精密的实验来分析食物的各种组成成分，即使它们的含量极其微小。他们还使用流行病学的研究方法，例如，为研究地中海地区和日本的低患病率的原因，科学家们先设立互为对照的两组试验或被调查对象，随机取样，尽量使两个组在除了无某种被研究疾病上不同以外，全部相同，然后再比较他们的饮食，从而找到这种疾病与饮食的某种联系。另一种被经常采用的研究方法便是"干预法"，它是被科学家们认为最理想的研究方法。例如，以某种患有被研究疾病的人群为研究对象，人为地干预他们的饮食，A 组吃甲种饮食，B 组吃乙种饮食，进而观察若干时间后，他们身上这种疾病的不同进展程度，从而研究某种饮食对这种疾病的作用。通过这种方法得到的结论往往更有意义，更具说明力。

数年来的研究的确证实了食物的药疗作用。它们可以充当抗高血压药物、抗凝剂、抗溃疡药、抗血栓剂、麻醉剂、镇静剂、抗抑郁药、降脂药、抗疟药，它们还有激素样的作用，还可以治疗便秘，可以充当免疫调节物、抗氧化剂，还可以有抗菌消炎的作用。迄今为止，据美国芝加哥大学 NAPRALERT 数据库提供的资料，有 102,000 种植物具有药疗作用，而且绝大多数是可食的，这还不包括动物在内。

尽管对食物进行药理学和医学的研究是可行的，并且到目前为止是卓有成效的，但这项研究要远比药物药理学庞大得多、复杂得多，人们还没有，或许永远也不能研制出和甘蓝或其他食物组成成分、效果完全一样的药物，但无论如何，随着其他领域，包括对疾病本身的认识的加深，我们对食物与疾病的关系的研究也将更为透彻和深入，使"民间传说"真的成为"科学定理"。科学家们仍将为此而奋斗。

本书涉及的三大基本理论

从科学的角度看，食物可能通过很多方式和途径影响人类的健康。科学家们在研究这一问题时，有三大基本理论作为纲领性的指导思想。读者了解这些理论，才能更好地理解食物加速或抑制疾病发生、发展的机理，从而更好地保护自己。

首先，介绍的是抗氧化剂理论。

很多疾病和死亡的发生都源于氧。奇怪吗？氧是人类生存的必要条件，同时又在慢慢地消磨着我们的生命。科学家们认为，人体的细胞无时无刻不处于氧的某些有害形式的包围中，它们以其强大的破坏力，逐个瓦解分子、细胞乃至整个人体。它们使血管阻塞、细胞癌变，它们使关节不再能自如地运动，神经系统不再能正常地工作。事实上，这一新的理论已经大大改变了人们对疾病的发生与防治的认识。通过研究，科学家们已将氧的这些破坏作用与衰老及至少60种不同的慢性疾病相关联。同时，科学家们正全力设法寻找那些可以对抗这些不良作用的食物。德国杜赛尔多夫医学院生理化学系主席赫尔默特博士说："我们被氧化得越多，就越容易衰老。打一个不十分恰当的比喻，人就像是一块慢慢变坏的肉，有些变得快点，有些则慢些。"那么，问题便在这里：为什么有人快，有人却能对这一氧化衰退过程抵挡一阵呢？为什么有些人更易患病与衰老，而有些人则反之，是什么在阻止这一变化的进行呢？

答案便是抗氧化剂。赫尔默特博士是这一方面研究的先行者与权威。他认为，有两种巨大的力量在体内共同运作，其一，便是前面提到的具有破坏性的氧化剂，另一个便是具有保护性的健康卫士——抗氧化剂。尽管有些氧化剂产生于人体的正常代谢过程，对人体有一定的积极作用，但大部分的氧化剂来自于外界环境，使人体发生一些有害的变化，这些变化在无声无息中缓慢进行，而当这些微小的变化成年累月地积累起来时，我们才发现它已带给我们诸多问题——炎症、胸痛、恶性肿瘤、衰老、注意力不集中，等等。而最具危害性也是被研究最多的氧化剂形式是氧自由基，它们产生于空气污染、电离辐射、工业废料、杀虫剂的过度使用、吸烟和滥用药物等，这些"坏分子"们聚集在一起，"寻衅闹事"。由于它们失去了一个核外电子而变得非常活跃，它们总是试图寻找另一个氧自由基，与之结合，并产生另一个新的自由基，而这个新的自由基又可以开始新的危害活动，一传十，十传百，滚雪球似地大肆破坏。在这个恶性循环的过程中，细胞内和细胞膜的质膜及其他成分被过氧化破坏，同时细胞核内的 DNA（脱氧核糖核酸）等遗传物质也被损害，易发生突变，而这些突变往往是癌症的前奏曲。诚然，戒烟和保护环境会减少氧自由基的来源，但已进入人体的氧自由基用什么来对抗呢？对，就是抗氧化剂，其中包括我们熟知的维生素 C、E、β-胡萝卜素、微量元素和我们尚不太熟悉的槲皮酮、蕃茄红素、脂色素、谷胱甘肽等等。食物，尤其是植物（水果、蔬菜等）含有各种各样丰富的抗氧化剂，人体每日摄入食物时，即外源性地满足了体内对抗氧化剂的需要，它们进入到人体的组织和体液中，在那里发挥强大的抗氧化作用，对氧自由基等造成的损害进行预防和可能的弥补，在最大限度上延长人类的健康寿命。越来越多的事实使科学家们和普通老百姓都认识到了抗氧化剂的重要性。美国路易斯安那州立大学生物医学系研究主席威廉姆教授研究并正在推广一种测试血中"抗氧化剂水平"的试验，就像我们平时测量血浆胆固醇水平一样。这个试验可以反映人体内抗氧化剂的数量和活性，是否能够维持或超过一个必须的抗氧化剂/氧化剂比例，即是否有能力完全中和氧化剂。如果被试者体内氧化剂水平高，而抗氧化剂不足，即抗氧化剂/氧化剂的比值过小，则说明他十分有必要适当地增加抗氧化剂性食物的摄入，以保持健康；如果他已经受到了由于氧化剂的破坏而造成的疾病的困扰，那么，他就更应该补充抗氧化剂性食物了！

第二，我们想介绍一些关于脂类的基本理论。

脂类对人体有着极其重要的作用，而这些是过去一直被忽视的。它们可以促进或抑制某些疾病，如冠心病的发生和发展，这种作用的实现主要是通过各种不同的脂肪分子间微妙的平衡实现的。不同的脂类分子会引起细胞内很多不同的复杂的变化。有些可能会导致一些激素样介质的释放，引起炎症、免疫应答、血管收缩或栓塞、头痛、恶性肿瘤等不良的反应，而有些则可能会有积极的作用，比如缓解关节疼痛、杀伤肿瘤细胞、溶解血栓等。尽管这些作用涉及的化学反应、酶等非常复杂，各种脂类分子的比例变化又非常微妙，加大了科学家研究的难度，但这些研究的进行必然会最终导致疾病预防和治疗的进展。因而，摄食什么样的脂肪，摄食多大的量，是寻求健康长寿的人们所不能忽视的。

现在的科学研究发现，食物中的脂类物质与体内重要的体液因子系统——花生四烯酸系统紧密相关。这一系统主要包括前列环素、血栓素、白细胞三烯等，这些体液因子可以介导血管栓塞、炎症反应等生理或病理现象。而合成这些因子的原料主要是食物中的脂类因子。因此可以说我们每日饮食中的脂类的种类及数量在很大程度上操纵着我们的命运。在经口摄入脂类分子后不久，它们就会被相继转运到细胞膜上，参与不同的代谢变化。虽然脂类分子的结构复杂种类繁多，但与花生四烯酸系统有关的脂类分子主要有两种——Ω-3脂肪酸和Ω-6脂肪酸，前者主要存在于海洋生物和少数陆生植物中，而后者主要存在于陆生蔬菜，如玉米、向日葵、藏红花等和一些陆生动物中。

食物中的Ω-6脂肪酸被摄入后，大多被转化成花生四烯酸。这种物质会导致许多不良的反应，前已有述。而Ω-3脂肪酸则有相反的积极性的作用，它们在体内被转化成一些可以抗血小板凝聚、舒张血管和减轻过强的炎症反应及细胞损伤的物质。

其实，我们每天进食的食物中都无法避免地同时包含Ω-6及Ω-3脂肪酸。一种有利健康，一种可能会促成疾病。正常的Ω-3/Ω-6的比例关系对人体意义重大。美国芝加哥伊利诺伊大学兰德教授发现，当Ω-3/Ω-6下降时，即大量的Ω-6脂肪酸堆积于细胞中，前列腺素等花生四烯酸系统的体液因子大量释放，会引发动脉硬化、心脏病、癌症等，当Ω-3/Ω-6正常或上升时，即有充足的Ω-3脂肪酸时，花生四烯酸系统的病理性活跃被抑制，心脏病等疾病就得到一定程度的预防，从而维持了健康。打一个比方，Ω-3和Ω-6脂肪酸仿佛每天都在进行一场赌博，而赌注便是我们的健康。兰德教授还发明了简单的采取指血化验体内Ω-3与Ω-6脂肪酸比例关系的方法。他认为美国人的饮食中含有太多的Ω-6脂肪酸，太少的Ω-3脂肪酸，据该大学一位叫波文的教授的资料，Ω-6脂肪酸占80%，Ω-3只占20%，而各种慢性疾病的患病率极低的爱斯基摩人，他们的饮食中有充足的Ω-3脂肪酸，约占78%。不只美国，其他一些西方国家也有同样的问题，法国人饮食中Ω-6占65%，日本占50%，都较高。对于Ω-6脂肪酸过高的问题，很多科学家都极为关注，上面提到的兰德教授就身体力行地倡导多进食含Ω-3脂肪酸丰富的鱼类等。美国著名的哈佛大学阿里克萨得教授也指出，在最初的人类体内，存有大量的Ω-3和极少量的Ω-6脂肪酸，但随着所谓文明的来临和发展，在可食性的植物油诞生尤其是当科学家们发现它可以降低胆固醇但尚未意识到它潜在的威胁的一段极长的时间里，人们开始每日大量地进食植物油和一些陆生动物油（如烹调油、色拉油、精制食品、黄油等），而海洋生物的摄入则远远不够，使这种比例逐渐颠倒过来——即大量的Ω-6和少量的Ω-3。而这种不正常的比例，他认为是造成细胞功能紊乱的原因，进而导致许多慢性疾病，如心脏病、糖尿病和癌症、关节炎等的发生。这一点至少已在大量的动物实验中得到充分地证实。因此，他也倡导要保证一定量的海洋性食物的摄入以维护健康。同时，科学家也欣喜地指出，这种正确的做法的积极效应几乎是立竿见影的：当你连续3天每日进食3.5盎司鱼类后，你组织中由于Ω-3/Ω-6比例上升所引起的有益的化学代谢反应就开始发生了。

那么如何才能正确地获得充足的Ω-3脂肪酸呢？鱼类中含有丰富的Ω-3脂肪酸，含量最高的是一些寒冷深海的多脂鱼类，包括鲭鱼（又叫鲐鱼）、鳀鱼、鲱鱼、鳟鱼、沙丁鱼、大马哈鱼、鲟鱼、金枪鱼，中等含量的如大菱鲆、蓝鱼、有纹鲈鱼、鲨鱼、虹胡瓜鱼、彩虹鳟，其他的如龙虾、贻贝、牡蛎、鱿鱼、蛤等带壳鱼类则含Ω-3脂肪酸稍少。一些植物也含有较为丰富的Ω-3脂肪酸，但其对人体的积极作用仅为鱼类Ω-3脂肪酸的1/5。这些植物包括：胡桃、亚麻籽、油菜籽和北美大陆野生而欧洲人经常食用的马齿苋。在选择食物时，不仅要注意它们含 Ω-3 脂肪酸的量，还要注意以下几个问题：要减少进食被现代工业污染的鱼类，相比较而言，海生咸水鱼类要优于淡水鱼，体型小的鱼如沙丁鱼比大体型的鱼在污染源中暴露的时间要短也相对安全，同时不要只选单一的品种，避免进食过多的同一污染源，另外，不要吃鱼皮，那里是鱼贮藏污染物的地方。摄入鱼的时候亦最好不用烹调油煎，最好用水煮或以火烧烤。进食 Ω-3 脂肪酸的总量也是一个问题。尽管患病率低的日本渔民、爱斯基摩人每天都吃鱼，有时一天吃 1 磅多，但实际上我们不必如此。很多研究表明，每周吃 2 次—3 次鱼类就可以达到防病保健的目的。对于孕妇，有些特殊的说明，出于对胎儿的考虑，专家们主张进食箭鱼、鲨鱼和金枪鱼，每月 1 次，不要吃淡水鱼，罐装鱼也要少吃。

最后，我们想谈一谈某些食物的致敏作用的基本理论。

现在，已经有越来越多的科学家认识到人体的一些疾病状态在一定程度上是由于其对某些食物的反应而引起或加重的。这些疾病和症状有：偏头痛、荨麻疹、哮喘、湿疹、肠易激惹综合征、溃疡性结肠炎、类风湿性关节炎、忧郁症、慢性疲劳综合征、婴幼儿腹痛及腹泻、耳部感染、癫痫等等。虽然这种反应主要发生在特异的人种或少数的个体中，但这种反应发生的机理对于很多疾病的诊断和治疗会产生突破性的影响。

这种反应常常被称为"过敏反应"，但实际上它与经典意义上的过敏反应又不尽相同，所以现在被逐渐更名为"对食物的不耐受性"、"对食物的高反应"、"对食物的代谢反应"、"食物的副作用"等，其中第一种更常被采用。过去，科学家们认为这种反应只是那种进食某种食物后不久即速发的明显的过敏状态，如出现口腔溃疡，大量皮疹，过敏性哮喘甚至过敏性休克。而且以这种食物成分做血液和皮肤试验为阳性。他们认为这种反应的发生机理是由于机体错误地将食物中的某些成分识别为异体的病毒或细菌的抗原，从而引发的一系列免疫反应，包括大量免疫球蛋白E（IgE）的产生，组织胺等炎症介质的释放，最终使临床出现可见的一系列症状。而现在，科学家们发现，其实在某些情况下，由食物所引发的这些不良反应有时是很隐匿而且很缓慢地发生的，有的在几小时，一两天甚至更长的时间后才发生，被称为迟发性的高反应。这时并没有免疫球蛋白（IgE）释放等明显的免疫反应痕迹。食物的血液及皮肤过敏原试验可呈阴性。发现了这后一种的不耐受情况，可以帮助解决一些像偏头痛、情绪不稳定、精力不集中、类风湿性关节炎、肠易激惹综合征等慢性持续性疾病或状态的诊断和治疗问题。

科学家们发现，引发疾病的食物大多是一些非常平常的食品，如谷类、咖啡、发酵粉、柠檬、柑橘和牛奶。其中小麦占第1位，占60%的比重，接下来是牛乳，蜂蜜最少，占2%（当然还有很多食物未被发现有不耐受现象）。英国剑桥大学艾登布鲁克医院消化疾病专家亨特教授认为，人类进食这些食物后，在某些具有高反应性和合适的消化道菌群状态的适宜个体上，确切地说，是在他们的消化道内发生了一些变化，即这些食物被肠道内细菌分解并释放某些毒素和化学介质，从而引发一系列病理过程。还有一些科学家持有不同的观点：一些认为由于某些个体的肠道存在慢性炎症，使那些未被充分消化的食物颗粒被吸收入血后又被免疫系统识为异物，进而导致免疫反应；还有一些科学家认为，食物中的某些成分可以作为人体免疫系统的直接刺激物，但在正常情况下，它们被人体的正常酶系统灭活，像酒中的苯，一般不会引起反应，但当某些个体缺乏相应的酶，苯就无法被灭活，它刺激免疫系统后会导致偏头痛等一系列症状。再比如牛奶，它也被发现含有一种重要的免疫物质组织胺，会导致哮喘，若灭活不良，就会发作，还有小麦及牛奶中还含有阿片，即鸣啡类物质，如果没有被灭活，就会直接干扰脑细胞的活动，引起疲乏、情绪低落等精神症状。

那么，如何才能明确我们对哪些日常的食物过敏呢？首先，如果你怀疑你对某种食物有不耐受的现象，你可以向医生咨询。他们通常会要求你进行一些化验和检查，比如皮肤过敏原试验，RAST 试验（即血浆过敏原试验）等。这些检验的结果具有重要的参考意义，但决不是惟一的标准，因为它们会出现一定比例的假阳性或假阴性，导致误诊或漏诊。其次，你应该自己注意从实际生活中观察这种可疑食物对你的健康是否有影响，从而做出一个判断，应该说事实才是最具说服力的。你可以自主地改变你的饮食，开始可以停止某种可疑食物的摄入，持续 1 周左右（视不同的食物而定），观察自己的身体状况有无改善；以后可以明显增加这种食物的摄入，再持续 1 周左右，以"激发"人体可能出现的反应，密切观察自身的感觉，健康的状况，如疲乏等不适是否随之而来，弃之即去呢？如果答案为"是"，那么应该说这种食物对你来说是一种不耐受的食物，应该尽量避免进食。需要注意的一点是，如果你对某种食物曾有过急性的明显的反应或高度怀疑有这种可能性的话，请不要再鲁莽地进行前面提到的"激发"试验，以免发生危险。

能被食物中的抗氧化剂阻止的氧化剂的不良作用

- 使 LDL（低密度脂蛋白）变为可阻塞动脉血管的有害形式。
- 损害细胞的遗传物质，导致基因突变，并最终可能导致癌变。

- 损害视觉细胞，造成白内障及黄斑变性。
- 干扰体内正常的血压状况，引起血压升高。
- 损害神经细胞，造成神经功能老化，引起诸如帕金森氏病和 Lou Gehrig's 病等疾病。
- 使气管炎、哮喘等炎症恶化。

如何获得具有最大抗病效力的抗氧化剂

当你选择水果和蔬菜的时候，应特别注意它们的颜色，通常颜色越深，所含的抗氧化剂越多。同时，新鲜的或经冷冻处理的水果和蔬菜要比罐装的、经过热或化学处理的水果和蔬菜多含抗氧化剂。以下情况你将得到更多抗氧化剂：

- 紫葡萄而不是绿葡萄或白葡萄。
- 红或黄洋葱而不是白洋葱。
- 生的或稍加烹饪的甘蓝、花椰菜或花甘蓝。
- 被捣碎的生大蒜。
- 新鲜或冷冻的蔬菜，而不是罐装的。
- 用微波炉烹饪的蔬菜，而不是煮或蒸的。
- 多吃些冷冻处理的纯橄榄油。
- 深色的叶菜。
- 粉色葡萄柚，而不是白色的。
- 吃全果，而不是果汁。
- 新鲜或冷冻处理的果汁，而不是普通罐装的。
- 深黄色的胡萝卜，红瓤白薯、南瓜。

鱼油可以预防或减轻以下不适

- 类风湿性关节炎：减轻关节疼痛、肿胀僵硬感及疲劳感。

- 心脏病发作的可能性可下降 1/3。
- 动脉栓塞：保持动脉壁光滑，管径通畅，降低动脉硬化发生率，降低血管外科手术后动脉再狭窄的发生（40%—50%）。
- 高血压病：辅助性治疗，可相应减少降压药物的剂量。
- 溃疡性结肠炎：每日吃 4.5 克鱼油（即大于 7 盎司鲭鱼）8 个月后使疾病活动性下降 56%。另一项试验表明，其可使强的松用量减少 1/3。
- 牛皮癣：减少某些病人的瘙痒、发红、疼痛等症状，并使使用药量减少。
- 多发性硬化：减轻某些病人的症状。
- 哮喘：减少某些病人哮喘的发作。
- 偏头痛：减轻某些病人发作的强度和频率。

13

五种最可能由于过敏导致慢性不适的食物

- 谷类：小麦、玉米。
- 乳制品。
- 咖啡因。
- 酵母（发酵粉）。
- 柠檬。

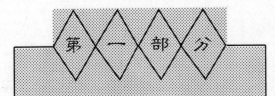

第一部分

饮食与心血
管系统疾病

饮食与心脏病

　　可防治动脉硬化和心脏病的食物：海洋食物、水果、蔬菜、坚果、谷类、豆科植物、洋葱、大蒜、橄榄油，适量饮酒，富含维生素 C、E 和 β-胡萝卜素的食物。

　　可促进动脉硬化和心脏病的食物：含饱和脂肪酸过多的肉类及乳制品，大量饮酒。

　　在美国，每年有 50 万人死于心脏病，每个人谈起它都会心存恐惧。种族和遗传因素、生活方式（如吸烟、生活压力及锻炼等）对心脏病的发生率都有影响。但即使是排除了所有这些因素的作用后，科学家们依然发现饮食有着至关重要的作用，它在很大程度上决定着你是否会发生动脉硬化和心脏病。动脉硬化随着年龄的增长而加重，往往是许多心脏病的基础。因此，阻止了动脉硬化，即在很大程度上阻止了心脏病的发生。同时，即使你曾饮食无度，即使你的心脏已经出现了问题，现在开始纠正你错误的饮食仍可在一定限度上控制甚至逆转已有的动脉硬化，预防心脏病的再发，所谓"亡羊补牢，未为迟也"。

　　当我们刚刚出生时，我们的动脉壁非常光滑而且富于弹性。但随着我们长大成人，动脉包括供应心脏血流的冠状动脉的硬化过程即已经开始：脂质慢慢沉积在血管壁上，最初为浅浅的条纹，接着发展为斑块，部分阻塞了血流。如果某

3

一斑块破裂，凝血机制将被激活，而引起附壁血栓。当血栓增长到一定体积后即可完全阻塞血流。如果这种情况发生在冠状动脉，则造成部分心肌缺血缺氧，引发心绞痛、心肌梗塞或心律失常，严重者会造成心源性猝死；若发生在脑血管上，则会造成脑血管意外即中风发作。而饮食中的某些成分即可以抑制体内胆固醇和其他一些脂质的过度合成，同时可以抑制那些引起或促进脂质在血管壁沉积的因子的作用。

鱼　类

　　大量事实表明，进食鱼类，特别是含 Ω-3 脂肪酸丰富的鱼类，是预防心血管疾病的最有效的非药物性手段。据荷兰学者的调查，每日进食 1 盎司的鱼类使致死性心脏病的风险降低 50%。美国一组对 6,000 名中年男性的调查和另一组对 17,000 名美国男性进行的 25 年的长期追访表明，每日进食 1 盎司鲭鱼或 3 盎司鲈鱼，使心脏病的发生率下降 36%，而且，这一下降的比例与每日进食鱼类的量成正比。丹麦的科学家就此进行的研究更为深入，他们对一所医院连续的 40 位死亡者进行了病理解剖，发现脂肪组织中含 Ω-3 越多，即生前进食鱼类越多的个体，他们的动脉管壁就越光滑，越有弹性，反之，脂肪组织中 Ω-3 越少，即生前吃鱼越少的个体，管壁则越狭窄，充满斑块，缺乏弹性。

　　即使你已经存在心血管性疾病，鱼类仍能控制你的病情。在心脏病发生后，立即纠正饮食习惯，即吃富含鱼类的饮食，比原先提倡的单纯地减低饱和脂肪酸即动物油的方法更为有效。总体来说，可以使由于心脏病再发造成的死亡率下降 1/3。英国威尔士医学研究委员会米切尔教授调查了2,033 名曾至少有一次心脏病发作的男性，将他们分成四组，第一组被规定每周至少两次，每次进食 5 盎司的鱼类，像大马哈鱼、鲭鱼或沙丁鱼，或吃鱼油胶囊；而第二组只是减少饱和脂肪酸的摄入，加黄油、乳酪、奶油；第三组被要求多吃纤维性食物，即多吃粗粮等；作为对照；第四组的病人的饮食不给予任何限制，2 年后的统计结果表明：第二组和第三组，即低饱和脂肪酸组和高纤维组的病人，并没有明显的改善表现，而第一组高鱼类摄食组，即高 Ω-3 脂肪酸病人组的死亡率较对照组下降了 29%！

此外，患冠心病的病人有些会接受一种被称为球囊扩张术的手术以扩张狭窄或阻塞的血管。鱼类食物被认为可以减少术后的再狭窄和再阻塞。通常，这种情况的发生率为 40%～50%，而每日进食具有保护性的鱼类食物如 7 盎司鲭鱼，即可使再狭窄再阻塞率减少一半！因此，对于那些在手术前已有每周至少进食鱼类食物 3 次的习惯的病人，无需再特殊补充，仅维持原习惯即可，而不足者则要补充。美国华盛顿医疗中心对 84 名球囊扩张术患者进行了调查，发现其中 42 名同时注意低脂又兼顾高鱼类脂肪饮食的病人仅 19% 发生了再狭窄，而另 42 名只注意减少脂类摄入的病人的再狭窄率是前者的两倍！

鱼油对心血管疾病的十大益处

- 抗血小板凝聚。
- 减轻血管的收缩。
- 增加血流。
- 减少纤维蛋白原（一种凝血因子）。
- 启动纤溶系统（溶解血栓等）。
- 阻止由于氧自由基造成的细胞损害。
- 降低甘油三酯（TG）。
- 增加具有保护作用的高密度脂蛋白（HDL）。

- 降低血压。
- 增加细胞膜的柔韧性。

大　蒜

　　大蒜可以逆转动脉硬化的时钟，经常吃大蒜可以预防，有时甚至可以逆转动脉硬化的发生。

　　印度塔戈医学院心血管病专家伯迪亚教授最先倡导大蒜的积极作用。他首先在兔子身上进行试验，当给体内动脉已发生80％的硬化狭窄的兔子饲以大蒜后发现其体内动脉硬化的程度都有不同程度的减轻，有的甚至完全恢复正常。在人类身上亦是如此：他研究了432位心脏病患者，一组病人每天吃2瓣～3瓣新鲜或烹饪过的大蒜，另一组则不进食大蒜。第一年，这两组病人没有表现出什么差异，而以后的情况就大大不同了。第二年食蒜组病人的死亡率下降了50％，第三年下降了66％。非致死性心脏病的发生率亦分别下降了30％和60％。同时，血胆固醇含量及血压也均有10％的下降！对比非食蒜组进食大蒜的意义便显而易见了。伯迪亚教授对大蒜这一作用的解释是这样的：大蒜含有丰富的抗氧化剂，据统计有15种之多。这些抗氧化剂可以对抗那些对动脉壁造成损害使之硬化狭窄的诸多因子，它可以抹平动脉的"伤痕"，逆转动脉硬化的"时钟"。

大蒜，尤其是新鲜大蒜的其他积极功效

- 减少关节或其他部位的疼痛。
- 预防哮喘发作。
- 使人精力充沛，提高性能力。
- 增进食欲。
- 减少尿道刺激症状。

●减少腹胀、痔疮出血、肠易激惹等消化道症状。

坚 果 类

这里有一个健康忠告：每天适量进食一些坚果，可以预防心脏病的发生。这一建议来自美国加利福尼亚州罗马琳达大学医学教授盖里博士。在他的一项涉及 31,208 人的研究中，他发现坚果在那些未患心脏病的个体的饮食中占有重要的地位。这些坚果大多为花生（占 32%）、杏仁（占 29%）、胡桃（占 16%）等。每周至少吃 5 次坚果者，由于心脏病造成的死亡率比那些每周少于 1 次进食坚果者低 50%！盖里教授并没有对一次进食多少坚果加以具体的描述，因为他认为那与不同个体的体重等情况有关。无论如何，坚果的益处是很值得注意的，它们含有丰富的纤维素、不饱和橄榄油，各种各样的抗氧化剂，如维生素 E、硒（尤其是巴西坚果）、依拉酸（尤其是胡桃），它们可以保护血管壁，减轻氧化剂和胆固醇对动脉的损伤作用。

需要注意的是，在关于坚果是否会引起肥胖这一问题上还未有统一的结果。一些乐观者认为吃坚果多的人反而不会肥胖，另一些则认为为了预防肥胖应该适当控制坚果的摄入，不能多多益善。

蔬菜和水果

这两大类食物也有同以上坚果类相似的作用，它们含有丰富的维生素 C、β-胡萝卜素等及其他一些抗氧化剂，可以保护我们的心血管系统。素食主义者心血管疾病的发病率是最低的。另据美国哈佛大学最近的一项研究表明：女性每天多吃一个胡萝卜或 1.5 个白薯（或其他富含 β-胡萝卜素的食物），使其心脏病的发生率降低 22%，中风发生率下降 40%～70%！对已有心脏病的人，蔬菜和水果也有改善疾病预后的作用。印度科学家最近进行了一项长时间的追访研究，研究对象是 400 名心脏病病人，其中一组在发病后进食低脂饮食，另一组的进食富含蔬菜、水果的饮食，其量要达 14 盎司/日，包括葡萄、香蕉、橘子、苹果、西红柿、蕃木瓜、菠菜、小萝卜、酸橙、莲子、蘑菇、洋葱、大蒜、豌豆、红豆等，其他还有一些谷类、坚果、鱼类等，追访 1 年后发现后一组，即大量进食蔬菜水果组的病人的心脏病再发率及死亡率比前一组，即单纯低脂饮食组分别下降 40% 和 45% 之多。因此，科学家们建议心脏病患者，在心脏病初发后尽可能短的时间内开始正确的饮食，即以丰富的蔬菜水果、低饱和脂肪酸、低胆固醇等为特点的饮食，是开始新生活的一个重要保证。

橄 榄 油

橄榄油是一种较为特殊的油脂，它含有丰富的不同一般的不饱和脂肪酸。它可以降低血中的低密度脂蛋白（LDL），后者对动脉来说是一种损伤因子。同时，至今还没有哪一项调查或研究显示橄榄油有什么不良作用。它被认为是仅有的绝对安全的脂肪，尤其是新鲜的或经冷冻处理的橄榄油更能发挥保护心脏的作用，大量的流行病学调查也支持这一结论。

其他具有相似功效的含有较多不饱和脂肪酸的食物还有：杏仁、榛子和鳄梨等。

饮　酒

关于饮酒对健康影响的问题，至今缺乏一个统一的透彻的观点和理论。但一般认为，适量的饮酒能够预防心脏病的发生，而过量饮酒则会对心脏造成明显的损伤。

据美国哈佛大学艾里克教授的调查，平均每日饮酒 0.5 杯至 1 杯的男性比不饮酒者冠心病发病率低 21%，饮 1 杯至 1.5 杯者则低 32%，但如果饮酒量超过 2 杯/日，特别是超过 3 杯/日时，就会带来其他不良的后果和疾病，如癌症等，超过 5 杯/日时，由于各种原因的死亡率上升了 50%。因此他提倡每日饮酒量应小于 2 杯。对于适量饮酒保护心脏这一现象，艾里克教授给予的解释是这样的：酒精可以提高具有保护心脏作用的高密度脂蛋白（HDL）的含量。特别是葡萄酒，同时还含有抗凝成分，这些都将对保护心脏起积极的作用。法国人心脏病发病率仍为美国人的 1/3，这很可能与法国人有饮葡萄酒的习惯有关。此外，至今还没有发现红葡萄酒与白葡萄酒在这方面有什么差异。

早在 1876 年，医生们就曾用酒精来治疗心绞痛。但后来，科学家们慢慢发现，酒精对已有冠心病的病人心绞痛的发作非但没有缓解，反而有加重的作用。饮酒的病人比不饮酒者更易出现心绞痛，对运动的耐受程度更低，非饮酒的冠心病患者平均可以适量活动 10 分钟至 15 分钟，而饮酒者则由于运动后收缩压和心率更为明显的提高，而较不饮酒者更易在同等运动量时发生心绞痛。

过量的饮酒无论对健康人还是已有心脏病的病人都是极为有害的。不知读者是否听说过"假日心脏综合征"这个名词？每逢节假日，特别是圣诞前夜和除夕，医院的急诊室里都充满了由于放纵饮酒而造成心脏病发作的急重病人。一时性或长时间的过量饮酒会干扰心脏正常的节律，造成危险的心律失常，甚至会发生猝死。

饮酒与疾病的关系涉及一个很复杂的过程，有很多环节还没有完全研究清楚。就现在科学家们掌握的知识来看，读者们应当接受以下的建议：

1）如果你平时即有饮酒的习惯，那么每日小于 2 杯的量是必须严格遵守的，那将对你的心脏有益。

2）如果你是一个嗜酒者，那么你一定要开始控制酒量了。因为过量的酒精正在损害着你宝贵的心脏和血管以及其他器官。

3）考虑到酒精对身体其他系统的影响，如果平时你并没有饮酒的习惯，那么没必要去改变它，继续保持下去即可。

咖　啡

西方人大多有饮咖啡的习惯，因此科学家们对于咖啡与健康，咖啡与疾病的关系也投入了很大的精力和金钱。像饮酒一样，现在对咖啡与心脏病的关系问题尚缺乏一个统一的结论。

至少现在还没有证据说明需要完全戒除饮咖啡的习惯以保护心脏，但应使每日饮咖啡的量小于 4 杯。因为有资料显示，每日超过 4 杯的饮用量将使男性心脏病发病率升高30％，女性心脏病发生率增加60％，每日超过 10 杯则使心脏病发病率上涨 3 倍之多！

咖啡和茶中都含有咖啡因，但对饮茶者的调查从总体上并没有发现它与心脏病有关。这表明，咖啡因也许并不是大量饮咖啡增加心脏病风险的原因。美国哈佛大学曾在 1990 年对 45,000 名男性进行了调查，发现饮普通咖啡、饮茶或摄入纯咖啡因对心脏病发病并没有明显的影响，反而，饮去咖啡因的特殊咖啡的人在心脏病发病率上有轻度的提高。从这方面看，现在市场上销售的去咖啡因的咖啡对保护心脏并无意义。但确有很多其他资料也显示咖啡因的确会增加心律失常的发生。每日超过 10 杯的咖啡饮量，便摄入了大量的咖啡因，会使室性心律失常恶化。对于那些对咖啡因敏感的病人，每日 2.5 杯的咖啡饮量，就会引起严重的室性心律失常。因此，从这种意义上讲，也应严格限制饮咖啡的量。但也无需完全戒除，因为据加拿大多伦多大学马丁教授的研究，每日小于 4 杯至 5 杯的咖啡摄入，即小于 500 毫克的咖啡因摄入不会增加心律失常的发生。如果再进一步考虑到咖啡敏感型的人群，每日饮用 2 杯咖啡应该说是相当安全的。

动 物 脂 肪

　　动物脂肪往往含有丰富的饱和脂肪酸，它会使血中胆固醇升高，抑制纤溶机制，促进动脉增厚硬化，是心血管系统的大敌。世界上心脏病高发者即是那些摄入动物脂肪最多的人群。美国和其他一些西方国家人民的饮食中动物脂肪占了 15%～20%，这种比例相当高，因此其心脏发病率也较高。但有一点值得庆幸，只要尽快戒除高动物脂肪饮食，动脉硬化甚至是阻塞的现象会在一定程度上有所逆转。美国南加利福尼亚州大学戴维教授在对此进行了深入的研究后，倡导人们以低脂饮食，尤其是低动物脂肪饮食来纠正过去高脂饮食的错误。

几个国家的饮食习惯

意大利米兰的一位学者对 936 名老年女性的饮食与疾病的情况进行了调查。结果表明：进食大量胡萝卜和新鲜水果的女性，其心脏病发生率下降 60%；进食大量绿菜和鱼类的女性，其心脏病风险下降 40%；适量饮酒的女性风险下降 30%；重度嗜酒者风险增加 20%。心脏病的高危人群大多是那些平素喜食黄油、脂肪和肉类，特别是火腿和意大利香肠的女性。

日本人以其低心脏病发病率而著称于世。美国明尼苏达大学柯斯教授对包括美国、日本、芬兰、丹麦、意大利、南斯拉夫、希腊 7 个西方国家心脏病发病情况的调查表明，西方国家的发病率比日本高 5 倍，特别是芬兰，为日本的 9 倍之多。与之对应的饮食情况是这样的：日本人每日饮食中只有 9% 的热量来自脂类，其中 3% 是动物脂肪，而芬兰人有 39% 的热量来自脂肪，其中动物脂肪是 22%。典型的日本人的每日饮食包括：4 杯~5 杯大米，5 盎司~8 盎司水果，9 盎司的蔬菜，2 盎司豆类，1.5 杯牛奶，最多 1 个鸡蛋，2 匙糖，1.5 药匙豆酱，男性每日饮 15 盎司的啤酒，女性极少饮酒。归纳起来，传统日本人饮食的特点就是：低热量、低脂肪和肉类。丰富的鱼类、水果、蔬菜和大米，如果将他们饮食中惟一的缺点——高盐摄入改进的话，这种饮食应该就是预防心脏病的最佳组合了。但是，现在随着西方文化的影响，日本人的饮食结构也日趋西化，其心脏病发病率随之亦有所攀升。

对于美国人来说，接受地中海地区的饮食习惯要比接受传统日本饮食容易得多。与美国相似，地中海地区国家，尤其是希腊、意大利、西班牙和法国南部的人们饮食中脂类含量也很高，但所不同的是，这些脂类大多是来自单不饱和脂肪酸，尤其是橄榄油。当地克里伊特群岛上的人们有每日饮用橄榄油的习惯。因此虽然他们由脂类提供热量的比例实际已达到了40%，其心脏病的发病率仍然很低，只有美国的1/20！其他地中海地区国家发病率亦较低，大约为美国的1/2！同时有数据表明，摄入橄榄油的量，即单不饱和脂肪酸的量与癌症等许多疾病的发生成反比。因此，地中海地区人们常常食用的橄榄油被科学家们称为"长寿饮品"。

富含保护动脉的脂肪的食物

	含单不饱和脂肪酸的比例
榛子	81%
鳄梨	80%
橄榄油	72%
杏仁	71%
Canola 油	60%

心血管系统自我保健饮食习惯

- 最首要一点：多吃富含 Ω-3 脂肪酸的鱼类，每天至少 1 盎司鱼或每周 2 次～3 次进食鱼类。
- 同时要多吃大蒜、洋葱及其他富含抗氧化剂的蔬菜和水果，使血中抗氧化剂和抗凝成分含量升高，防止动脉阻塞。
- 减少动物脂肪和乳制品摄入。
- 使用橄榄油和 Canola 油。
- 以上建议对已有心血管问题的人则更为重要，可以预防疾病的再发，减少脑中风等危险情况的发生。

● 如果你没有饮酒的习惯，继续保持，不要尝试。如果你已有饮酒习惯，则维持较少的饮用量，即每日 1 杯至 2 杯。如果你每天喝 2 杯至 3 杯或以上则一定要减少饮用量，因为过量饮酒会损害心脏，会使一般健康状况下降及死亡率升高。

● 如果你已有心律失常的情况，应严格限制咖啡的饮用量至每日 2 杯；同时没有明确证据证实饮去咖啡因的咖啡能保护心脏。

饮食与血脂代谢

对血脂代谢有积极影响的食物：豆类、燕麦、苹果、甘蓝、橄榄油、鳄梨、杏仁、胡桃、大蒜、洋葱、海洋食品（特别是鱼类），富含维生素C、β-胡萝卜素的蔬菜、水果，富含可溶性纤维素的谷类，适量的酒精。

对血脂代谢有不利影响的食物：高胆固醇饮食，高饱和脂肪酸饮食。

胆固醇是一种重要的血脂，呈黄色蜡状，是沉积在动脉壁上造成动脉硬化粥样斑块的主要成分。血脂代谢的异常，尤其是胆固醇代谢的异常，使我们一步步向疾病，特别是心脏病迈进。同时，有一些脂质对人体有一定的积极作用。正确的饮食，合理的搭配，可以使有害的胆固醇作用削弱，有利的胆固醇作用增加，从而在很大程度上影响着人类的健康。美国圣地亚哥加州大学医学院的一项调查表明，正确的饮食可以使动脉硬化的进程延缓 50%～70%，甚至可以使动脉壁上已有的斑块缩小。仅从调节血脂这一方面，就可以大大有利于心脏病的防治，这一点的确令人振奋。

前面提到的有害胆固醇，如低密度脂蛋白，有利的胆固醇，如高密度脂蛋白，下文中依次以 LDL 及 HDL 分别代替。前者之所以有害，是因为它们是组成粥样斑块的成分，而后者之所以有利，是因为它可以吞噬前者，并将它们运送至肝脏，完全"消化"掉。显然，我们的目标是使 HDL 升高，而使 LDL 下降。那么，为什么正确的饮食可以帮助我们实现这一愿望呢？

首先，我们介绍一下关于动脉硬化病理过程的新的理论，即氧自由基理论。这一理论认为，单纯的 LDL 并不能有任何"作为"，只有当它们与体内有害的氧自由基结合，并被氧化为"变质"形式而后又被巨噬细胞吞食后使这些巨噬细胞变成类似空泡的细胞后，才能最终通过这些细胞慢慢附于血管壁，激活损伤机制，导致硬化。因此，只要能降低 LDL 的水平，或对抗氧自由基的作用，即可阻止这一病理过程的发生。食物正是通过这些机理来调节血脂代谢的，一些食物可以直接降低 LDL，一些则可以通过提高 HDL，间接使 LDL 下降，还有一些是因为含有丰富的抗氧化剂而对抗了氧自由基的"活化"LDL 的作用而实现的，以下将分别叙述。

豆　类

豆类，包括大豆、蚕豆、黑豆、斑豆等，是一种经济、实惠和安全的食品。豆类中含有至少 6 种降胆固醇的成分，其中最主要的是可溶性纤维等。研究发现，每天吃 1 杯煮豆，3 周左右以后，血胆固醇下降 20%，1 年至 2 年后，有利的 HDL 上升 9%，HDL/LDL 的比例上升了 17%，作用是比较明显的。因此，专家们建议人们在午餐和晚餐后各吃半杯豆类。

大豆，是豆类中降胆固醇作用最明显的。主要是因为大豆蛋白有特殊的功效，是其他豆类无法比拟的。当我们每天吃生大豆、饮豆奶或吃豆腐时，它在我们体内便开始积极地工作了。但需要指出的一点是，豆酱、豆油等没有降胆固醇的作用。

燕　麦

早在 30 年前，荷兰的科学家就发现燕麦具有抗胆固醇的作用。美国芝加哥大学最近的 25 项研究中有 23 项都进一步证实了这点。该校的戴维森教授指出，无需很大的剂量，每日只需一中等大小碗煮熟的燕麦麸或一大碗燕麦粥，或者说 2 盎司的生燕麦，即可使有害胆固醇 LDL 下降 16%；一半的摄入量，也有 10% 的下降。但如果超过 2 盎司，其降胆固醇的作用便没有什么提高了。同时，燕麦还可以使 HDL 升高，进一步对血脂代谢产生积极影响。

燕麦之所以有这些作用，主要归功于它含有的 β-葡聚糖，它可以使小肠对胆固醇或其降解产物的吸收受抑，从而使血浆中的胆固醇水平下降。

关于燕麦，还有一点非常有意思。科学家们发现不同个体对燕麦的反应性不同。一些人食燕麦后胆固醇水平可下降 20%，有些人食燕麦后则仅下降 3%～4%，更有人一点也不下降！科学家们对此做出了以下解释：首先，市场上出售的燕麦在 β-葡聚糖的含量上有很大差异，从 8% 到 28% 不等，有的甚至几乎没有 β-葡聚糖。因此，读者在购买燕麦时应注意商标上"可溶性纤维"的含量到底有多少，并尽量购买含量高者。第二，就像其他在临床上使用的药物一样，它并不是每个人都适合的灵丹妙药。因为不同的个体从各方面讲都有很大的不同，只有先试一试才知道灵不灵。一般来说，年轻女性吃燕麦效果最差，而老年女性则常可收到很明显的胆固醇下降的效果，另外，这种下降的程度与遗传因素也有很大关系。第三，你的胆固醇水平若是高于 230 毫克/百毫升（mg/dl），燕麦的作用将会比低于 230 毫克/百毫升（mg/dl）时更容易受燕麦的影响而下降。豆类和其他可溶性纤维食物亦是如此，它们对正常的胆固醇水平几乎没有影响。

鱼　类

鱼类，特别是含 Ω-3 脂肪酸非常丰富的大马哈鱼、鲭鱼等可以使血中 HDL 水平升高。在一项调查中，测试者被要求午餐及晚餐时都进食大马哈鱼，40 天后，不管他们原来血中 HDL 水平是较低还是正常的，他们的 HDL 水平均有所上升，平均上升了 10%，某些文章中还曾报道有时 HDL 的上升在 20 天后即发生了。同时，大马哈鱼还被证实有降低甘油三酯的作用。尽管少量进食鱼类亦会使 HDL 有所升高，但为了达到保护心血管系统的作用，进食鱼类的量应较为充足。

至于有壳鱼类，过去人们错误地认为它们会使总胆固醇增加，而事实并非如此。美国华盛顿大学查尔兹教授做了如下一个试验：他让 18 名血总胆固醇水平正常的受试者 3 周内进食包括牡蛎、蛤、蟹、贻贝、龙虾 6 种有壳类以替换原来他们三餐中的动物蛋白，教授惊奇地发现，这 6 种有壳鱼类根本没有使血总胆固醇上升，相反，牡蛎、蛤、蟹使总胆固醇水平及其中有害的 LDL 有所下降，牡蛎和贻贝还使有利的 HDL 上升。从总体上看牡蛎、蛤、蟹、贻贝对血脂代谢有利，龙虾虽没有积极的影响，但至少也未发现其对血脂代谢有消极影响。

橄 榄 油

橄榄油通过本书前言中讲述的那三个机制共同来影响血脂代谢。它能使血中有利的 HDL 升高，有害的 LDL 降低，同时，它还使 LDL 氧化成有害形式的过程受到抑制。

每天吃三匙橄榄油，且不必同时严格限制脂类总量的摄入，就可以起到单纯的低脂饮食无法比拟的出色的调节血脂促进健康的作用。

杏仁和胡桃

提到这两种食物，读者也许会觉得奇怪——它们不是富含脂肪吗？难道对胆固醇代谢也有好处吗？是的，这两个问题答案都是肯定的。但它们像橄榄油一样，含有的大多为单不饱和脂肪酸。这些不饱和脂肪酸可以降低胆固醇总量，而且会抑制 LDL 的氧化过程。美国罗马琳达大学的研究证实了这一点。但需要注意的是，正像我们在前面提到过的一样，过多地进食杏仁和胡桃会增加体重，因为每盎司这类坚果大约可提供 170 卡的热量！最好的解决方法是——减少其他脂类的摄入，而这部分减少的热量以这类坚果的摄入来补充。这样既保持总热量不提高，又能积极地调节血脂，一举两得！

鳄 梨

以色列的专家们发现，坚持吃鳄梨后 3 个月，男性的有害的 LDL 下降了 12%。澳大利亚心血管疾病专家组对比了

15 名女性，她们分别采用低脂饮食（脂肪提供总热量的20%）和富含鳄梨的高脂饮食（脂肪提供总热量的37%），3 周后，低脂饮食使血总胆固醇下降 4.9%，同时其中有益的 HDL 也下降了 14%，有害的 LDL 却没有下降，而进食大量鳄梨后 3 周，血总胆固醇下降了 9.8%，而且主要是有害的 LDL 的下降。同时，科学家们还发现鳄梨能抑制 LDL 的氧化过程，减少了由此引发疾病的风险。

水果和蔬菜

前面已经提到，维生素 C、E 是体内良好的抗氧化剂，它们可以对抗氧自由基的作用。那些富含维生素 C、E 的水果和蔬菜正是由于它们的抗氧化作用而调节血脂代谢的。首先，它们可以抑制 LDL 的有害氧化过程；其次，它们可以保护有益的 HDL 不被氧自由基侵犯。它们就像是人体的健康保镖。下面是个有趣的试验，受试者是群可爱的猴子，美国密西西比大学动脉硬化实验室对它们进行了 6 年之久的研究。最开始，他们喂给猴子们黄油等高胆固醇的食物，而极少给它维生素 C、E，一段时间后，发现它们的动脉明显硬化及狭窄，而后，开始规律地给他们提供大量维生素 C、E，一段时间后，猴子们动脉硬化和狭窄均有所改善，最令人吃惊的是，当又减少它们食物中的维生素 C、E 后，它们的动脉硬化的比例又从 8% 回升到 33%！对人来说，每天保证 160 毫克～180 毫克的维生素 C 和 E 的摄入，即约 1 杯草莓加 1 杯花茎甘蓝或单纯 2 个大橘子，即可以起到良好的调脂预防动脉硬化作用。如此简单，何乐而不为呢？

苹果也可以降低血中的总胆固醇。美国华盛顿大学的戴维教授及法国的一些学者们分别进行的研究得出了如上的相同结论。非常有趣的是，苹果的这种作用在女性身上似乎更为明显。科学家们将除去果汁后剩下的一种可溶性纤维，即果胶为主的苹果泥做成小饼，让一些高胆固醇血症的病人每日吃 3 个，而后发现他们血中的胆固醇下降了 7%，因此，果胶被认为是苹果降脂作用的最有效成分。但其他成分也被认为一定有某种作用，因此为使其发挥最大的降胆固醇功效，专家们建议还是吃整个的苹果，不是吃单纯的果汁或果泥。适宜的量是每日 2 个。胡萝卜也含有丰富的果胶，每天 2 个胡萝卜可使胆固醇下降 10%～20%，这一幅度可使大多数高胆固醇血症者降为正常，同时还使有益的 HDL 明显上升。而且，无论是生的、熟的、冷冻的、罐装的、榨成汁还是切成碎片的胡萝卜都有这种功效。

葡萄柚则含有另一种可溶性纤维，称为半乳糖醛酸，它也可使胆固醇下降。由于榨成的果汁中没有这种纤维，因此只饮果汁没有降脂作用。每日需吃切成片后 2 杯半量的葡萄柚即可起效。美国佛罗里达大学詹姆斯教授在与人类心血管系统结构极为相似的猪身上的试验有更神奇的**发现，葡萄柚不仅可以降低胆固醇，还可帮助动脉壁上已有的脂质斑块溶解消失！**

在民间，早有葡萄籽有益健康的说法。现代医学研究表明此话的确不无道理。美国纽约州立大学心血管专家对 23 名低 HDL 病人进行了研究，每日令其在低脂饮食基础上吃二匙葡萄籽油，4 周后发现超过一半的病人 HDL 有所上升，23 人平均上升了 14%。对于原来 HDL 正常的人群，葡萄籽似乎没有什么作用。

大　蒜

至今，已有 20 多篇关于大蒜降低胆固醇的论文公开发表。国际健康委员会主席罗伯特教授指出，每天进食 3 瓣大蒜，可使某些人的胆固醇水平下降 10%～15%，无论这蒜是生食还是被煮熟后进食的。大蒜中被认为至少有 6 种有效成分，可以抑制肝脏中胆固醇的合成，但同时又使有益的 HDL 升高。另外，大蒜还可以改善人体的凝血功能，对于预防动脉硬化有积极作用。

洋　葱

洋葱可以明显地使 HDL 升高。美国哈佛大学医学院心血管疾病专家维克特教授的研究表明，每天吃半个生洋葱或洋葱汁，可使大多数已有胆固醇代谢紊乱或心脏病的病人的 HDL 水平升高 30%！他对洋葱的研究兴趣源于一些民间的医药记载。这里需要强调的是洋葱必须是新鲜未被加工过的。因为教授指出，洋葱一旦被加热后，其升 HDL 的作用便大大降低了。所以要吃就吃生洋葱，如果你吃不下半个，随你吃多少，因为只要吃就会有作用，只不过是或多或少的问题罢了。

饮　酒

大量的事实已经证实：少量饮酒，包括啤酒、白酒和葡萄酒，有助于提高血中有益的 HDL 水平。

所谓少量，是指每日 1 杯至 2 杯的葡萄酒或啤酒或约

1.3盎司的白酒。美国霍普金斯大学的科学家们发现，这种剂量的饮酒可以提高血中载脂蛋白 A_1（Apo - A_1）的含量。而 HDL 正是由 Apo - A_1 转化来的。

同时，科学家们也提醒读者，不能一次饮酒太多。那样反而会使有害的 LDL 上升。因此，如果你有饮酒的习惯，保持少量而稳定的酒精摄入才是明智的，千万不要轻易不饮，但容易一饮就过多。

咖　啡

通常美国人与欧洲人饮用咖啡的方式是不同的，美国人习惯在煮好后先通过滤纸滤过有形成分后再饮用，而欧洲人则是煮后直接饮用。科学家们发现，正是由于这一方式的不同，前者由于饮咖啡造成的胆固醇上升几乎是可以忽略的，而后者却比较明显。因此，可以这样说，造成胆固醇上升的成分在滤纸上被析出了。

荷兰人进一步研究了这种成分，并称其为脂质因子。他们令志愿者进食含有这种脂质因子的胶囊，6 周后发现他们血中的总胆固醇由 180mg/dl 上升至 220mg/dl，上升了 23%！但它对 HDL 和 LDL 的分别影响，各地有不同的报道：荷兰科学家报道说它对 LDL 的提升作用比对 HDL 的提升作用更明显，而美国霍普金斯大学的研究则称它对 HDL 和 LDL 有同等的提升作用，因而对心血管疾病的风险率没有明显的影响。

去咖啡因咖啡曾风靡一时，现在仍有 20% 的饮咖啡者在喝这种咖啡。一般咖啡主要由阿拉伯咖啡豆烘制而成，而去咖啡因咖啡则来自浓郁的罗布斯塔咖啡豆，但从其对胆固醇代谢的影响这一角度看，咖啡因并非"破坏分子"，甚至去咖啡因咖啡较普通咖啡被认为具有更大的危险性。美国伯克利大学动脉硬化研究中心对181名由普通咖啡转饮去咖啡因咖啡的男性进行的调查表明，6％的被调查者其血中胆固醇的有害形式 LDL 上升，另一种有害的载脂蛋白（Apo-B_1）也有所上升。而坚持饮用普通咖啡或完全戒除咖啡者，其血中胆固醇的变化却不明显。同时，美国哈佛大学的研究也发现，饮去咖啡因咖啡会增加男性患心脏病的风险。因此，千万不要指望去咖啡因咖啡来保护你的健康。

巧 克 力

你是否认为吃巧克力会使你的血胆固醇水平升高？从理论上讲，似乎也应如此，因为巧克力中所含的脂类有60％是饱和脂肪酸。但事实却并非如此。美国宾夕法尼亚大学的学者们发现，即使每日吃10盎司的纯巧克力，其血中的胆固醇也没有什么显著的变化。那么，这是为什么呢？科学家们认为这主要是因为那占60％的饱和脂肪酸主要是硬脂酸，而这种脂类似乎并不影响胆固醇的代谢。从这种意义上讲，吃巧克力是安全的。

鸡蛋、动物肝脏、鱼子酱等

鸡蛋、动物肝脏、鱼子酱和一些海产品中含有丰富的胆固醇，它们会不会对血胆固醇有显著的影响呢？

美国纽约大学的调查显示，只有2/5的人血中胆固醇有轻度的上升，而另3/5则保持稳定不变。科学家们解释说，这是因为即使你大量进食胆固醇，肝脏会自动地减少向血中输入胆固醇，使血中胆固醇保持基本恒定。但科学家们也的确发现，进食高胆固醇食物的人的平均寿命要比正常人群少3年，会更容易出现血栓等情况。因此，从这种意义上讲，过度的高胆固醇饮食是应该避免的。

但同时，适量摄入胆固醇又是十分必要的。如果长期不进食富含胆固醇的食物，就会引起胆碱缺乏，造成肝脏损害、肝功能异常。而且，脑中由胆碱转化而来的神经递质乙酰胆碱亦会相应减少，造成记忆力减退，严重者还可造成阿尔兹海默病。

鱼　油

前面提到的有害的胆固醇主要是指 LDL，另一种称为Lp（a）的胆固醇也具有心血管危害性。约有 25% 的美国人血中的 Lp（a）都高于正常。而常规的低脂饮食并不能降低Lp（a）。那么，有什么解决办法呢？科学家们发现鱼油有此功效。丹麦乔教授发现，坚持进食鱼油，每日 4 克，即 7盎司鲭鱼，9 个月后，Lp（a）异常的病人，其血中 Lp（a）平均下降 15%，德国另一组研究也有相似的发现。

关于这方面还没有更深入的研究，但科学家们相信对鱼油与 Lp（a）关系的研究必将对心血管疾病的预防学起一个推动作用。

对血脂代谢最具危害性的饮食

早在 1950 年，科学家们就指出，对血脂代谢危害性最大的是那些富含饱和脂肪酸的食物，如肉、家禽和乳制品，它们会使有害的 LDL 升高。同时食用高脂饮食的人，一组的饱和脂肪酸占 40%，另一组只占 10%，前者比后者血

LDL 高 13%！但不同个体的反应性有一定的差异。

有一点值得庆幸，当戒除高饱和脂肪酸饮食后，血中的 LDL 即有所回落，即动脉硬化阻塞的风险也会下降。澳大利亚皇家梅尔伯恩医院的学者们发现，当人们进食去脂的肉类后，胆固醇不会升高，反而有平均 20% 的下降，因此，购买去脂肉食可使你既享口福，又保健康。

胆固醇越低越好吗？

现代人往往谈胆固醇色变，认为胆固醇越低越好，因此每天很少吃甚至不吃脂类食物。那么，这种作法是否正确呢？

科学家们的答案是：No!

美国哈佛大学弗兰克教授指出，过低脂饮食即来自脂肪的热量小于 10% 的饮食往往会造成胆固醇明显下降，其中包括有害的 LDL，也包括有利的 HDL，使这两者的比例仍维持在一个高风险的水平上，对心脏病的预防毫无益处。同时，过低的胆固醇还会给其他系统造成损伤，例如，增加脑出血、慢性阻塞性肺病、结肠癌等的发病率，它还会使人情绪抑郁，增加自杀的发生，会使肝癌和酒精中毒的发生率分别增加 3 倍和 5 倍。

对于过低胆固醇对人体危害的机理还没有一个透彻的认识。关于脑出血，科学家们推测可能是由于过低的胆固醇使血管壁过于脆弱，没有充分的膜脂覆盖；关于情绪的抑制，科学家认为可能与脑中 5 羟色胺这类来源于胆固醇的神经介质过低有关。

如前述的橄榄油这类使 HDL 升高、LDL 下降而不使胆固醇总量过低的食物才是读者的明智之选。

影响甘油三酯代谢的食物

海产品、大蒜、豆类、低脂饮食使甘油三酯下降，而精制糖类、精制面粉、果汁、干果及过度饮酒则会使甘油三酯上升。

最近的研究表明，甘油三酯对心脏病的发生有推波助澜的作用，尤其是对 50 岁以上的女性及 LDL/HDL 比例异常的男性。芬兰的研究表明，同时存在 LDL/HDL 比例异常和甘油三酯高于 203mg/dl 的人，心脏病的风险率上升了 3 倍！但当比例正常时，单纯的高甘油三酯似乎危害不大，问题是高甘油三酯与低 HDL（即 LDL/HDL 比例异常），往往是并存的。因此关注你体内的甘油三酯水平，了解以上的知识对健康是有益的。

富含对抗胆固醇的纤维的食物

某些专家，如安德森教授，坚持认为可溶性纤维是对抗胆固醇的最主要成分，食物中含这种纤维的比例越高，抗胆固醇的作用越强。他认为每天至少吃 6 克可溶性纤维。

可溶性纤维的克数

蔬菜：1/2 杯

布鲁塞尔球芽甘蓝（烹饪的）	2.0
欧洲防风（烹饪的）	1.8
萝卜（烹饪的）	1.7
okra（新鲜的）	1.5
豌豆（烹饪的）	1.3
花茎甘蓝（烹饪的）	1.2
洋葱（烹饪的）	1.1
胡萝卜（烹饪的）	1.1

水果

橘子（1个小的新鲜的）	1.8
杏（4个中等大的新鲜的）	1.8
芒果（1/2个小的新鲜的）	1.7

谷类

燕麦片（3/4杯、煮过的）	2.2

豆类：1/2杯、烹饪的

棉豆	2.7
罐装烘豆	2.6
黑豆	2.4
绿豆	2.2
罐装白豆	2.2
罐装肾形豆	2.0
鹰嘴豆	1.3

可以对抗有害胆固醇的食物

抗氧化剂可以抑制有害的 LDL 变为活性状态的过程。科学家们已在水果和蔬菜等食物中发现了五种具有这种作用的抗氧化剂成分。

以下是一些有用的建议：

● 多吃富含维生素 C 和 β-胡萝卜素的水果和蔬菜。

● 多吃坚果、籽、谷类，尤其是小麦胚，因为它们有较高的维生素 E。

● 多吃富含辅酶 Q10（新近发现的一种具有保护性的抗氧化剂）的沙丁鱼或鲭鱼。

● 多吃富含单不饱和脂肪酸的食物，如橄榄油、杏仁、鳄梨。

● 少吃含 Ω-6 脂肪酸的食物，如玉米，葵花籽、红花。

可提高有益的 HDL 胆固醇的食物

- 橄榄油
- 生洋葱
- 大蒜
- 鳟鱼、鲭鱼、沙丁鱼、金枪鱼及其他一些富脂鱼类
- 牡蛎、贻贝
- 葡萄籽油
- 杏仁
- 鳄梨
- 富含维生素 C 的食物（花茎甘蓝、橘子等）
- 富含 β-胡萝卜素的食物（胡萝卜、菠菜、花茎甘蓝）
- 葡萄酒、啤酒及少量白酒
- 低脂饮食：即脂肪提供的热量占总热量小于等于 10%。

如何用食物来治疗胆固醇代谢异常

食物疗法对胆固醇代谢明显异常，即明显的高 LDL 血症及低 HDL 血症的治疗效果要比轻微异常者明显。如果你的血胆固醇正常甚至偏低，你根本没有必要寻求食物疗法来使其进一步降低。同时，不同的个体对食物的反应性不同，因此同一种食物在不同个体上会产生程度不等的疗效，使用药物时也有同样的问题。而且，不要单纯依靠某一种或几种食物，而要选择多种有益的食物，每一种食物的量不要过多，"较少量而较多种"是调节胆固醇代谢的最佳食疗原则。

- 吃足够的水果、蔬菜、豆类、高可溶性纤维（燕麦等）、海产品（鳟鱼、鲭鱼、沙丁鱼、金枪鱼等）。
- 减少动物性饱和脂肪酸摄入，如牛奶、乳酪、肥肉、

猪皮。

- 严格限制富含 Ω-6 脂肪酸的植物油（如玉米油、红花油、人造黄油，使糕饼松脆的植物油）及一些经过这些油类处理过的食物。因为它们会使更多的 LDL 氧化成活性形式。

- 多使用含单不饱和脂肪酸的油类（如橄榄油、Canola油等）。

- 多吃富含维生素 C、E 和 β-胡萝卜素等抗氧化剂的水果、蔬菜、坚果、橄榄油等食物。它们可使 LDL 变为活性形式的过程受阻。

- 如果你以往并无饮酒习惯，不要试图以饮酒来改善你的胆固醇代谢状况。如果有，那么就维持在一普通大小杯子的葡萄酒或啤酒或一点点烈性酒的较低饮用量水平上，也许会增加你体内有益的 HDL 量。

- 其他使有害的胆固醇降低的食物还有，Shiitake 蘑菇、大麦、米糠、海草、脱脂牛奶、绿茶及红茶。

饮食与血栓形成

可能会阻止血栓形成的食物：大蒜、洋葱、辣椒、黑木耳、姜、蔬菜、橄榄油、海产品、茶、红葡萄酒（中等饮量）。

可能会促进血栓形成的食物：高脂饮食、过量饮酒。

血栓的形成可以造成脑中风，心脏病发作和其他血管的损害。心血管专家们最近发现有 80%～90% 的心脏病和脑中风的急性发作与血栓形成有关。

血栓形成的过程中，有三个重要的环节：一是血小板的聚集力；二是纤维蛋白原的含量；三是纤溶系统的功能状态。血小板的凝聚力越高，纤维蛋白原的含量越大，纤溶系统的功能越差，血栓就越容易形成。后两个环节被美国哈佛大学的科学家们认为尤为重要。另外，还有一些重要的因素也影响着血栓的形成，例如，血脂代谢的情况及血流、血液粘稠度、凝血倾向等，其中血脂代谢的变化对血栓形成的影响是缓慢的，后面几种因素的影响往往是立竿见影的。

那么，食物到底是怎样影响血栓形成的呢？

有些食物，如大蒜、洋葱，它们一方面可以影响血脂代谢（前章已有所述），另一方面，它们还可以抑制血小板的凝聚，从而抑制血栓的形成。

还有些食物，如姜、黑木耳、大马哈鱼、沙丁鱼等则通过抑制血栓素的活性而抑制血小板的凝聚，达到抗血栓形成的作用，这与阿司匹林的作用极为相似；相反，奶酪、牛排等食物，促进血小板凝集，加速血栓形成。

还有些食物通过降低血中纤维蛋白原，提高纤溶系统的功能状态来抗血栓形成，或改善血液粘稠度，在一定程度上预防血栓形成。

另外，科学家们还发现，只要一般量的摄入，这些食物就会在体内发挥如上的重要作用。那么我们还等什么呢？现在行动，正是时候！

大蒜和洋葱

很早以前，大蒜和洋葱就被认为具有抗血栓的作用。古埃及和美国医生们都极为推崇进食大蒜和洋葱；法国农民很久以前就发现在马饲料中加入大蒜可以预防其发生腿部血管血栓；俄罗斯人亦发现用大蒜泥可以促进血液循环。过去这些都是人们从实践中总结出的一些经验，现在它们不再是没有科学依据的"偏方"了。美国纽约州立大学化学系艾里克教授从大蒜中分离出一种成分，发现它具有和阿司匹林同等甚至更明显的抗血栓形成作用。和阿司匹林一样，它可以通过抑制血栓素来对抗血栓的形成，同时它还有其独特的机制来抑制血栓形成的第一个环节即血小板的凝聚。美国乔治·华盛顿大学的学者们还发现大蒜中还有另外三种改善纤溶系统功能的成分。洋葱中则被发现含有一种有效成分，它可以抑制血小板凝聚，同时促进纤溶系统的功能，从而对抗由于进食过多脂肪后造成的血栓形成。

每天要吃 1 瓣到 2 瓣的大蒜和少量的洋葱，无论生食或者熟后食用都有效。对于那些有血栓形成倾向或已有血栓形成的人，是不是一个福音呢？

鱼 类

谈到抗血栓的食物，我们一定不要忘记鱼类，包括鲭鱼、大马哈鱼、沙丁鱼、鲱鱼、金枪鱼等。我们已经知道它们含有丰富的 Ω-3 脂肪酸，除了可以调节血脂代谢，它们还可以通过不同途径对抗血栓的形成，而后一作用被科学家们认为对保护心血管系统具有更重要的意义。

很多科学家正致力于这项研究，并不约而同地得出了相似的结论。澳大利亚营养专家保尔教授和他的同伴们发现，每日进食约 5 盎司的大马哈鱼或沙丁鱼可以使血中的纤维蛋白原下降 16%，并使出血时间延长 11%，这表明此个体的血栓形成倾向下降，在这项涉及 30 名男性受试者的研究中还发现，单纯进食鱼油胶囊并没有以上的作用。可能的解释是：鱼油（鱼脂）在抗血栓中不是惟一起作用的因素，在整鱼中一定还有其他至今还未被发现的成分。同样的，美国哈佛大学的研究者们也提倡吃整鱼，而不是单吃鱼油胶囊。每日约进食 6.5 盎司罐装金枪鱼具有和阿司匹林同等的抗血栓作用。据他们的研究，在进食鱼类后仅 4 小时，它们就开始发挥保护心血管的作用了。

红葡萄酒

少量饮用红葡萄酒也具有抗血栓的作用，其中的有效成分被认为不只是酒精，还包括一些其他的复杂成分。法国派索心血管专科医院马丁教授对 3 种酒精饮品进行了对比研究，它们是红葡萄酒、白葡萄酒和普通的人工合成的白酒。

15名健康男性充当受试者，让他们分别饮以上3种酒各2周，然后检测其血中HDL、LDL及血小板凝聚力。结果是这样的：饮普通白酒后，受试者的血小板凝聚力增加（利于血栓形成），但有害的LDL也有一定的下降；饮白葡萄酒后，有害的LDL轻度上升，但有益的HDL明显上升；饮红葡萄酒后，受试者和检测结果令人欣喜，它不仅使血小板凝聚力下降，同时又使有益的HDL上升。对于红葡萄酒中抗血栓形成的精确成分，这位法国科学家所持的观点是他无意于提炼和分析它们，因为他觉得现成的"药物"——即成形的红葡萄酒是人们垂手可得并容易接受的，无需再进一步分析。但无论如何，美国康奈尔大学的学者们仍在进行这种尝试，并初步认为这些有效的成分存在于葡萄皮中，称之为"Resveratrol"。这种成分是葡萄自身合成的用于对抗真菌感染的一种"自然杀虫剂"，有点类似于人类现在常用的对抗细菌感染的抗生素。因为它主要存在于葡萄皮中，因此由去皮的葡萄发酵而成的白葡萄酒中几乎没有这种"R"成分，而带皮发酵而成的红葡萄酒中则富含"R"成分，而且紫色葡萄汁中这种成分的含量也远多于白葡萄汁，且葡萄汁中的含量总体上比红葡萄酒中少2/3。

现在，在超级市场上出售的小温室葡萄，由于极少受真菌感染，因此"R"成分也很少。但一般家种的葡萄则含量较为丰富，约2磅这种葡萄与2杯红葡萄酒所含的"R"物质相当。

因此，无论是吃葡萄、饮紫葡萄汁或红葡萄酒，或是像日本人那样服用以"R"成分为主要组分的药物，都可以对抗血栓的形成。

另外，日本科学家还发现"R"成分还可以抑制脂质在肝脏的沉积，因此它在其他疾病领域的应用前景也是很宽广的。

茶

早在1967年，英国科学家就超前地预测茶中存在一种神奇的成分，可以在血管内发挥强大的抗血栓作用。他们在有名的《自然》杂志上报道了一项关于茶的研究。他们分别展示了在高脂尤其是高胆固醇饮食基础上喂以普通水或茶的大鼠的主动脉切开图，图中清楚地显示出饮茶的大鼠，其主动脉比饮普通水的大鼠主动脉要光滑得多，脂质斑块或动脉壁的损伤要少得多。当时，美国加利福尼亚州的一些科学家也发现，那些保留饮茶习惯的华裔商人与一般习惯喝咖啡的美国人比较，冠状动脉的受损率小1/3，脑动脉受损率小2/3。

当代的科学家们试图解释这一现象。1991年，首届国际茶生理与茶药理会议在美国纽约召开。各国科学家广泛交流了近年来的科研成果，公认茶可以抑制血小板的活化与凝集，促进纤溶活性，从而抗血栓形成；同时它还可以减少胆固醇在动脉壁的沉积，所有这些作用都积极地保护着我们的心血管系统。

日本学者还发现绿茶中有一种叫儿茶素的成分与阿司匹林具有同等的抗血小板凝聚作用。中国浙江医科大学娄夫清教授也致力于此项研究，他提取出了茶中有效成分的片段并且还发现中国人常饮的绿茶与美国人习惯喝的黑茶（如乌龙茶），在抗血栓形成方面难分伯仲。

茶除了具有抗血栓作用，还可以阻止由于LDL造成的动脉平滑肌细胞反应性增生的过程，从而进一步抑制动脉粥样斑块的形成，保护心血管系统。

水果和蔬菜

大家都知道，水果和蔬菜中含有丰富的维生素 C 和纤维素。在瑞典，对 260 名中年成人进行的研究表明，那些大量进食水果和蔬菜的个体具有最活跃的纤溶活性，反之，那些很少进食水果和蔬菜的个体，其纤溶系统的功能状态则很差。另有研究发现，维生素 C 和纤维素还可以抑制血小板凝聚，降低血中纤维蛋白原的含量，以及降低血液粘稠度，降低血压，从而使摄食者免受心血管疾病之苦。一个极端的例子就是严格的素食主义者及其相对应的极低的心血管病发病率。

辛 香 料

辣椒、丁香、生姜、姜黄粉等辛香料也具有抗血栓的作用。

泰国人就经常食用辣椒，他们的血栓性疾病发病率亦极低。美国科学家以 16 名健康的医学生为对象进行了一项研究，对其吃辣椒前后的纤溶系统功能状态进行评估。科学家们发现，进食辣椒后，他们血中的纤溶功能马上开始增强，但 30 分钟后就逐渐回到原来状态。科学家们说，尽管辣椒促进纤溶系统的抗血栓形成功能是短暂的，但长期反复地摄入辣椒，多次地刺激，仍然会促进对已有微血栓的清除，从而解释了泰国低血栓性疾病的原因。

丁香中的有效成分很可能是一种叫丁香酸的化学物质，它可以保护血小板的结构不被破坏，这样，即使它们已经开始聚集也不会产生一般情况下聚集会易导致的血栓形成。

生姜中的类似成分被称为姜酸。

所有这些辛香料的作用机制中很重要的一条都与阿司匹林相似，即抑制花生四烯酸系统，减少血栓素和前列腺素的合成与释放，从而抑制血小板聚集和血栓形成。

黑 木 耳

中国人的饮食中含有多种的抗血栓性食物，其中包括大蒜，生姜和洋葱，以及下面我们要介绍的黑木耳，这也许是中国人低冠心病发生率的重要原因吧！

美国明尼苏达大学医学院的戴尔教授在一次吃过中国的名菜——"麻婆豆腐"后开始将注意力投向其中丰富的配料——黑木耳。他发现这种食物含有肾上腺素等多种抗血栓物质，可以抑制血小板的凝聚力，从而对抗血栓的形成。

橄 榄 油

橄榄油现在成了众所周知的好东西，它也的确妙处很多，这里我们谈谈它的抗血栓作用。

英国的科学家发现，橄榄油可以抑制血小板凝集。每天分两次进食共 1.5 匙的橄榄油后 8 周，科学家发现摄入者血小板细胞胞膜上花生四烯酸减少，油酸增加，使血小板相互间的粘附性下降。同时，由这种血小板释放的血栓素 A_2 亦下降，继而由此引发的血栓形成和增大的过程遂被抑制。

最好的例证便是——常吃橄榄油的地中海人，其心脏病发病率是很低的。

增加血栓性疾病发生的一些不良饮食习惯

过多的脂类食物，特别是动物脂肪和富含 Ω-6 脂肪酸的植物油的摄入，不单会使血中的胆固醇增加，还会增加血栓性疾病的发生。它们使血中纤维蛋白原含量增加，纤溶系统功能下降。一次高脂餐后如上的作用将持续 4 个小时。适时适度地减少脂类的摄入，会使血栓形成的危险性较高脂饮食时下降 10% ~ 15%！因此，正在从事这项研究的丹麦学者们呼吁，为了健康，请控制脂肪的摄入。

在忙碌的现代社会，很多人省略了吃早饭的习惯。殊不知，在醒后的几小时内，是心脏病等血栓性疾病发生最常见的时间。圣约翰大学一位女科学家指出，血小板的粘附性在夜间是最低的，在凌晨初醒时开始慢慢攀升，但起床后吃早饭却可以抑制这种上升，使易发生的血小板聚集被抑制，从而预防了血栓性疾病的发生。反之，如果省略了吃早饭的习惯，血小板的粘附力将会不受抑制地在早饭的时间里上升，极易导致血栓的形成而引发疾病。

科学家们通过监测一种叫 β-血栓球蛋白这一与血小板粘附性、凝聚力成正比的物质的含量来说明不吃早饭这种不良饮食习惯的危害。在对 29 名抽血测量其进食早饭后和不吃早饭后血中 β-血栓球蛋白的含量后，科学家们发现，不吃早饭时，受试者血中这种物质的含量足足上升了 2.5 倍！也就是使受试者血栓性疾病发作的风险上升了 2.5 倍！

多么可怕的事实！想要不面对它？很简单——从明天开始，请起床后吃早饭！

简教授的抗血栓大蒜秘方

大蒜中最有效的和被研究最多的成分就是"ajoene"。美国特拉华大学简教授是这方面的专家，以下是她最近的一些研究发现，提示人们如何从大蒜中获取最多的"ajoene"成分。

- 把蒜捣碎而不仅仅是切成片。
- 稍加烹饪也能比生食多获得"ajoene"成分。
- 把大蒜与西红柿等酸性食物一起烹饪，酸性食物也可促进"ajoene"的释放。
- 将大蒜切成片，以适量伏特加酒浸泡几天，注意打开容器的盖，这是古老而有效的俄罗斯配方。
- 希腊的古老偏方也被证实能获得更多"ajoene"，即以捣碎的大蒜与 feta 乳酪和橄榄油混和。

鱼油抗血栓的机理

据美国农业部门的挪伯塔教授的研究发现，鱼油可以抑制血小板释放血栓素。在通常情况下，血栓素可使血小板由不规则的形状改变为小圆球的形状，然后又慢慢伸长出钉状突起，使不同的血小板契合凝集在一起，进而形成血栓。而进食鱼油后，血栓素下降，由此导致的一系列血栓形成过程也受阻，从而达到了抗血栓的作用。

抗血栓的食物

抗血栓的形成对于防治心脏病、脑中风有极其重要的意义，在这点上甚至比改善血脂代谢更为重要。

- 多吃肥鱼（鱼油）、大蒜、洋葱、姜，适宜饮葡萄酒。
- 限制脂肪的摄入，尤其是动物性饱和脂肪酸和 Ω-6 多不饱和脂肪酸。

- 如果你在吃促进血栓形成的食物的同时，注意同时摄入一些抗血栓食物，会有一定的作用。较好的搭配是，鸡蛋配洋葱或熏鲑鱼，乳酪配红葡萄酒等。
- 如果你同时在接受抗血栓的药物治疗或你本身有出血倾向，或有出血性疾病的家族史或你患有脑出血，在吃抗血栓食物时一定要适量，以避免危险发生。

饮食与高血压

　　使血压降低的食物：芹菜、大蒜、鱼类、水果、蔬菜、橄榄油、富含钙元素的食物、富含钾元素的食物。
　　使血压升高的食物：高钠食物和酒精。

　　正常成人的血压应低于 140/90 毫米汞柱，维持正常的血压对于预防心脏病和脑血管意外的发生有极其重要的意义。

　　很多高血压病患者依赖药物来降压，其实，辅助性地选择一些降压食物和注意避免升压性的食物也是治疗中的关键环节。

　　以下我们将对以上食物做一个介绍。

芹　菜

　　早在公元前 200 年，古亚洲人就知道用芹菜来对付可能是由高血压带来的一些不适。

　　美国芝加哥大学药理学家艾里奥特教授对芹菜降压作用的研究很有权威性。研究的开始很是偶然，这位教授的越南籍研究生一次无意中说起他 62 岁的父亲患有高血压病，在吃了当地医生给他开的"药"——每天两棵芹菜，约 1 周左右后，血压由原来的 158/96 毫米汞柱下降到了 118/82 毫米汞柱的正常水平。艾里奥特教授对此很感兴趣，他对芹菜中具有降压作用的化学成分做出了大胆的经验性的猜想和寻找，最后证实它是一种称为3-n-丁基苯二酸的化合物，它大量地存在于芹菜中，而其他很多蔬菜中则根本没有它。他用从芹菜中提供出的这种成分喂养小鼠，发现它果真发挥了降压作用，2周后小鼠的收缩压（高压）平均下降了12％～14％。教授还指出，这种有效成分可以减少紧张或其他应激状态下造成血管收缩的一些激素的释放，因此，芹菜对于那些与过度精神紧张相关的高血压病具有更明显的治疗作用，而这种高血压病占美国所有高血压病的50％之多！

大　蒜

　　古代的又一"偏方"被现代科学所证实——即多吃大蒜可以降低血压，这一食疗方法在古老的中国和现代的德国都被广泛地应用着。

　　在德国科学家最近进行的一项双盲试验中，一组研究对象的饮食中含有相当于每日二瓣大蒜的成分，另一组则没有这种成分，3个月以后，后一组受试者的血压保持不变，而前一组受试者的血压却从171/102毫米汞柱下降到152/89毫米汞柱，而且这种下降作用随着时间的推移而逐渐增加，因此，科学家们认为这是一种累积作用。动物实验表明，大蒜可以使血管平滑肌扩张，这不仅仅是因为它含有大量的肾上腺素的缘故（因为同样含有很多肾上腺素的洋葱却没有明显的降压作用），还由于大蒜中前列腺素 A 及 E 等具有降压作用的激素也有相当的含量。

鱼　类

　　高血压病的患病率是极高的，许多从事这方面研究的学者们自己也患有这种疾病。德国柏林大学彼得教授现身说法道——"坚持每天吃一小听鲭鱼罐头后，我发现自己的血压由 140/90 毫米汞柱下降到 100/70 毫米汞柱。"他将鱼类的降压作用归功于富含 Ω-3 脂肪酸的鱼油部分，发现鱼油与常用的 β 受体阻滞剂这种降压药有相同的效力。他还发现，同时使用 β 受体阻滞剂（如倍它乐克及心得安）和鱼油，可以有协同作用。进食鱼油后原来的降压药的剂量可以大大减少，但丝毫不影响降压效果。

　　那么，吃多少鱼才会有降压的作用呢？

　　美国辛辛那提大学的研究者们发现，每天吃 2000 毫克的 Ω-3 脂肪酸，即 3.5 盎司的新鲜鲭鱼或 4 盎司罐装马哈鱼或 7 盎司罐装沙丁鱼，3 个月后，可以使中度高血压病患者收缩压（高压）下降 6.5％，舒张压（低压）下降 4.4％，基本可以降至正常。丹麦学者认为每周吃 3 次鱼类就可以控制血压，而超过 3 次则不能在更大程度上降压，因为他们认为每周 3 次的摄入量即可提供足够控制血压的 Ω-3 脂肪酸。

蔬菜和水果

　　素食主义者的饮食由大量的蔬菜和水果构成，他们当中很少有人患有高血压病，相反地，他们的血压往往偏低。

　　美国哈佛大学医学院弗兰克教授对此很感兴趣，他首先用试验排除了肉、蛋类食物升高血压的可能，他给素食者的饮食中分别加入肉类及蛋类，1 个月后发现他们的血压几乎没有任何变化。而后，他便着手研究蔬菜和水果的降压作用，他对近 31,000 名中老年男性进行了调查发现，那些在以往 4 年中很少吃水果的人比那些每天吃 5 个或 5 个以上苹果的人，高血压病的患病率高 46%。他将这种降压作用归功于水果中的纤维，蔬菜和谷物中的纤维也有轻度的降压作用，但强度远远弱于水果中的纤维，这一现象还没有得到很好的解释。

关于蔬菜水果降压的机制还有其他很多学说，其中之一是抗氧化剂学说。持这一观点的学者认为，在蔬菜和水果中发挥降压作用的主要成分是一些抗氧化剂，它们可以促进前列环素的释放，从而使血管扩张，血压下降。另一种学说被称为维生素 C 学说，英国伦敦克里斯朵夫教授和美国塔夫大学营养与衰老研究中心的保尔教授都指出，如果饮食中的维生素 C 不足，将有可能造成血压升高，尤其是收缩压的升高比舒张压明显 6%～7%，而补充摄入富含维生素 C 的蔬菜水果则可使血压下降，他同时也提醒说，过多地摄入维生素 C 有可能使血压过低。还有一些科学家发现，除了维生素 C、抗氧化剂和纤维等还有其他一些成分也在参与降压的作用，但在这方面还缺乏系统的理论，暂不赘述。

富含钾的食物

水果和海产品中含有大量的钾元素，它是一种良好的"降压剂"。

大量事实证明，钾摄入量与血压成反比，即缺钾状态会使血压升高，足钾状态会使血压维持正常。此理论得到美国坦普尔大学医学院的证实：当被试者食物中的钾被"剥夺"9 天后，其动脉收缩压和舒张压均有所升高，例如，舒张压由 90.9 毫米汞柱至 95 毫米汞柱，如果同时被试者食物中的钠摄入过多时，这种升压效果将更明显，因为钾能促进钠的排出，缺钾时钠排出延缓，缺钾和高钠状态共同使血压升高。

富含钾的食物常被推荐与降压药物同时使用，在保持良好的降压效果的前提下，可以减少一定的药量。意大利内伯大学的一项研究发现，在进食富含钾的食物 1 年后，81% 的高血压病患者用药的剂量减少为原来的一半；更长的时间后，38% 的病人可以完全停药而单以每日 3 次至 4 次的高钾食物（超过一般摄入量的 60%），就能良好地控制血压。

富含钙的食物

钙与血压的关系过去一直被忽视。现在，很多科学家发现低钙可能比高钠在高血压病的发病机制中起更为重要的作用。而且，适宜的钙浓度在某些个体中可以对抗高钠导致的血压升高趋势。因此，钠敏感性的高血压往往可以通过补钙来纠正。美国奥更健康科学大学戴维教授解释说，当钠敏感性的个体进食过多钠离子后，会导致体内水、钠潴留，而钙离子则可能通过加促肾脏对水和钠的清除来控制血压。

尽管钙不能对所有高血压病有治疗效果，但在某些患者身上的确有着较为明显的疗效。据美国得克萨斯健康科学中心的研究，每日 800 毫克的钙补充可使 20% 的中等度高血压病患者的血压下降 20 毫米～30 毫米汞柱（而一些病人仍有轻度的下降，极少数的病人血压反常性地升高了 20%）。另一项研究表明，40 岁以下成人保证充足的钙摄入可以在一定程度上预防高血压病的发生。

酒精与钙似乎有拮抗作用，因为对于每日饮酒 1 次的成人，每日 1 克的钙摄入可使高血压病发生率下降 20%，而对于每日饮酒少于 1 次的成人，同等的摄入钙质，高血压病的发生率却可以下降 40%！这一资料来自美国洛杉矶南加利福尼亚大学医学院詹姆斯教授的研究。

橄 榄 油

美国斯坦弗大学医学院对 76 名中年男性进行的一项调查表明：每日进食三茶匙橄榄油可使收缩压下降 9 毫米汞柱，舒张压下降 6 毫米汞柱。肯塔基大学也发现，每日 2/3 茶匙的橄榄油即可使收缩压和舒张压分别下降 5 毫米汞柱和 4 毫米汞柱。荷兰科学家的研究显示，橄榄油即使是对正常的血压也有轻度的下降作用。意大利学者进行的更大规模的研究（涉及 5,000 名意大利人）表明，那些每日摄入橄榄油较多的人，尤其是男性，他们的血压往往比其他人普遍低 3 毫米～4 毫米汞柱，而那些大量吃黄油的人则血压偏高。

这些事实都说明橄榄油的确具有降压的作用，是值得信赖和选择的降压食品。

盐

科学家们在盐与高血压的关系这一问题上的争论已经持续多年并仍在继续。

应该说盐与高血压的确有着密切的联系。英国伯明翰心脏研究组主席、哈佛大学医学权威廉姆教授指出，在世界范围内，低盐摄入区高血压病发生率较低，而且不像美国等高盐摄入区那样发病率随年龄而增长。同时，高血压病患者在被要求限盐饮食后，约有 1/3 至 1/2 的病人，特别是那些钠敏感性的病人，血压会有所下降。但是，现在仍无法预知病人是否属于"钠敏感性"个体，只有尝试着限盐并通过观察有无降压效果来推断了。

对于那些钠敏感性的病人，据英国伦敦大学马尔柯姆教授的调查，每日从饮食中减少 1 茶匙盐，可以使收缩压和舒张压分别下降 7 毫米汞柱和 3.5 毫米汞柱。同时加拿大西安大略大学罗斯教授还指出，由于盐会加速随年龄增长而发生的血管舒张功能不良；那些高盐饮食的老年人的血管舒张功能下降了 50%，而低盐饮食的老人的舒张功能则与一般年轻人没有明显的差别。而良好的血管舒张功能对正常血压的维持很显然具有重要的意义。

然而亦有很多研究表明，盐并不是造成高血压的主要原因，对于一些高血压病病人，限盐并不能达到降压的目的，反而，有约占 15% 的病人却表现出了令人不解的升压现象，对于这些人，限盐是灾难性的一个决定。因此，美国爱因斯坦医学院兰伯特教授告诫高血压病病人，可以尝试性地在医生监督下限盐 2 个月并严格监测血压，如果血压的确有所下降，那么好，坚持做下去，说明限盐对你是有利的；但如果血压反而上升就应该立即终止这种限盐的饮食，因为它可能对你不合适，反而会伤害到你的健康。无论属于哪一种情况，一个高血压病病人都不能单纯地依赖限盐来良好地控制血压，必须同时结合其他的方法。

美国国家健康学院推荐的每日食盐摄入量是——小于等于 6 克，即约三茶匙食盐。

饮　酒

世界范围内的大量研究及调查都显示，饮酒，无论是啤酒、葡萄酒还是烈性酒（如白酒等），都会使不同性别、年龄和种族的人血压升高，而且饮酒量与升压幅度成正比。澳大利亚学者甚至认为它是比食盐更大的一个升压威胁。

就总体而言，每日饮酒 2 杯～3 杯，使成人发生高血压病（这里限定为超过 160/95 毫米汞柱）的风险增加 1 倍，每日饮酒超过 6 杯，血压会上升近 50%！对女性而言，据美国哈佛大学的资料，每日饮用 2 杯啤酒或葡萄酒或一点点烈酒对血压没有明显影响，而随着饮酒量的增加，血压的升高亦从无到有，稳步上升，每日饮用 2 杯～3 杯者，有 40% 的女性出现血压升高，当饮用量超过 3 杯后，这一比例也上升至 60%！

令人安慰的是，这种升压作用是可逆的。当戒酒或减少饮用量后，血压会在数天内逐步下降。美国凯斯医院的专家们告诫那些嗜酒的高血压病病人，一定要努力戒酒，因为那样会使其血压下降 25 毫米汞柱，完全可能达到正常的水平，不再是高血压病患者了！

咖　啡

对于咖啡，至少有一点需要澄清：即咖啡并不是一般意义上高血压病的主要致病因素。美国得克萨斯健康科学中心的学者们认为，在某些特殊情况，尤其是精神压力下，偶尔甚至是长期饮用咖啡的人会发生暂时性的血压升高，但绝没有持续性的升压效应，也不会缩短高血压病患者的平均寿命。据他们的一项对 10,064 名确诊为高血压病的美国人的调查显示，那些平时饮用咖啡（无论是需煮的还是速溶的，还是特殊的去咖啡因的咖啡）的病人，由心脏病或其他因素致死的死亡率，与那些饮茶或没有这样习惯的病人相比较并没有任何差异。

但是，当人们面临较大的精神压力时，咖啡有时的确会使血压升高，一般认为是其中咖啡因的作用，一般收缩压可升高 12 毫米汞柱，舒张压可升高 9 毫米汞柱。虽然这种升高只是暂时性的，但这种效应在那些具有高血压遗传倾向或已有高血压病的病人身上将更为明显，而且往往会导致一些不良的后果。美国俄克拉荷马大学医学教授威尔森先生对此的解释是，在这些人受到精神刺激后，肾上腺皮质激素对咖啡因的反应性往往较强，而肾上腺皮质激素是一种具有升压作用的激素，在高反应下，升高的幅度可能会更大一些。因此，读者，尤其是属于以上情况的读者，应当避免在承受较大精神压力时饮用咖啡。

治疗高血压的食物

- 最重要的一点就是多吃各种水果和蔬菜，其中包含维生素 C、钾、钙等多种已知的和许多未知的降压成分。
- 特别注意吃大蒜、芹菜。
- 鱼类是维持正常血压的又一必选食物，每周 3 次吃鲭鱼或沙丁鱼、鳟鱼、鲱鱼等有明确的降压作用。
- 烹饪时少放盐，少吃腌制食品，那其中也包含过多的盐分。
- 饮酒不要过量，每天 1 杯～2 杯即可，一次性地大量饮酒会使血压明显升高。
- 将体重减至正常水平也是治疗高血压的重要原则。

无脑中风的人群的饮食

下列的每种饮食将提供额外的 400 毫克/日的钾摄入，

以此使脑中风发生率下降 40％。

- 1／2 杯烹饪过的新鲜菠菜　　（423mg）
- 1／2 杯烹饪过的新鲜甜菜　　（654mg）
- 1 茶匙赤糖糊　　（400mg）
- 1 杯西红柿汁　　（536mg）
- 1 杯新鲜橘汁　　（472mg）
- 1／4 个罗马甜瓜　　（412mg）
- 1／2 杯橡树子　　（446mg）
- 10 个干杏　　（482mg）
- 2 个胡萝卜　　（466mg）
- 1／2 杯蒸白薯　　（455mg）
- 1／2 杯煮过的绿利马豆　　（484mg）
- 1 杯脱脂牛奶　　（418mg）
- 1／2 个佛罗里达鳄梨　　（742mg）
- 1 根香蕉　　（451mg）
- 2 盎司杏仁　　（440mg）
- 1 盎司烘大豆　　（417mg）
- 17 盎司去皮的烤土豆　　（512mg）
- 17 盎司有皮的烤土豆　　（844mg）
- 1／2 杯烘豆　　（613mg）
- 3 盎司罐装沙丁鱼　　（500mg）
- 3 盎司箭鱼排　　（465mg）

饮食与脑血管意外

可以预防脑中风的食物：水果、蔬菜、海产品（鱼类等）、茶、少量饮酒。

可以引发脑中风的食物：盐、过量饮酒、动物性饱和脂肪。

随着年龄的增长，脑血管意外（又称脑中风）的风险率也逐渐增加。但是如果能够坚持正确的饮食，就能将脑中风发生的危险和其可能造成的不良后果控制在最小的范围内。有数据显示它可以使由脑血管意外造成的死亡率下降40％～60％。约有 80％ 的脑血管意外是由脑血栓造成的，另外 20％ 主要是指脑出血。正确的饮食可以预防或对抗血栓的形成，并使脑部血管保持良好弹性和韧性，不易破裂，并使脑部血压保持正常。希望依靠某种或某些化学药物来起到长期预防脑血管意外的作用，且不谈它们可能带来的各种副作用，单从效果上看目前是很难做到的。但选择适宜的日常食物却是简便易行而又行之有效的手段。

水果和蔬菜

正确的食物中首先应该提到的就是水果和蔬菜了。早在10 多年前，科学家们就发现进食充足的水果和蔬菜可以预防脑血管意外的发生及减少其造成的损害。英国剑桥大学的学者们发现经常食用新鲜的水果和蔬菜的老人死于脑血管意外的比例远小于很少食用它们的老人。挪威的另一项研究则向我们提供了一个更有说服力的数据，即经常食用蔬菜的男性比极少食用者脑血管意外发生率减少达 45%，女性也有类似的下降。蔬菜中最值得推崇的是胡萝卜、菠菜，每周进食 5 次以上的胡萝卜可以使脑血管意外减少 2/3 (68%)，菠菜也有明显保护血管的作用，这些数据是美国哈佛大学的研究者们对 90,000 名女性护士进行长达 8 年的随诊后得出的。胡萝卜，菠菜，包括土豆之所以有这种作用主要是因为它们中含有的 β-胡萝卜素。它是一种高效的抗氧化剂，它可以抑制胆固醇的毒性活化，从而抑制了动脉壁上粥样斑块的形成，它还可以在体内转化为维生素 A，这种维生素在脑血管意外发生后可以打断局部脑组织细胞由于缺氧而发生的一系列有损自身功能的化学反应，从而减轻脑组织受损的程度，减少由此造成的死亡。比利时布鲁塞尔大学对 80 名病人在发生脑血管意外后 24 小时进行了抽血取样，化验其中维生素 A（包括 β-胡萝卜素）的水平，发现的确如此，那些维生素 A 水平越高的病人疾病预后越好，由脑血管意外造成的活动或智力障碍等后遗症和死亡的发生率越低，越容易完全恢复；反之，预后越差！其他含维生素 A 较丰富的蔬菜和水果还有羽衣甘蓝、橘子、南瓜，它们也有类似的作用，同时它们还含有丰富的钾元素，而钾对于脑血管也有着一定的保护作用。科学家们对居住在美国南加利福尼亚州的859 名 50 岁以上的成人的饮食中钾离子与中风发生的危险（追访了 12 年）的研究显示：每日食钾量超过 3500 毫克的个体中没有一个由于中风死亡，每日摄入量小于 1950 毫克者中风发生率较高，每日摄入量极小者，男性由于中风造成的死亡率上升 2.6 倍，女性上升 4.8 倍。而每增加 400 毫克的钾摄入，致命性中风即脑血管意外的发生率下降40％。那么400毫克的钾需要我们吃多少东西呢？说出来你一定会吃惊——1杯牛奶或1小块鱼，或半个鳄梨，或1个烘土豆，或10个杏脯，或半杯烘豆，或3/4个甜瓜，这就足够了。这么简单，不是吗？

对于钾保护脑血管的机理，科学家们是这样分析的：钾可以降低血压，可以使脑血管保持良好的弹性和正常的舒张收缩功能，使它们即使在血压过高时也能应付自如，不至于发生脑出血等脑血管意外的情况发生。在对大鼠进行的动物实验中证实了这一理论，人类可能也是类似的机理。

鱼　类

另一种可供选择的理想食物是鱼类。

美国伊利诺伊大学威廉姆斯教授进行的动物实验表明，饲喂以大量鱼类的动物比饲料中含鱼类较少的动物，脑中风的发生率有相当程度的降低。对于人群中的调查亦是如此。荷兰科学家发现，60岁至69岁的男性中，每周至少吃一次鱼类的人比几乎不进食鱼类的人脑中风发生率下降50％，日本人的研究也发现，那些每日吃鱼量超过9盎司的渔民比吃鱼量3盎司至4盎司的农民，脑中风的发生率低25％～40％。

我们已经知道，鱼类中含有丰富的Ω-3脂肪酸，它可以改善血液循环，尤其是脑部的血液循环情况，使其不易发生血栓。它还可以改变红细胞细胞膜的结构，使其在通过相对狭窄的血管时有更好的变形性，以利于为组织尤其是脑和心脏组织的细胞提供充足的氧气和养料，从而维持其正常的代谢和各种生理机能。

因此，鱼类食物不仅可以预防脑中风的发生，还可以使脑中风发生后可能造成的脑功能损害降到最低的程度。

茶

日本科学家最先对饮茶与脑中风的关系进行了研究，经过对 6,000 名 40 岁以上的日本妇女的追踪调查，他们发现，那些每日饮茶，尤其是饮绿茶超过 5 杯的妇女，发生脑中风的几率仅为饮绿茶小于 5 杯/天的妇女的一半！对于那些由于食盐摄入过多而面临脑中风及高血压风险的女性，饮绿茶更有保护脑血管的作用。在此之前，中国和美国的研究已经发现饮茶可以降低血压。

对于这一疗效可能的解释是，茶叶，特别是绿茶，含有一种比维生素 C 或 E 更高效的抗氧化剂，它们可以保护脑部的血管，防止意外的发生。

盐

盐，是我们必须小心摄入的食物成分。

科学家们告诫我们，一定要避免过多盐分的摄入。因为高盐食物会带给我们升高的血压，同时，即便是可见的升压作用并没有出现，隐匿地对脑组织的损伤却在一直持续地进行着，微小的脑中风在慢慢地发生着。

托比恩教授在大鼠身上进行了高盐与限盐饮食的试验发现：15 周的高盐饮食使 100％的大鼠死于一系列微小而最终导致死亡的脑中风，而且其中一些大鼠的血压一直都是正常的；而另一组限盐饮食的大鼠中只有 12％的个体死亡。

托比恩教授说，限盐与我们的健康息息相关，特别是超过 65 岁的人，他们对盐具有高度的敏感性，限制其饮食中的盐摄入就显得更为重要了。

饮　酒

有饮酒习惯的读者们应该注意阅读这一部分，因为这里有关于酒精的好消息和坏消息，别走开！

还是先从好消息说起吧！科学家们尽管不建议读者都学会饮酒来保护脑血管，但对于那些已有饮酒习惯的人，科学家们建议他们每日的饮酒量控制在 1 杯～2 杯左右，因为适度的饮酒摄入，据英国的资料，可使脑中风的发生率降低 30%～40%。而芬兰的报道则更令人欣喜，这一降低率达 94%！

坏消息是随着饮酒量的增加而到来的。同样是英国的调查显示，每日 3 杯～4 杯或以上的饮酒量，使其脑中风的发生危险上升了 2 倍。芬兰神经病学家的结果是更令人恐惧的 5 倍！科学家们认为过量的饮酒使酒精成为脑组织中的"毒药"，它使脑组织血栓形成或血管完全阻塞及脑血管病理性收缩，使脑组织缺血缺氧，最终导致脑血管意外的发生。

抗脑血管意外的饮食配方

- 大量吃蔬菜、水果，尤其是胡萝卜，每天吃 5 次以上。
- 多吃鱼，尤其是含鱼油的肥鱼，每周至少 3 次。
- 少吃盐。
- 不要过量饮酒，每天最多 1 杯～2 杯。
- 要试着喝茶，尤其是绿茶。
- 这些食物同时也能降低已发生的脑血管意外所带来的损害程度。

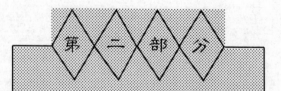

第 二 部 分

饮食与消化系统疾病

饮食与便秘

　　可以防治便秘的食物：米糠、麦麸、水果、蔬菜、果脯、无花果、海枣、咖啡、大量饮水。

　　不建议经常使用的治疗便秘的食物：大黄。

　　在美国，有整整3000万人在受便秘的困扰。

　　要讨论饮食与便秘的关系，首先要明白，什么叫便秘？每周排大便的次数小于3次，或有便意、胃肠痉挛感时排便困难，大便秘结。便秘可能由不良的饮食习惯造成，它们使食物残渣的体积和其中的水分不足而难于排出。便秘也可能是一些器质性的消化系统疾病的早期临床表现，因此，如果你经常出现便秘就应该及早就医，防患于未然。如果不是器质性的疾病，本节中讨论的一些问题就会对你有所帮助。

　　有些人总是在发生便秘后首先求助于药物，认为它们具有立竿见影的通便效果，其实这一举动是不太明智的。首先你需要花钱去购买这些药物，更重要的是这些具有导泻通便作用的药物往往会扰乱肠道神经的正常收缩规律，从长远效应上看，不仅没有治疗便秘，反而使这种症状越来越重。

　　而食物却是最自然、最温和、最没有副作用的治疗便秘的"灵丹"。米糠、麦麸等粗粮富含纤维，而纤维基本以原形从肠道排除，它可以吸收大量的水分，使粪便体积增大、潮湿而利于其在结肠、直肠中运输及经肛门排出体外，纤维还可以反射性地刺激结肠壁上的神经，使肠道蠕动加促。而其他像咖啡、果脯等含有可以促进胃肠蠕动的化学成分，从而起到易化排便的作用。同时充足的饮水对规律排便也非常重要。

值得一提的是，以上的食物在已经发生便秘后用作治疗，的确是"亡羊补牢，未为迟也"，因为如果反复出现便秘，将会导致比较严重的后果，如严重的痔疮、下肢静脉曲张、胃肠憩室等。同时，读者们也应注意通过这些食物来预防便秘的发生，把危险扼杀于襁褓中。

粗　粮

随着工业和农业的飞速发展，粗粮离我们的日常生活越来越远。每天，我们都在吃一些口味色泽俱佳的精米精面，殊不知，缺少了粗粮中富含的纤维，是造成现代人便秘高发的一个重要原因。我们的祖先每天要吃掉 1.75 磅的粗粮，他们那时很少发生便秘。这并不是说要我们回到过去，去吃大量的糠和麸。英国营养学家瑞得教授说，我们只需在每日三餐中稍许加一些粗粮，或许每天只需一满茶匙的量就可以达到预防和治疗便秘的目的。相比较而言，粗米比粗面的效果更佳。

在补充粗粮等富含纤维的食物的时候，一定要注意以下几个问题：

首先，要逐渐摸索适合于自己的补充量。前面提到的一满茶匙，只是一个平均的水平，存在着一定的个体差异性。有些人也许很小的量就有效，另一些或许要稍大的剂量。适宜的方法是从很小的量开始尝试，渐进增量，并注意观察大便的频度和性状以及有无其他不适，达到满意时即是你所需要的量，这一过程宜在 4 周～6 周内完成，不宜过快。请记住：任何一种好的东西都需要一个被适应的过程，而且也不是多多益善的！

其次，补充粗粮的时候，一定不要忘记补充水分的摄入，因为纤维性食物主要是通过吸收大量水分入粪便而缓解便秘的。如果水分不足，反而会使已经增多的大便变得干燥而不易排泻。

《美国医学文摘》杂志曾报道，有一位 34 岁的男性，因受便秘的困扰，在接受了医生的建议后决定进食粗粮。但他没有注意以上两点，一是急于求成，从一开始就每天进食 2 盎司（即 2/3 大杯）的粗粮，二是他也没有注意增加饮水，同时因为别的原因他还在使用利尿剂。10 天后，他便由于急腹症在当地医院接受了外科手术，术中发现他的小肠被一条长约 18 英尺的纤维性食物残渣完全阻塞！所幸没有发生穿孔等更严重的后果！

咖　啡

咖啡较粗粮纤维性食物而言是一种更迅速而温和的导泻剂，它对至少 1/3 的个体有效。但它的导泻作用在女性身上似乎更为明显。而且，显然其有效成分并不是被理所应当认为的咖啡因。因为科学家们发现无论是普通的含有咖啡因的咖啡还是去咖啡因的特殊咖啡，在导泻作用方面是旗鼓相当的。瑞得教授对 14 名健康成人进行了一项实验：在他（她）们分别饮用咖啡（含或不含咖啡因）和水后用直肠镜监测大肠的运动频度及肠道内压。他发现饮任意一种咖啡后仅仅 4 分钟，大肠的运动即开始加强，由此瑞得教授认为一定存在一种快速的体液激素或神经递质机制，而且这种作用可以持续至少 30 分钟，而饮水后无明显变化。同时教授还发现咖啡的这种促胃肠蠕动的作用在清晨最强，在夜晚时则变得很弱。但咖啡中有效导泻成分亟待进一步研究。

关于咖啡，还有一个令人不解的问题，北卡莱罗纳大学的学者们对 15,000 名成人进行了一项调查，发现那些常常受便秘困扰的个体常常饮含咖啡因的饮料，如咖啡和茶。他们对这一结果的解释是：由于过于频繁的刺激，胃肠道已经失去了对咖啡因等胃肠动力因子的敏感性，因此反而会变得缺乏运动，从而造成便秘。斯堪地纳维亚的学者们则认为是咖啡因的利尿作用打破了体液代谢的平衡，使肠道内不能维持足够使大便软化的水分，使大便秘结，不易排出。无论如何，如果咖啡反而使你大便不畅的话，还是尽快戒除它吧！

果　脯

1907 年出版的《美国大药房》一书在当时是一本权威性的书籍，被大多数行医者奉为药典。书中有这样一段记载："果脯不仅含有丰富的营养，还具有导泻作用，可以用于治疗腹胀，肠绞痛及消化不良。果脯的浸液可以制成导泻汤剂，果脯的果肉亦可以直接制成具有导泻作用的糖膏剂。"

现代的科学家们也证实了这一作用。加州大学芭芭拉教授对 41 名男性给予每日 12 个果脯后，发现他们胃肠道蠕动增强了 20%，同时有害的低密度脂蛋白（LDL）下降了 4%。

但对果脯中具有导泻作用的有效成分仍然是众说纷纭。前面提到的芭芭拉教授认为这种成分其实就是纤维，她认为并没有什么神奇的特殊成分。一些科学家们在发现果脯中含有的具有导泻作用的山梨醇比其他的水果要高许多（果脯含 15%，而其他水果仅约含 1%）后，认为山梨醇即是这种有效成分。另一些科学家则坚信是一种特殊的化学成分在发挥着作用。从 1931 年起，他们就一直在致力于分离这一成分。1951 年，圣路易斯的一个叫哈罗尔的试验室，声称他们分离出了这种神奇的成分，并称之为二苯基靛红。但其他科学家进行了多次的重复试验没有得到支持的结果。20 世纪 60 年代，美国农业部以小鼠为研究对象分析了果脯的有效成分，发现无机镁元素似乎有此作用，但奇怪的是它仅在果脯内才发挥作用，单独分离出来以后导泻作用便消失了。总而言之，迄今为止果脯的有效成分对我们来说还是一个待解之谜。

牛奶和钙质

某些人在饮用牛奶和食用奶酪或其他一些含钙质较多的食品后会发生便秘。对于这些人，科学家们告诫还是少食这些食物为妙。

饮食与腹泻

易导致腹泻的食物：牛奶、果汁、山梨醇、咖啡。

预防治疗腹泻的食物：含淀粉的汤、谷类、酸乳酪。

使腹泻难愈的食物：咖啡、高糖果汁或软饮料。

腹泻是一种极为常见的疾病，它间断地伴随着我们，从出生到死亡，尤其是婴幼儿更易罹患此病。对于大多数人来说，每一次腹泻是急性的短暂的过程，而对某些人来说，却是一个慢性的过程，被称为习惯性腹泻，并且很难发现明确的病因。还有一种腹泻也较为普遍，它发生在绝大多数的旅游者身上，被称为"旅游者腹泻"。

所谓腹泻，即是指大便中含水量过多及大便次数频繁。造成腹泻的主要原因有：一，肠道内细菌、病毒或寄生虫的感染，如大肠杆菌或球菌属的感染，使肠道内肠液过度分泌，同时吸收不足，从而造成腹泻，前面提到的旅游者腹泻大多属于这种情况。二，人体对某些食物的不耐受性或过敏性造成的腹泻。三，某些特殊的腹腔疾病，如肠易激惹综合征等。有鉴于此，慢性腹泻，尤其是持续数周、数月的腹泻患者应首先向医生咨询及诊治。

无论有否腹腔疾病的基础，食物对腹泻均有一定的影响，它可以使腹泻恶化，难愈，也可以治疗腹泻，使腹泻持续的时间缩短 1/3 到 1/2。

需要特别指出的是，对于腹泻时的饮食，存在着一个极为错误但广为流传的说法：那就是腹泻时需要"让胃肠道休息"，要"尽量不吃任何食物"。科学家们极力反对这种说法，并指出，若想尽快摆脱腹泻的困扰，就应该选择正确的饮食，并注意少食多饮，细嚼慢咽，而不能禁食。在腹泻的同时，患病者往往伴有食欲不振，但少量多次地进食易在胃肠内膨胀的食物，如大米粥，胡萝卜汤，木薯布丁，少量的糖等，每天五至七次或更多，同时为避免恶心等不适要慢慢咀嚼，这些的确对腹泻的恢复大有裨益。这点对于儿童尤为重要，美国儿科学会规定，在一般情况下，急性腹泻的患儿被要求禁食的时间不得超过 24 小时。

很多人习惯在腹泻发生后喝清茶、果汁或其他饮料或肉汤（但没有任何固态肉质）。科学家们最近的一些研究表明，这种做法也是错误的。首先，它们中缺乏足够的营养成分，而这对于婴幼儿是极为重要的。其次，它们常常包含不适当的电解质的含量。例如，有些鸡汤、牛肉汤中含钠过高，而茶和一些软饮料中则含钠不足，有的饮料中严重缺钾，这对于腹泻，尤其婴幼儿的腹泻的恢复也极为不利。第三，这是像霍普金斯大学格林那夫教授这样的科学家认为的最重要的原因，这些饮料中往往含有过多的糖类，它在进入胃肠道后将吸收体内的大量水分入胃肠，造成呕吐或腹泻加重，使由腹泻造成的脱水状态进一步恶化，很多婴幼儿正是由于这种不正确的饮食而发生了死亡。

科学家们提倡的饮食，其实读者也已经看到，亦多是呈现液体状态的食物。但这些液体更为粘稠，大多含有淀粉等实质性固体的内容物。大米粥、玉米粥、胡萝卜汤、小扁豆汤、木薯布丁、鸡汤软面，这些都是家居生活中简单易制的止泻佳肴，也是一些地区人们自古信奉和长期执行的偏方。

现代科学的研究给这些似乎平常的东西以科学的佐证和支持。科学家们曾对这些食物与时下流行的无乳糖配方的婴儿食品进行比较，发现秘鲁、尼日利亚等国家经常食用的玉米粥、豆粥等食物，儿童更不易罹患腹泻，也更易从腹泻状态恢复正常（秘鲁的儿童几乎缩短了 70% 的病程），这不是一个很好的说明吗？

科学家们还为我们列出了一个止泻的简易配方，它和后面我们将提到的一种药物制品——口服补液盐，具有几乎同等的治疗腹泻的作用。这一配方的发明者，是前面提过的格林那夫教授，他建议读者，在出现腹泻后尽可能短的时间就采纳这一配方即可以使腹泻的自然病程缩短 50%。那么这一神奇的配方到底是什么呢？难不难掌握呢？很简单，半杯到一杯婴儿米粉，少于等于 1/4 茶匙盐，二杯清水混匀，不要加糖！米粉可适当多加，只要混合物不过于粘稠而使患儿无法下咽即可。配方掌握了，还要注意喂法也很重要：不要让小孩一下子把它都吃下去，而要一小匙一小匙，一次一次地慢慢喂。如果孩子还是吐了，那么每口喂的量还要减少，间隔还要适当拉长，以患儿无恶心、无呕吐等不适感为宜。

调 味 品

葫芦巴是一种在印度和中东各国被广泛使用的调味品，相传也有治疗腹泻的作用，这点也得到了丹麦欧登塞大学克里施纳教授的认可。他认为，对于成人腹泻，每日三次一茶匙半的葫芦巴加水服用，可以使腹泻有立竿见影的治疗效果，往往是在服用二次之后，腹泻便明显减轻了。

提起胡椒，中国读者们可能更为熟悉。但它的名声似乎并不太好。普遍认为无论是黑胡椒还是白胡椒，都会促进胃肠道的蠕动从而加重腹泻，所以人们在腹泻的时候往往对胡椒敬而远之。然而纽约州摩西女子医学院胃肠病专家们最近的研究结果却与这些说法大相径庭。在他们的实验中，16名健康的受试者被要求进食约一茶匙白胡椒粉或3/4茶匙的黑胡椒，然后科学家们通过科学的方法监测其胃肠蠕动的情况，他们惊奇地发现胡椒并没有使他们的胃肠蠕动增强，反而使蠕动有所降低。当然，这并不是说，我们在腹泻时应求助于胡椒，但至少说明，在这个时候吃胡椒并不像想象中那样有害。

乌饭树果

在瑞典，乌饭树紫黑色的浆果在被凉干后常常用于治疗儿童的腹泻。慈祥的祖母会把它们熬成粥喂给孩子们吃，每一次只需1/3盎司的果干。科学家们指出，乌饭树果之所以能治疗腹泻，是因为它含有丰富的花色素，后者被证实具有杀菌作用，可以杀灭包括造成腹泻的最常见细菌——埃希氏大肠杆菌在内的很多种细菌，杀灭了病原体，自然可以控制腹泻。另一种在瑞典市场上常售的黑葡萄干中也可提取出类似的化合物，也被证实有治疗细菌感染性腹泻的作用。

酸 乳 酪

美国明尼苏达大学丹尼斯教授和麦克尔教授似乎更重视"不治已病治未病"——他们更多地致力于如何预防腹泻的发生，并指出酸乳酪是达到这一目的的最佳选择。

这两位科学家将育有不同品系的大肠杆菌的培养基里加入酸乳酪后发现，这些大肠杆菌的生长被明显抑制，有的甚至发生了死亡。我们已经知道，在牛奶、肉汤等制成的一般培养基中，它们却可以大量的繁殖。因此，两位科学家认为在很多发展中国家，酸乳酪应该比牛奶更多地应用于儿童的饮食中，以预防腹泻，事实也正是如此。

加州大学的乔治教授甚至认为即使是在美国这样的发达国家，每天吃6盎司的酸乳酪，对于降低腹泻的发生也是值得推崇的。

对于这些现象，我们从学者们那里得到的科学解释是这样的：酸乳酪中含有的乳酸菌在人类的小肠中，它们将产生一种叫乳酸的代谢产物，这种产物使肠道内 pH 值减低，即酸度增加，从而抑制了埃希氏大肠杆菌等致病菌的活力。但不同的乳酸菌属，它们抑菌的能力是有差异的。塔夫大学舍伍德教授及巴里教授发现的一种被称为乳酸菌 GG 的菌属，是迄今发现防治腹泻最有效的乳酸菌属，而且这种菌属可以在胃肠道内存活相对多的时间，发挥相对长时间的抑菌或杀菌作用。在芬兰的实验中，它可使严重的婴儿腹泻的病程缩短30％，在土耳其的研究中，摄入含这种乳酸菌的酸乳酪亦使旅游者腹泻的发生率下降了40％！

红霉素是一种较为常见和有效的抗生素，它的抗感染作用是有目共睹的，但它有着比较明显的胃肠道刺激作用，会引起胃部不适、腹泻等症状。乳酸菌或者说酸乳酪也可以最大限度地减少或减轻这些副反应。

综上所述，酸乳酪的确是一种强大防治腹泻的安全食品，科学家们预测它将风行全球！

有一点需要特殊说明的是，当酸乳酪被加热后，其杀菌作用即完全丧失，只有一定的抑制细菌繁殖的作用，因此为了达到最大的收益，切不可热食酸乳酪！

旅游者腹泻

"旅游者腹泻"使很多兴致勃勃的旅游者们玩兴大减，给本来愉快的旅行生活抹上令人恼火的一笔，尤其是对那些初到发展中国家，像拉丁美洲、非洲、中东和亚洲国家的旅游者，几乎有 30％ 至 50％ 的发病率！和其他腹泻一样，很多旅游者腹泻是由埃希氏大肠杆菌引起的。当旅游者们食用曾被粪便污染过的水或食物、蔬菜，未去皮的水果，未煮熟的或贮藏不良的肉类、海产品的时候，过量的大肠杆菌，尤其是致病的埃希氏大肠杆菌便进入旅游者的肠道，并会在适宜的条件下引起腹泻。

因此，知道了这种腹泻的病因，旅游者自然会知道如何预防了：饮用瓶装的饮料或煮沸至少 5 分钟或加碘、氯消毒的水，去皮、清洗蔬菜、水果，不生吃食物，避免进食未经消毒灭菌的乳制品、冰棍、奶糕等。不要在街头随意购买食物等等。另外吃酸乳酪是有益的，可有一定的预防作用。美国霍普金斯大学萨克教授在对波多黎各 1970 年爆发的旅游者霍乱的研究中还发现，饮用以含碳酸盐的容器包装的水也有一定的保护作用。

那么，一旦患了旅游者腹泻后该如何做呢？其实与患其他腹泻时的治疗和处理是相同的，远离那些可能被污染的食物，不吃含脂类或高纤维素的食物，不饮牛奶、咖啡、含糖饮料，多吃前面提到的大米粥、小扁豆汤、鸡汤面等。

牛　奶

牛奶，是大多数人日常的饮品，但可能很少有人了解牛奶也可以引起各个年龄段饮用者腹泻的发生，而且往往是慢性腹泻，在婴幼儿往往是致命性的。

麻省通用医院理查德教授解释说，这是由于某些个体对牛奶中的某些成分无法消化吸收或无法耐受造成的。牛奶中的糖主要是乳糖，在体内一般有专门代谢转换其为可吸收成分的酶，但在某些个体，这些酶是缺乏的，大量的乳糖不能被代谢吸收，势必会引起腹泻。这种酶的缺乏是一种具有遗传性的疾病，对有家族史的婴儿更应格外注意，因为研究发现他们罹患此病的风险高达36％！还有一种情况，也是多见于婴幼儿，他们对牛奶中的异种蛋白过敏，不能耐受。某些这种敏感的婴幼儿在饮用牛奶后会出现皮疹，腹部不适及腹泻等一系列过敏反应。预防这一情况，可以采用最新的祛除过敏蛋白的牛奶配方，更简单有效的办法就是现在被广泛提倡的母乳喂养。需要注意的一点是，哺乳的妈妈也不能饮用牛奶，因为牛奶中的过敏成分有时会随母亲的乳汁间接进入婴儿体内，也有可能引起腹泻。过去曾经建议给这种婴儿喂以豆奶，但最近的研究发现，对牛奶过敏的婴儿常常同时也对豆奶过敏。

果　汁

如果你的小孩持续2周腹泻，你就应不排除果汁引起腹泻的可能。在荷兰的一项研究中，一些患有慢性腹泻的14个月至25个月的孩子，在停止喂他们果汁后很快就不治自愈了。美国康涅狄格大学的科学家们也有相似的发现。

这些果汁包括苹果汁、桃汁、葡淘汁等等，它们含有高浓度的果糖或山梨醇，有些小孩子消化这些水果糖类的能力较差，大量的糖类堆积于胃肠道内，易于细菌的大量繁殖，造成胃肠胀气，腹痛及腹泻。最具危险性的是苹果汁，它同时富含果糖及山梨醇两种水果糖类，以下依次是桃汁及葡萄汁。相对比较安全的果汁是橙汁，据《儿科杂志》报道，橙汁中果糖及山梨醇的含量均较低。

值得庆幸的是，一旦发生由果汁造成的腹泻，只要尽早停止这些果汁的饮用，问题便会迎刃而解，而且4岁以后，孩子们对果汁的耐受性便会逐渐增加，由此发生腹泻的风险也会逐年下降。

无"糖"的糕点及糖果

现在市场上越来越多的出售一类被称为"无糖型"的点心及糖果。它们主要是为那些想保持苗条身材的节食者及出于健康考虑的糖尿病患者而制作及销售的。所谓"无糖"是指不含葡萄糖，而不是不含有任何一种糖类。实际上这些食物中含有另外一种有甜味的葡萄糖替代品，叫山梨醇，它也是一种糖。只不过，它不会引起肥胖，也不会造成糖尿病恶化，但它有时却会造成腹泻。

对于某些个体，确切地说是约占41%的成人，较少量的山梨醇摄入就会导致腹泻。这是因为他们体内消化吸收山梨醇的功能障碍。

最近的一项研究显示，四至五块这种富含山梨醇的糕点即会使75%的食用者在短时间内发生腹泻，类似的发现其实早在1966年就有个例的报道。

在一些水果，如草莓、桃、李等中，也含有一定的山梨醇，但由于含量较低，一般食用时不会有什么问题。据估计，约3.5盎司的草莓才和一小块"无糖"糕点中所含的山梨醇的量相当。

咖　啡

当你不明原因地慢性腹泻时，也不应忽视你的咖啡，对某些具有"结肠敏感性"的个体来讲，仅仅一小杯的咖啡就可以引发肠道蠕动的增加，同时由于它的轻度的利尿作用，最后很可能导致腹泻。据英国科学家的统计，这样的人体在人群中不少于1/3。因此，一旦出现慢性腹泻，请先停饮咖啡，看一看病情是否会因此而好转！

纤维性食物

前一节中我们已经介绍，纤维性食物是治疗便秘的一种上佳的食物。但正如我们以前曾经忠告读者的，任何好的东西并非都是多多益善的，矛盾的双方总是在不断地转换的。在最近《新英格兰医学杂志》上记载了这样一件事：一位64岁的男性医生的大便习惯，突然由每日一次变成间断地无规律地发生腹泻，后来发现，这是由于他最近开始在医院里间断食用工会提供的高纤维性的小松饼造成的！当他停止这种食物后二三天，他的大便习惯便又恢复了正常！

关于婴儿腹泻

婴儿的腹泻是一种必须给予高度重视和及时正确处理的疾病，这比成人的腹泻要严重得多，处理上也有一些不同。

婴儿体内的含水量远远高于成人，他们更需要保持正常的体液、酸碱及电解质的平衡。因此腹泻后的脱水和电解质酸碱平衡紊乱对于婴儿常常是致命性的。尽管由于腹泻致使婴儿夭折的情况大多发生在贫穷的第三世界国家，但像美国这样的发达国家，亦有不少婴儿由于没有得到及时准确的治疗而离开他们刚刚来临的这个美丽的世界。

最关键的治疗是补液。对于急性腹泻的婴儿应继续给予母乳喂养或脱敏牛奶的喂养，同时选择科学的口服补液制品。

饮食与胃部不适

对每个人来说，偶尔的胃部不适是一件再稀松平常不过的事情了，这些症状包括：返酸、恶心呕吐、消化不良等。自古以来，尤其是在古中国和古巴比伦国，就有着许多治疗这些常见症状的方法，比如生姜被用于治疗恶心，至今仍不失为最有效的"药物"之一。

香　蕉

以上的一些症状往往使人们首先怀疑自己是否患上了溃疡病。的确，有了这些症状应该首先到医院就诊。但也确实有些人经过全面的化验、检查被证明并没有溃疡等器质性疾病的存在，科学家们把这种情况称为"非溃疡性消化不良"或"敏感性胃肠"，对于这种情况发生的病理还有待于进一步研究。

尽管如此，我们仍有一些行之有效的方法来对付它，香蕉是具有悠久历史的"良药"。印度的学者对46名有以上症状的病人进行了研究，将这些病人分为两组，一组给予香蕉制成的胶囊，另一组给予安慰剂，8周后第一组病人中，有占半数的人诉说自己胃部不适完全消失，25%的病人有部分缓解，仅25%的无效率，而安慰剂组的病人中仅有20%的病人认为症状有所改善。由此可见，香蕉的确是很有效的，它被著名的《安抚你的胃》一书的作者罗纳德戏称为"香蕉大夫"。

饮食与恶心

姜

前面的文章中已经提到，姜至今仍被认为是治疗恶心的最佳"药物"。

恶心是一种常见的消化道症状，由于胃肠道的异常运动所致。可以发生于进食不适食物后、晕船时、手术后、妊娠后或其他不明原因的情况下。而姜对于所有这些原因造成的恶心都是安全而有效的，至少有三个世界性的研究说明了这一点。

第一个经典的研究出自犹他大学精神病专家丹尼尔教授，他在分别给予二组被试者半茶匙姜粉及 100 毫克晕海宁（苯海拉明）后测试他们的抗旋转能力，他发现给予药物的受试者没有人能在旋转椅中坚持 6 分钟而不发生恶心或呕吐的，而吃姜粉者则有足足一半的人做到了这一点！

另一项对照性的研究的对象选取了海校的新生。这 80 名丹麦学生初次进行海上训练，亦将他们分为试验组和对照组，试验组给予 1.5 茶匙的生姜粉，对照组给予安慰剂。研究者们发现在食用生姜粉后约 25 分钟，它即开始发挥作用，它使晕船恶心的发生率下降了 38％，使由此导致的呕吐减少了 72％，而这种保护作用足足可以维持 4 个小时！

姜甚至对外科手术后的恶心有效，这一结论得自英国伦敦的一项研究。在那里，邦纳教授和他的同事们应用随机双盲的方法对 60 名准备接受妇科手术的女性患者进行了试验研究，他们发现那些在术前预防性地给予 1.5 克姜（即 1/3茶匙姜粉）的女性患者在术后发生恶心的几率明显低于安慰剂组！而且这种预防性的作用的强度甚至比常用的一种叫胃复安（Metoclopramide）的止吐药还要强！

更有意义的一点是，邦纳教授还发现姜相对其他药物来讲是非常安全的，它几乎没有药物常有的那些副作用，自然也不会因此而终止治疗。

另外，美国农业部医学植物学家杜克教授指出，一些含有姜的食品如姜脆饼或姜啤酒等，对那些轻度到中度的恶心就已足够有效了，不必为此再额外进食姜了。

考克教授的止恶心配方

宾州大学胃肠病专家考克教授在多年的临床工作中曾面对过大量受恶心这种症状困扰的病人，他认为我们日常的饮食或饮料的种类及摄入方法与恶心的发病与治疗有密切的关系。他的抗恶心配方主要是针对饮料方面的，为预防和治疗恶心的发生，他指出应饮用那些"清饮料"，这一称谓主要是针对果汁等饮料而言的，并且每一次饮用时应小口品啜，一次的饮用量以二至三盎司为宜。考克教授最为推崇的是美国市场上两种稍含盐及糖分的"清饮料"——牛肉清汤及一种叫 Gatorade 的饮品。考克教授认为正是由于它们含有合适的盐及糖分，对呕吐后因失液造成的水电平衡紊乱有良好的纠正作用，而且它们性质温和，对胃肠没有任何刺激，可以预防恶心的发生。

对于是喝冷的还是温的饮品，教授并没有给予明确的答案，因为以他的观点，即便是冷的饮品在被饮入人体内很短的时间内，就可以变成温暖的饮品，因此选择权完全在你手中，依你的口味和喜好而定。

考克教授的配方中严格地把果汁类饮料排除在外，尤其是柠檬酸，因为它对胃肠有较明显的刺激作用。而对于可口可乐、七喜等碳酸饮料，考克教授也持一种不很积极的态度。曾经有人认为可口可乐可以改善妊娠时的恶心症状，但考克教授进行了科学地研究，否定了这种可能。他认为只是可口可乐中的高糖成分可使胃肠平滑肌松弛，从而可以在一定程度上抑制呕吐，但不能从根本上祛除恶心的症状。但教授同时也指出，当这些饮料放置一段时间，完全不含气体后，饮用还是可以接受的，因为主要是气体会使胃肠胀气加重恶心。

考克教授的配方中还排除了咖啡，因为他发现咖啡可以加重胃肠道不适。

而茶，这种中国人最常见的饮料在他的配方中也是被积极提倡的一部分。虽然教授本人也承认，茶安抚胃肠道的机理还没有弄清楚，但它的这种作用却是的的确确存在的。

饮食与返酸

胃酸在正常范围内对于食物的消化吸收有着很重要的作用，但当胃酸过多时就会产生返酸等症状，并且对消化系统产生损害。

为了避免返酸的发生，在日常饮食中应尽量避免啤酒、葡萄酒、牛奶、咖啡，含咖啡因的茶、七喜、可口可乐等，这其中尤以啤酒为最。德国最近的一项研究表明，饮啤酒后一小时内胃酸增加了一倍！提到牛奶，是最容易被忽视的，很多人都主观臆断地认为牛奶可以保护胃肠粘膜，但实际上它却使饮用者的胃酸分泌增加！

那么一旦发生了返酸，我们应当吃什么样的食物合适呢？费城药理科学学院药理学和医学化学博士阿拉教授发现大米是一种具有复杂结构的碳水化合物，它可以抑制胃酸的过度分泌，所以煮大米饭或粥是合适的选择之一。

其他的食物如干的蚕豆，适量的玉米、豆腐、面包也有类似的作用，但过多地摄入这些食物将会起相反的作用，又刺激胃酸的分泌，这是读者们需要注意的。

神奇的食物

饮食与胃痛

　　德国的科学家们在对慕尼黑的一所医院的病人进行调查研究后发现，蛋黄酱、洋白菜、油煎或盐浸的食物、咖啡、肉类、果汁、碳酸饮料都可以造成胃痛。对于那种已有溃疡病基础的病人，咖啡、碳酸饮料、蛋黄酱、果汁的疼痛作用就更为明显了，这些都是那些经常受胃痛症状困扰的病人应当尽量避免的食物。

饮食与排气

　　使排气增多的食物：牛奶、豆类。

　　使排气减少的食物：姜、大蒜、胡椒、薄荷。

　　每个人每天都要排气，换个通俗的词汇就是放屁，它可以说是生存的标志之一。一个正常人每天排气的次数约为14次。若排气次数过多会使当事人同时面临躯体上的不适及社交上的尴尬，更重要的是它很可能是某种疾病的先兆和线索。美国明尼苏达大学麦克尔教授在这方面的研究上有很高的声望和很大的贡献，其他一些学者在此方面也进行了大量的研究。以下，我们将详细地把他们的发现和观点予以阐述。

使排气增多的食物

　　从总体上讲，使排气增多的食物一般都含有较多的碳水化合物，如单糖、双糖、寡糖及多糖等。这些食物最常见的有：食用糖、淀粉、纤维性食物、牛奶等，那么，为什么这些碳水化合物会使人排气增多呢？

　　这些食物被摄入后，其中的碳水化合物大部分不能被胃及小肠完全吸收，而被输送至大肠中，而大肠中有许多与人类共生的正常菌群，它们正是通过分解代谢这些碳水化合物为生，这些代谢过程大多数类似于发酵的反应并会产生大量成分复杂的气体。绝大多数气体是没有什么气味的，但有些气体成分却是即使在100万立方米只有100个分子时，也能被人的鼻子觉察到。不同的碳水化合物产气的机制有所不同，以下将分别加以介绍。

产气能力最强的是一些寡糖，尤以鼠李糖为著。豆类中这种糖的含量最高，其他一些蔬菜中也有一定的含量。它之所以在人体内能产生大量的气体是因为人体内缺乏一种叫半乳糖苷酶的代谢酶，而几乎完全不能消化吸收鼠李糖而使其大量堆积于大肠内被细菌分解造成的。据统计，吃一般烘烤的豆类会使肛门排气量增加11倍！

牛奶和乳制品中的碳水化合物主要是指乳糖，它对于某些人来讲也是增加排气的物质。这些人体内缺乏转化乳糖为可吸收成分的酶，这种情况被称为乳糖不耐受性。同样地，乳糖大量贮于大肠中，被细菌分解后产生大量气体，仅仅两杯牛奶会使乳糖不耐受者排气量升为原来的8倍！但酸乳酪是个例外，你可以尽情地享用，而不必担心它会使排气增多。

燕麦中含有的β-葡聚糖及苹果中含有的果胶都是可溶的纤维性物质，它们亦不能被消化吸收，而在大肠内被细菌利用，一夸脱的苹果汁使产生量增加4倍！

小麦、土豆、玉米等淀粉的食物只能被人的消化系统消化吸收一小部分，大部分仍要依靠大肠内的细菌代谢分解，从而易使产气增多。据明尼苏达大学另一位专家约翰教授的研究，所有含碳水化合物食物中，大米是最不易增加肛门排气的。

对于某些特殊的个体来说，很多其他的食物也可以引起肛门排气量的增加。曾有报道，一位28岁的男子，除了对牛奶、豆类、谷类等敏感外，进食洋葱、熏肉、球芽卷心菜汤、葡萄干等后，均出现排气增加的情况，他每日最多的排气次数曾高达141次！有时仅仅求助于医生是无效的，需要病人自己仔细观察自己的排气量与进食不同食物的关系，通过避免这些肇事食物来摆脱令人难堪的不适。以下，我们也将介绍一些使排气减少的食物和食物处理的方法。

如何使肛门排气减少？

很多人虽然明知豆类是使他们排气量过多的食物，但出于对这种食物的喜好，他们仍在进食豆类。这里我们将介绍一种处理豆类的方法，使它们的产气作用降低至最小的程度。这种方法来自美国农业部的科学家们，是种很简单易学又行之有效的方法：首先将豆子洗净，在沸水中焖煮3分钟后停止加热并浸泡2小时。然后将水倒掉，并以新的室温状态的水再次浸泡2小时，然后再倒掉水分，并换上新水，过夜静置浸泡，最后以清水洗涤1次至2次，这样的豆子就可以上锅烹饪了，还有一个要领，豆类烹饪的时间以75分钟至90分钟为宜。

科学家们保证说，只要你严格地遵循以上的指导，豆类使你肛门排气量增加的作用就会大打折扣，仅为原来的50％。

现在美国市场上销售的一种叫"比诺"的食物添加剂，也可以对抗豆类等的产气效应。而本书更关心的是来自于自然的食物，谜底是我们在前文中曾多次提到的姜和大蒜。猜谜的线索仍是来源于民间多年的经验和偏方。印度的学者们曾做过一个非常有趣的试验，对于狗来说，豌豆会使它们的排气量明显增加。科学家们即把姜或大蒜配上豌豆同时做为狗的饲料，而后惊奇地发现，在进食这些混合物后，狗的肛门排气量与进食一般米类食物比较没有丝毫增加！因此很多国家老百姓烹饪蔬菜时喜欢加姜、蒜等调味品，的确是有理可循，有"利"可图的。

乳糖不耐受性

　　由于牛奶在我们日常的生活中占有重要的地位，而对牛奶中乳糖的不耐受性又是比较普遍存在的一种现象，因此，我们有必要为牛奶单独开辟一片天地，重点介绍一下乳糖不耐受性及其对策。

　　占世界70％的人口都有不同程度的乳糖酶的缺乏或者说乳糖不耐受性。这种现象在非洲、亚洲和地中海地区尤为突出。由于这种酶的缺乏，使牛奶中的乳糖不能很好地被消化、吸收，正常人可以吸收牛奶中92％的乳糖，而乳糖不耐受者只能吸收25％～58％的乳糖！它们停留在大肠中，引起腹痛、腹胀、肛门排气增多及腹泻等等不适。

　　美国华盛顿大学大卫教授是营养与免疫学方面的专家，在经过多年的研究后推出，当你出现上述的症状时，先不要惊慌，也不要忙于花大量的时间与金钱去求医问诊。你首先应该禁食牛奶和乳制品（除酸乳酪）约2周，很有可能一切都在这么简单的行动后变得好起来了。而且，并不是乳糖不耐受者一丁点牛奶和乳制品都无缘消受，60％～80％的不耐受者仍可以无任何不适地饮一杯牛奶，50％的病人甚至可以饮2杯牛奶。因此关键在于，要弄清牛奶是否适合你，多大量的牛奶适合你！

　　那么上段文字中，我为何要把酸乳酪排除在危险之列以外呢？细心阅读本书的读者会在前几节中找到答案，因为酸乳酪中的乳糖已经预先被乳酸菌（及部分嗜热链球菌）分解代谢成可吸收的成分，同时含有这些活菌的酸乳酪在摄入后还可以帮助消化吸收其他的乳制品或牛奶。有一点需要注意，那就是一定要有活菌才有后面的作用，冷冻的酸乳酪在销售时大多要复温消毒，这样其中的有用菌大多已经死亡而失去活力。另外，加入其他调味品的酸乳酪比普通的酸乳酪消化吸收乳糖的能力也大大下降。

美国罗得岛大学李教授还给我们提供了一个可以一试的方法，以对付饮用普通牛奶后的种种不适。在李教授对35名乳糖不耐受者进行的试验中发现这种方法有至少51%的显效率。很简单，在你的牛奶中加入不超过1.5茶匙的可可粉，试一试，也许真的对你有效呢！

饮食与烧心

烧心是另一种常见的消化系统症状，又称胃酸感、返酸等，主要是由于胃食道返流造成的胸骨后烧灼样疼痛，它困扰着很多人的生活。据调查，在美国至少 10％的人经常有这些症状。

胃酸的主要成分是盐酸及胃蛋白酶，它在消化吸收食物，参与代谢活动的工作中充当重要角色。正常情况下，它只存在于食道以下的胃中，不会引起不适。但当胃酸过多同时伴有胃酸返流至食道下部时，由于食道粘膜与胃粘膜的巨大差异，使人产生烧心的症状。临床上还有一种胸骨后的烧灼感是由心脏病造成的，不是我们这节要讨论的问题，暂不赘述。

那么为什么有些人会发生胃食道返流？并引起烧心感呢？

这还要从食道与胃的某些结构说起，在食道下段与胃分隔处有一段环形的括约肌，在正常情况下，这部分肌肉在我们吞咽的时候，呈松弛的状态以使食物通过食道顺利到达胃内消化。而且它立即收缩，以防止胃内容物（包括食物及胃酸等）倒流至食道。但在某些情况下，大多数是不恰当的食物，使食道下段括约肌的收缩能力下降或收缩舒张节律紊乱，而胃内的压力又常常高于食道内，在没有括约肌的有力阻隔下，胃酸自然返流至食道下段，从而发生疼痛。长时间的返流使食道下段粘膜发生慢性返流性炎症，在这种炎症发生后，某些病人在进食食物经过食道壁时，即使没有酸返流也会发生疼痛的感觉。

巧克力食品

巧克力中含有较多的咖啡因、茶碱及可可碱，它常常是造成烧心感的罪魁。美国宾州大学卡斯特尔教授通过自己的亲身体验和 20 多年的科学研究告诫读者：要小心巧克力食品！他很早就发现自己每次稍多进食巧克力饼干后就会连续好几天返酸烧心。后来他开始致力于这方面的研究，他令受试者们饮用半杯巧克力饮料后测量他们食道下段内压及食道粘膜的情况。他发现，受试者食道下段内压力在饮巧克力后明显降低，而且这种括约肌松弛造成的低压力情况一直持续了 50 分钟。同时，他还发现那些平素经常出现胃酸返流的人，食道粘膜已出现可见的损伤性炎症改变，这种人在食用巧克力后食道下段内压下降更明显。虽然他没有发现平素无返流的受试者，在食用巧克力发生食道下段内压下降后发生胃食道反流，但教授还是建议所有的读者在进食巧克力食品的时候，要谨慎选择，量力而行，尤其是已有返流情况的群体更应注意。

脂　肪

过多的脂肪类食物也会增加返酸烧心症状发生的风险率，这些食物包括：油煎食物、奶稀、乳酪、高脂汉堡包等等。卡斯特尔教授指出，高脂食物比巧克力致使返酸的能力强一倍！对于敏感的群体，进食巧克力后会有 40% 的人发生返流，而进食高脂食物后足有 70% 的人发生返流！而且，更为严重的一点是，食高脂食品造成的胃食道返流更易反复发作并慢性化。

卡斯特尔教授曾对两种不同的麦当劳食品进行比较，一种是低脂的烤饼加去脂牛奶，另一种是高脂的香肠鸡蛋饼。在两者提供的卡路里一样时，前者脂肪仅提供了总热量的16%，而后者则是61%。教授和他的同事们令受试者吃低脂及高脂麦当劳食物后，分别监测其有否胃食道的返流及返流程度。结果是，对于那些过去经常有胃食道返流的病人来说，两种含脂食物都使他们返流再发的几率升高，尤其是如果他们进食3小时内躺下时，而以高脂食物为著；对那些只是偶尔有返流发生的人而言，高脂食物使返流发生增加的比率是低脂食物的4倍！而且无论是在何种个体，何种含脂食物下引起的返流，都会持续3小时之久！

脂肪类食物也主要是通过松弛食道下段括约肌而导致或加重返流的，人们在进食高脂类食物后，体内某些特殊的激素的分泌量的变化，如CCK（胆囊收缩素）的增加就会使食道下段括约肌扩张。同时，脂类食物还会造成胃排除延长，食物在胃内的潴留，从而刺激更多的胃酸分泌，增加返流的可能。

辛　香　料

胡椒、洋葱、辣椒是厨房中常用的辛香料，殊不知它们也会造成胃食道返流，引起烧心感。

美国俄克拉荷马消化学科基金会和当地的一所医院共同对此进行了研究，他们选取了16名每周平均发作返酸4.4次的病人及16名每周发作少于1次的正常人为受试者，先令他们吃一个普通的汉堡包，几天后再令他们改吃加了1.5

盎司生洋葱的汉堡包，并分别监测食道下段的胃酸情况及返流发生的一些录像资料，结果他们发现：对于那 16 名正常人，吃含有生洋葱的汉堡包并没有使他们发生返流，而对于前一组病人，其中 40%～50% 的人，再次发生返流并导致烧心的症状，平常发生频率较高者较明显。并且，这一返流在进食洋葱后 2 小时内开始发生，并逐渐加重，可持续较长时间，这也可以用来解释为什么喜欢用洋葱作配料的墨西哥人和意大利人发生返流的比例较大。但是，研究中所用的是生洋葱，对于煮熟的洋葱是否也会造成括约肌松弛，胃食道返流还不得而知。

另外，洋葱、柠檬汁、胡椒、辣椒等食物还可以直接刺激食道粘膜，尤其是已经受胃酸返流损害的食道粘膜，也是造成烧灼热的原因，这些研究的参与者马克教授自己就常常在进食放了辣椒的比萨饼后发生烧心。

饮　酒

酒精，是一个无形的杀手，特别是当你有睡前饮酒的习惯时，酒精对你的威胁就更大了。苏格兰丹地大学的学者们发现，很多这样的个体，在饮酒后的睡眠中已经发生了比较明显的返流现象，但睡眠的状态使他们并没有感到诸如烧心等任何不适。久而久之，食道粘膜的损伤已比较明显，而在清醒状态下发生烧心感后，却仍不知"肇事者"竟已"行凶"很长时间、很多次了。

科学家们以清水为对照，研究了酒精的致返流作用。科学家们发现睡前 2 小时内饮清水者睡眠时并无返流发生，而饮酒者则有 41% 在饮酒后约 3.5 小时发生返流，并平均持续约 47 分钟，有些甚至长达一个半小时！因此，睡前饮酒的习惯是不科学，不足取的。其实，进食后 3 小时内即躺下休息也是不正确的。而且，睡眠的姿势也是有一定的学问，要尽量左侧卧而不要右侧卧，因为当你右侧卧位时，食道比胃的开口处即贲门的位置低，由于简单的重力原因而更易发生返流，左侧卧时则反之，同时注意头的位置不可过低，道理也是相似的。

饮食与腹部绞痛

易造成腹部绞痛的食物：牛奶。

能减轻腹部绞痛的食物：糖水。

饮食并不是婴幼儿腹部绞痛的主要原因，但父母们仍应对此给予相当的重视。因为我们在这里将提到的易造成你们的孩子发生腹痛的食物或许会令读者大感意外。是的，就是牛奶，就是这种最常见的食品，使美国每年新出生的婴儿中有 50 万人受腹部绞痛的折磨！

牛　奶

早在 1927 年，有人就开始怀疑牛奶可能会造成婴幼儿腹痛，而直到 1970 年这一猜想才得到科学的证实。现在，世界各地都在进行着关于这方面机理等的研究，而且至少已有 3 个最新的研究结果表明，约有 70% 的婴儿腹部绞痛与他们对牛奶的反应有关！因此，如果一个新生儿出现腹部绞痛，首先应当考虑牛奶的原因。

瑞典的一组医生们发现，其 60 个因腹部绞痛入院的婴幼儿，在令其禁止饮用一般的牛奶而改饮豆奶或去掉致敏蛋白的特殊牛奶后，竟有 43 人因此而痊愈出院！

英国爱丁堡大学的科学家们在一项严格的双盲法实验研究中也发现了相似的情况，因上述方法痊愈的婴幼儿腹痛患者的比例是 68%，同时他们还发现，婴幼儿们对豆奶也常常有不适应的过敏反应。

意大利学者亦是对一批平均年龄 1 个月的婴幼儿患者如法炮制，得到的比例是 71%，更具说服力的是，当其中痊愈的二位被再次喂以一般的牛奶后，严重的腹部绞痛又再次发生！

下面的内容，那些正在哺乳的妈妈们一定要注意阅读啦！因为如果你们孩子对牛奶过敏，在你们自己饮用牛奶或食用乳制品后，造成过敏的成分会通过你们的乳汁传给孩子，同样会引起腹部绞痛的发生！

瑞典的一位儿科专家对此进行了研究，他令 85 名哺乳的正患腹部绞痛的儿童的母亲禁食牛奶及乳制品 1 周并继续哺乳，48 名患儿的症状消失，比例达 56%。但当这些母亲再次进食牛奶后，她们孩子中有 35 个又再次出现腹痛！

那么到底是什么原因使孩子们对牛奶如此地对抗呢？这个问题也困扰了科学家们很长时间。现在，问题似乎已经被解开，给予我们答案的是美国圣路易斯安那大学医学院安东尼教授和他的同事帕特里克教授。他们认为，是牛奶中的抗体成分刺激了孩子。牛和人类一样也经常受到细菌或病毒等微生物的感染，在感染后，它们会产生免疫性的抗体，这些抗体在很多组织内都有分布，自然也会被乳腺组织分泌至牛乳中。同时，常食牛奶和乳制品的母亲们的乳汁中也带有这些抗体。而且，科学家们还发现，患有腹部绞痛的婴幼儿的母亲乳汁内这种抗体的量比其他母亲高 31%。但也并不是所有的婴幼儿在饮用了含有这些抗体的奶后都发生绞痛，这里还有一个敏感性体质问题，或是这些孩子的消化系统不足以将这些抗体代谢分解，而它们以基本的原形形式吸收入血或留在胃肠内，就被免疫系统识别成抗原而引发一系列免疫反应和不适症状，其中包括腹部绞痛，这些抗体由于难于被代谢排除，在患儿体内可相对长地存在并引起持续的症状。因此，即使是令其禁食一般牛奶后也要 2 天～3 天才会有效果，有时甚至需要 1 周或更多。因此，焦虑的母亲们一定不要太着急了，成功往往就在继续坚持的几天中获得。

第一次做父母的年轻人没有带孩子的经验，他们也许会问，我们怎么知道小孩肚子痛尤其是孩子不会讲话的时候？如何才能证实牛奶是腹痛的原因呢？证实后我们又该怎么去做呢？

小孩子腹痛的时候往往会大声地啼哭，躺着的时候喜欢把两腿蜷在胸前或腹前，有时不让妈妈爸爸摸他们的肚子。他们也许会出现肛门排气增多，每次放屁之后，他们似乎可以安静一会儿，但不一会儿又会因疼痛发作再哭起来。另外，一般的婴幼儿，每日的睡眠很多，但腹痛的孩子经常不睡觉或容易醒来，这也是很容易观察到的一点。

一旦发现孩子出现腹部绞痛，应立即把牛奶放在"嫌疑者"的首位，因此应立即停喂孩子一般牛奶，而改喂去致敏成分的特殊牛奶或豆奶（最好是前者），哺乳的妈妈应立即停止自己食用牛奶或其他乳制品，至少观察 1 周，最好是 2 周，看你们的孩子疼痛的症状有没有逐步减轻或消失。带些风险性的做法是，在你的孩子症状减轻或消失后再喂以原来的牛奶，如果他又一次发生腹痛，那么牛奶就更是罪责难逃了，但一般情况下，建议读者对后一种方法还是慎选为佳。

"甜蜜"的治疗

牛奶造成婴幼儿腹痛的机理是比较复杂的，但相对来讲，治疗的方法是简单的"甜蜜"，那就是——糖水，当然别忘了换牛奶哟!

美国康奈尔大学心理学教授艾里奥特认为，糖水可以提高婴幼儿的疼痛阈值，使他们变得不易被激惹，但又绝对清醒，使他们的心率变慢且平稳。这是因为糖可以激活体内的阿片样物质，作用于大脑，减轻疼痛与紧张情绪。有些人甚至认为糖可以直接作用于大脑而缓解疼痛。

这里提到的糖是指果糖或蔗糖，乳糖没有这些作用。因此，当你的孩子发生腹部绞痛时，别忘记小量多次地喂他们一点糖水，比如每隔 1 分钟喂一次 14% 浓度的糖水，喂 5 次~6 次，也许你会看到意想不到的效果!

当然，在进行这一切的同时，千万记得尽快投医问诊，保护你小孩的健康。

哺乳的妈妈还应注意什么?

哺乳的妈妈应该戒酒，因为即使一点点的酒精，也会使你的宝宝因此而不喜欢吃你的奶，宝宝们的口味还是满高的。

相反的，宝宝们喜欢你们在吃一些诸如大蒜等味道很浓的配味品后给他们喂奶，因为他们喜欢这时候妈妈乳汁的口味，很奇妙，不是吗?

妈妈们担心的咖啡至今还没有发现会对接受哺乳的孩子有什么不良影响，尽管它也能进入母亲的乳汁，但科学家们仍持谨慎的态度。

另外，巧克力中由于常常含有较多牛奶成分也被建议在哺乳期间禁食。

饮食与肠易激惹综合征

> 加重肠易激惹综合征的食物：牛奶、山梨醇、咖啡、果糖、谷类等。
>
> 可能会减轻以上症状的食物：糠或麸。

肠易激惹综合征又称痉挛性结肠，英文缩写为 ZBS。有资料显示，在美国，这种疾病的患病率高达 15%～30%，过去认为这种疾病是难以治愈的。但由于近几年来全世界尤其是英国科学家们的潜心研究，发现了食物与 ZBS 的某种关系，使我们看到了最终征服这种疾病的曙光。

牛　奶

当你被诊断患上了肠易激惹综合征后，先不要盲目悲观，因为这对你来说也许并不是一种正确的诊断，你要花一点心思留意牛奶。

的确，科学家们已经发现，ZBS 的患者饮用牛奶后，常常会使他们的病情加重。但还有另外一种可能，你的那些类似于 ZBS 的症状可能完全是由牛奶造成的。前面我们提到过的乳糖不耐受性使你在饮用牛奶后出现腹胀、腹泻、肛门排气增多、腹痛等不适。因此，如果你属于这种情况，一旦戒除牛奶及乳制品一段时间后，以上的 ZBS 的症状即会完全消失，你 ZBS 诊断的帽子自然就摘掉了。因此，主要从事这方面研究的意大利学者们认为，无论是医生还是病人，在做出、接受 ZBS 诊断时，应当持谨慎的态度。

山梨醇和果糖

　　山梨醇的情况与牛奶有些类似，对它不耐受的人在进食这种食物后也会出现与 ZBS 极为类似的症状而被误诊为 ZBS。市场上出售的那些"无糖饮食"中含有的糖分主要就是山梨醇。在白种人群中有 43% 的山梨醇不耐受，有色人种中的比例达 50%，这些人在仅仅进食 10 克（即 5 片无糖口香糖或薄荷糖或果酱）山梨醇后就会出现不同程度的消化道症状。美国纽约医学院的胃肠病学家们最近公布了他们的一项新研究的结果，他们认为在被诊为严重的 ZBS 的患者中，有 17% 的人实际上是山梨醇不耐受者而被误诊为 ZBS 的。他们还具体报道了 15 个在过去的 2 年中，一直被诊为 ZBS 并因此花费了大量的时间与金钱的，实际上只是对山梨醇不耐受的病人的情况，使我们觉得，认识这种类 ZBS 的食物反应是极为重要的。

　　果糖有时也会造成相似的情况，当它单独或与其他含山梨醇的食物一起被摄入后，类似于 ZBS 的症状有时也会发生。

　　同时，含山梨醇和果糖的食物对于那些的确患有 ZBS 的患者也是危险的，它会加重其病情，使症状恶化。例如，有一项研究表明，ZBS 在进食 1 盎司果糖后腹部不适的症状很快就会加重。因此，对于那些 ZBS 的患者，特别是以腹泻为突出表现的患者，纽约蒙特西奈医学院的专家们建议，彻底戒除或至少尽量减少饮食中果糖和山梨醇的含量才是明智的，这些食物包括：桃子、苹果汁、梨、李子、果脯、无糖口香糖及果酱、巧克力等。

咖 啡

英国的科学家们在经过大量的统计和研究后发现，咖啡常常会加重 ZBS 的症状。在一项研究中，65 个 ZBS 患者在饮用咖啡后有 30% 的人诉症状加重。科学家们解释说，可能是由于咖啡具有较强的刺激性，对于那些结肠的敏感性很高的 ZBS 病人就更难于耐受了。

糠、麸、车前草等纤维性食物

仅仅还是在 20 年甚至是 10 年前，对于肠易激惹综合征的治疗还是像胃肠憩室病那样，建议病人吃刺激性小的温和的低纤维性食物。而在时隔不久的今天，观点似乎正朝相反的方向发展。蒙特西奈大学的弗莱德曼教授最近指出，高纤维的食物实际可以纠正 ZBS 这类功能性胃肠道疾病患者的胃肠运动失调，可以使过快或过慢的运动趋于正常，缓解腹泻或便秘，尤其是前者，它也是 ZBS 最常见和突出的症状。加拿大渥太华大学汤姆森教授说，糠、麸或车前草中含有丰富的纤维素，它可以使食用者的大便成分、胃肠蠕动趋于正常，每日 3 次，一次仅一茶匙，既便宜、又安全有效，不失为 ZBS 病人的上佳之选。

但是，任何一种理论或方法都会有例外存在，对于某些特定的 ZBS 患者，糠、麸等就非但起不到治疗反而会有推波助澜的恶果。英国剑桥大学亨特教授和琼恩教授是 ZBS 疾病的权威人物，在他们领导的实验小组的科研工作中（下一小节我们将更详尽地给予描述）发现，有些 ZBS 的病人，而且据他的资料，这类病人有相当的数量，对糠、麸等也出现敏感状态而不能耐受，他们接受医生的建议，以糠、麸作为治疗性食品后，却出乎意料地发现，他们的病更重了！这种情况下，他们会很快意识到肇事食物便是糠或麸。但对于那些平时三餐就常吃这类食品的病人，就很难使他们把自己ZBS的症状同如此司空见惯的食物联系起来了。

而针对到每一个不同的 ZBS 患者，在糠麸的问题上究竟是属于哪一种情况就很难预先明晰了，病人只有在谨慎地尝试后方可知晓。

亨特教授和琼恩教授的研究

前一节中我们已经提到，英国剑桥大学的亨特教授和琼恩教授在 ZBS 与饮食的关系问题上很有研究，他们也是最早从事这方面研究的科学家之一。从 1982 年起他们就开始在一些诸如《手术刀》等著名的医学专著上发表这方面文章，并始终走在科学的前沿。

在他们的研究中发现，经过食物激发试验后证实，有67% 的 ZBS 患者有对某些食物不耐受性的问题，当他们戒除这些食物后，他们的 ZBS 症状几乎完全消失，而当他们重新摄入这些食物后，有 42% 的病人又开始 ZBS 的症状。因此，亨特教授认为，发现并从病人的饮食中排除这些食物是一种行之有效的治疗 ZBS 的方法，事实也的确如此。上面提到的是一项短时间的研究，在他们的另一项追访性的长时间研究中，他们令一些 ZBS 患者严格地执行饮食的限制，并追访 2 年，发现绝大多数病人不再有 ZBS 的症状。但他们也同时发现，长时间的戒除某种敏感性食物后，并不能逐渐消除人体对其的不耐受性，当你再一次尝试后，你会发现，它们还会使你产生腹泻、便秘、腹痛、腹胀等 ZBS 症状。

那么，如何才能发现这些敏感性的食物呢？亨特教授和琼恩教授总结出了几种最常见的敏感性食物，它们是：谷类（玉米或小麦）、乳制品、咖啡、茶、巧克力、土豆、洋葱、柠檬果。如果你患有 ZBS，而食物中又没有令你怀疑的食物，你不妨先从这些最常见的食物入手。你可以将你饮食中所有以上的食物都彻底排除，而假若（并且极有可能）大约3周后你的 ZBS 症状消失或减轻，你再一种食物一种食物地向你的饮食中加，一旦你发现某种食物被加入后你的症状又出现或加重，这种食物对你一定是不合适的，敏感的。以此类推，你可能会发现所有给你带来胃肠道不适的食物，并戒除它们，维护健康。

对于 ZBS 病人经常出现的对食物不耐受的现象，亨特教授也尝试性地做出了一种解释。我们都知道，人体的胃肠道内存在着一定数量和比例的正常菌群，其中厌氧菌的数目约是需氧菌的 2 倍。但是当 ZBS 的病人摄入了某些食物后，正常的细菌比例被打乱，需氧菌的数目增加，有的甚至上升了 100 倍！这和过量的广谱抗生素的效果是相似的。在这种失衡的菌群状态下，ZBS 的症状可能会更容易发生。另外，这种不耐受性还与机体的免疫功能有关。

饮食与胃肠憩室

尽管希伯克拉底、盖伦、梅蒙耐德是人类历史上最著名的古代医学家，但你从他们那里得不到任何关于胃肠憩室病的诊治经验。是他们的医术不高吗？不是的，其实道理很简单——在他们的时代，这种疾病还根本不存在。即使是现在，在一些仍维持古老的饮食与起居习惯的原始部落里仍然没有这种疾病的发生。而在现代的西方国家，在超过 60 岁的人群中，有至少 1/3 至 1/2 的人患有此病，而且其中很多人对此还一无所知。

那么何为胃肠憩室呢？由于结肠的憩室更为常见和相对容易引起症状，以下我们将详细描述结肠憩室的概念、发病机理及与饮食的关系。结肠憩室即是指在结肠壁上向外凸出的小葡萄状的暗室，这种疾病的存在在 1900 年被证实。对大多数病人来说，它不会带来任何不适，因此很多人到死的时候都未曾觉察，但约占 10% 的病人会出现比较严重的憩室炎，造成痉挛性疼痛、下腹不适、便秘或腹泻等症状，这时候病人才会去求医问诊发现此病。

糠、麸

在最初发现这种疾病的几十年中，医生面对结肠憩室病人所说的最多的医嘱就是：吃低纤维素的食物。因为那个时候的医生们认为，纤维素等粗食会刺激胃肠道，对胃肠不利。他们没有意识到这种饮食不仅不能治疗结肠憩室，反而会使病人的病情恶化。

彻底改变这一观点的是英国伦敦庄园医院的尼尔教授，他是该医院的一名外科医生。他的具有划时代意义的观点发表在1972年的《英国医学杂志》上，他在文章中说，结肠憩室的发生主要是现代社会中的纤维性食物缺乏造成的。那些患有憩室的病人中纤维的含量只有正常人的一半，这使他们的粪便变得很硬很干，结肠尤其是其中的乙状结肠必须产生强大的收缩压力以推动粪便的排出，这种过大的肠内压久而久之就会造成部分粘膜向外膨出，形成憩室。

因此，为了治疗和预防这种疾病，尼尔教授建议病人进食较多量的高纤维食物——全大麦，全大米中含有高纤维的糠和麸，另外应配合较多的新鲜水果、蔬菜，多饮水。应用这种方法，尼尔教授进行的一项治疗试验中，有89%的憩室病人的消化道症状明显减轻或消失，大便不再干硬秘结，更不用再依赖于缓泻药。

果壳和种子等

过去，专家们曾告诫憩室病患者不要连果壳或果核果籽一起吃水果，如西红柿、草莓，也不要吃爆米花、炒豆子等食物，因为那时认为这些食物会嵌顿于憩室内，诱发憩室炎。

但是近几年，新的研究和调查发现情况并没有这么严重。他们认为憩室病患者可以比较放心地吃这些食物。

饮食与溃疡病

促进溃疡愈合的食物：香蕉、茶、大蕉、甘蓝汁、甘草、辣椒。

使溃疡病恶化的食物：牛奶、啤酒、咖啡、咖啡因。

在溃疡病饮食疗法的观念上，科学界同样也经历了一个巨变的过程，就某些食物而言，甚至有翻天覆地的变化。例如，在过去的近 70 年中（1911 年—1980 年），溃疡病病人被告之应坚持一种叫西化的饮食疗法，它是以发明者，美国西化医生的名字命名的。这种疗法主要是要求病人每日规律且较多量地饮用牛奶和食用奶油，疗程至少 8 周，同时配合清淡饮食。但从 1976 年以来，牛奶和奶制品和过分清淡的饮食却被认为对溃疡愈合极为不利。

让我们先介绍一下溃疡病的一些医学知识吧！溃疡病又称消化性溃疡，主要包括胃溃疡和十二指肠溃疡两种。发病的机理主要是攻击性的因素，如胃酸的分泌过高过强，及粘膜自我保护的抗攻击能力削弱，近几年来还认为与一种叫幽门螺杆菌的细菌感染有关。在药物治疗方面，主要是抗酸剂（如雷尼替丁）、胃肠粘膜保护剂和抗幽门螺杆菌的抗生素的应用。

食物亦是通过影响以上的环节，如刺激或抑制胃酸的分泌，增强或削弱粘膜的防酸机制，辅助或干扰细菌的生长繁殖来实现它对溃疡病的影响的。可以说，选择正确的食物，你就已经成功了一半。

牛　奶

　　如果现有还有人告诉你——"你要多喝牛奶，这对你的溃疡病有好处"，你一定不要再信以为真了！过去认为的牛奶中和胃酸的作用没有任何的科学依据，早在 1950 年，就有学者开始怀疑这种貌似合理的论断。其实，近些年的研究表明，牛奶的确有中和胃酸的作用，但这种作用非常短暂，只是在服用后的 20 分钟内有这种效果，更重要的一点是，在此之后，牛奶反而会有后滞的强烈地刺激胃酸分泌的作用，而这种作用可以持续几个小时！

　　在洛杉矶加州大学 1976 年进行的一次具有重大变革意义的研究中，学者们发现在令正常人和十二指肠溃疡病患者饮用无论是全脂、低脂还是脱脂牛奶后，所有人的胃酸分泌都增加了，而且那些十二指肠溃疡病的患者胃酸升高得更为明显！这种升高一直持续了 3 小时之久！

　　在 1986 年《英国医学杂志》上发表的一篇文章中，印度的研究者们说，牛奶实际上阻碍了溃疡的愈合！他们以 65 名十二指肠溃疡患者为研究对象，令他们吃医院的普食或进食全奶饮食（每日 8 杯），同时给予相同的抗酸药物治疗，1 个月后对他们进行胃镜检查：78％的普食病人溃疡愈合，而全奶组的愈合率只有 50％！

　　但在这项研究中，有一点非常有趣，所有的病人，包括饮奶的病人都感觉到腹痛的缓解。牛奶的这种减轻疼痛的作用也许就是多年来人们奉其为治溃疡良药的原因吧！但无论表面现象如何，从根本上讲，饮牛奶对溃疡病是不利的。

低纤维饮食

读了这一小节后，也许很多溃疡病病人要开始告别低纤维饮食了。

过去人们普遍认为低纤维的饮食比较温和细致，对胃肠的刺激较小，应该对溃疡病的恢复有利。

但事实并非如此。伦敦大学的著名溃疡病与饮食学专家托维教授对亚洲地区饮食，特别是不同纤维含量的饮食与溃疡病患病率的情况做了科学的调查后发现：在以吃纤维含量很低的精制大米为主的日本，溃疡病的患病率居世界之首；在印度和中国，盛产大米的南部，由于老百姓亦是以精米为主，纤维含量很少，溃疡病的患者也非常普遍，而与之相对的这两个国家的北部的非产米区，人们以吃含纤维较多的粗粮为主，而相对的溃疡病患病率则相当低！同样的情况也发生在非洲。因此，托维教授总结说，饮食中纤维的含量与溃疡病（特别是十二指肠溃疡）患病的风险成反比。过去认为具有治疗意义的低纤维饮食反而对溃疡病极为不利。

因此，科学家们现在倡导溃疡病患者进食高纤维性食物，以利于溃疡的更快愈合和预防复发。印度孟买马哈他教授进行了一项长达5年的研究，受试者是42名溃疡已愈合的成人，21个人规律进食精米，21个人规律进食粗面，5年后，他发现吃低纤维的21人中有81%的人溃疡复发，而吃高纤维粗面的21人中只有14%的比例！在挪威也有相似的发现：两种食物造成复发的比例以低纤维和高纤维为序依次是80%和45%。

那么，纤维是通过什么影响到溃疡病的呢！应该说机理还不甚清楚。有一种理论是这样的：纤维被认为有缓冲剂的作用，可以降低胃肠内的酸度，同时它可以使胃肠粘膜的抗酸能力增强。

香蕉和大蕉

为了保护我们的消化道粘膜不受酸的侵蚀而发生溃疡病，吃香蕉或大蕉是简单而有效的饮食疗法。对香蕉我们可能比较熟悉，而大蕉其实也是一种生长在热带尤其是赤道附近的类似于香蕉的植物。很久以前，这些水果的抗溃疡作用就被发现和广泛地应用。例如在印度，当地的医生就常常使用绿大蕉晒干后制成的粉末来治疗溃疡病，据记载有70%的成功率。

现代的科学家对香蕉和大蕉抗溃疡机制的研究投入了大量的精力也取得了很多进展。专家们说，这类植物不能中和胃酸，不能削弱胃酸的攻击力，但它却能大大增强消化道粘膜的抵抗力。英国艾斯通大学拉尔夫教授在动物实验中发现，这类植物能使胃肠粘膜的细胞增生，粘液增多，在胃壁与胃酸之间建立一道坚固的屏障。澳大利亚学者们的一项研究也发现，被坚持喂以香蕉的大鼠在给予大量酸性物质后，发生溃疡的比率比预期值低75%！而且它们的胃壁发生了视觉上可见的增厚！

甘 蓝

在甘蓝中的确存在着一些抗溃疡的天然之药。早在20世纪50年代，斯坦福大学盖内特教授就对此进行了研究，他发现每日饮1/4个甘蓝榨成的汁可以减轻由胃溃疡或十二指肠溃疡造成的腹痛，并可以加速以上二种溃疡的愈合。他的研究包括了 55 名溃疡病人，在饮用甘蓝汁后，95％的病人在 2 天～5 天内诉症状减轻，X-线或胃镜检查证实这 55 个病人的溃疡愈合时间，胃溃疡缩短了 75％，十二指肠溃疡缩短了 66％！

在加利福尼亚州圣关廷监狱，科学家们对 45 名患有溃疡病的犯人进行了研究。在研究中严格地执行了双盲法的原则。专家们发现每日吃与 1/4 个甘蓝榨成的汁相当的胶囊的患者，有 93％的人在 3 周时溃疡愈合，而每日吃含安慰剂的胶囊的患者，3 周时溃疡愈合的比例只有 32％！

那么，甘蓝是如何发挥如此神奇的功效的呢？甘蓝内含有一种叫 gefarnate 的化合物，在很多抗溃疡的药物中都有这种成分，它可以刺激胃肠粘膜细胞分泌大量的粘液，将受损的粘膜细胞与胃酸隔开，使它们能在没有胃酸侵蚀的安全环境下生长复原愈合。还有一种解释就是，甘蓝汁在体外实验中被发现有抗生素样的作用，它可以杀死包括幽门螺杆菌在内的多种细菌，而后者最近也被发现与溃疡的发病有关。

最后，关于甘蓝汁还有几句重要的建议：甘蓝越新鲜抗溃疡效果越好，春天和夏天的甘蓝优于秋冬的甘蓝，而且这些甘蓝必须是未经烹饪的生甘蓝，否则它们的抗溃疡能力都会被大大削弱！

甘 草

美国农业部的植物学家杜史教授声称——"如果我患了溃疡病，我首先会求助于甘草。"为什么呢？因为甘草这种植物的根部富含一种具有强大的抗溃疡作用的成分，它可以减少胃酸的分泌，刺激粘液屏障的形成，并促进受损细胞的修复。

有的药品公司甚至已经研制出了一种叫做 cave-s 的药物，拟用于临床抗溃疡病治疗。这种药物的主要成分即是甘草，同时也祛除了甘草中常常会导致水钠潴留、血压升高等副作用的甘草甜素，使其更为安全有效。在英国对这种药物进行的一项临床试验中发现，它具有和经典的泰胃美相当的疗效。

需要说明的是，现在在美国市场上销售的"甘草"并不是真正的具有抗溃疡作用的甘草，它们加入了大量的茴香，而从欧洲进口的甘草棒才是真正有效的甘草。

茶

我们有理由给茶更多的关注，因为中国有悠久的饮茶习惯并风行至今。同时，茶，尤其是绿茶被证实有抗菌、抗氧化等作用，并可以降低溃疡病的发生。像美国这样的国家，饮茶者大多喝的是红茶或乌龙茶，它们也有相似的作用，但程度就大打折扣了。

日本一位食品学者发现绿茶中含有一种叫儿茶酚的成分，它可以杀灭包括幽门螺杆菌在内的细菌，同时它还有一定的抗胃蛋白酶（胃酸中的另一攻击因子）的作用，这一点已在小鼠试验中得到证实。在这一试验中，小鼠被喂以不同等级剂量的儿茶酚后接触致溃疡的化合物，科学家们发现，小鼠们发生溃疡的比率均比预期值有所下降。且下降的程度与儿茶酸摄入量成正比。小剂量儿茶酸组下降了 22%，中剂量组下降了 47%，而大剂量组竟没有一只小鼠发生溃疡！相对于人们每日的饮茶量来说，这种所谓的大剂量也是微乎其微的。因此，从理论上讲，一般的饮茶量对人也应有同样的抗溃疡作用。

但是，茶中往往含有一定的咖啡因。而它会在一定程度上刺激胃酸的分秘。因此，专家们建议最好是饮用去咖啡因的茶，尤其是绿茶。

辛香调味品

墨西哥主妇们喜欢在烹饪食物时加入辣椒等辛辣刺激的调味品，很多人会想当然地认为这些刺激性的调味品一定会诱发溃疡或延缓其愈合。但事实并非如此，科学不是靠主观臆断而发展的。

美国贝乐医学院的戴维教授和他的同事们，召集了一批志愿者进行了一项研究。他令志愿者们每餐都吃含有很多辣椒的食物，而后用内窥镜检查并记录下他们的胃粘膜和十二指肠粘膜的情况，出乎意料的是，在进食这些食物后，消化道粘膜没有一点受损的迹象，更不用说溃疡的形成了。因此，戴维教授认为，辛辣的食物是安全的，它不会损伤你的消化道，使之发生溃疡。

在这方面研究中更令人吃惊的一大发现便是，辣椒竟然有保护胃壁细胞，防止胃粘膜出血和溃疡的作用！同时，它还可以从症状上使溃疡病患者感到一定的缓解与减轻。澳大利亚的科学家们发现，辣椒里含有一种叫辣椒酸的物质，在动物实验中被证实有对抗酒精或阿司匹林性的急性胃粘膜糜烂出血的作用，可以使大鼠阿司匹林性胃出血减少 92%。据推断，可能是这种物质可以刺激胃壁神经，使营养血管扩张，改善胃粘膜血液供应，从而有利于粘膜的生长或修复。

大蒜，是另一种较刺激的调味品。据韩国汉城医学院学者们的研究，它也具有抑制胃壁受损和溃疡形成的作用。他们先给大鼠喂以致胃壁损伤剂量的酒精，其中一些同时喂以大蒜，而后检查它们的胃粘膜。科学家们发现同时吃酒精和大蒜的大鼠发生粘膜损伤和粘膜下出血的比例远远低于单纯的吃酒精组！他们认为，大蒜之所以有这种功效，主要是因为它们温和地刺激保护性的激素——前列腺素的分泌，从而增强了胃壁的防御功能。

咖　啡

如果你患有溃疡病，最好还是不要饮用咖啡了。无论是普通的咖啡还是去咖啡因的咖啡，都会刺激胃酸的分泌。尽管现在还缺乏明确的证据证明咖啡会引发溃疡病，但它的确可以通过促进盐酸和胃蛋白酶的分泌使溃疡病恶化。

很多溃疡病人都有这样的经验，饮用咖啡后并没有理论上推测的腹痛增加的现象，这使病人很难意识到咖啡的危害，但无论如何，看过这一节的朋友们应该就大不一样啦！

饮　酒

关于酒精与溃疡病的关系问题，至今仍是一个未解之谜。尽管大多数医生都告诫溃疡病患者戒除酒精，尽管很多研究证实酒精会损伤胃粘膜，造成糜烂出血，但是却没有足够的证据证明饮酒会影响溃疡的愈合，诱导溃疡的复发。近几年来，无论是印度还是德国的研究甚至都发现，中等量的饮酒，即每日少量的饮酒能够促进溃疡的愈合，他们对此的解释是，少量多次的温和刺激，使胃粘膜的防御机能提高，抗胃酸能力增强。

但是，一方面由于这些理论还都处于不成熟的假说阶段，另一方面还有许多更为安全的胃粘膜保护食品，科学家们还是奉劝读者不要在饮酒的问题上冒风险。

需要特别提出的是啤酒，因为它的生产工艺与其他酒精较为不同。德国汉堡大学马丁教授和他的同事们发现，啤酒能使饮用者的胃酸分泌成倍增加，而白葡萄酒等最多能增加60％！威士忌和法国白兰地则几乎不增加胃酸！马丁教授把啤酒的这种强大的作用，归于其中除了酒精以外的其他成分。但无论怎样，啤酒对溃疡病病人来讲，太多不安全，白葡萄酒也以不饮为最好。

过热的食物

如果食物的温度过高，就会损伤我们的胃，甚至是食道、十二指肠等等。尽管有些人一想就会明白这个道理，但仍然有人喜欢喝很热的茶，饮很热的奶，因为他们号称当他们这么做的时候，他们的食道、胃和十二指肠并没有任何的不适。但殊不知，就在这不知不觉中，消化道粘膜的损伤便的的确确地发生了。有资料甚至显示，过热的食物，尤其是饮料，与食道癌的发生密切相关！

早在1922年，就有医生报道，他的溃疡病病人中很多都有饮很热饮料的习惯。现代科学的研究表明，温度超过60℃的水被直接饮用后，就会造成胃粘膜广泛的损伤引发胃炎。英国曼彻斯特的外科医生们亦发现，茶或咖啡的温度与饮用者溃疡病的发生率成反比！

对于已有溃疡病的病人，饮用过高温度饮料的后果就更不堪设想了。

其 他

　　这里还想介绍一些饮食与溃疡病的其他知识。过去提倡的少食多餐非但不能促进溃疡的愈合，还会刺激胃酸的分泌，因此是不足取的。但同时，一餐的量也不可过大，胃过度的膨胀对溃疡的愈合同样是不利的。读者应在长期的生活中摸索适宜的就餐规律。

饮食与胆结石

预防胆结石形成的食物：大量蔬菜、大豆、少量酒精、橄榄油。

可能会促进胆结石发作的食物：咖啡、糖。

胆囊存在于肝脏背面的胆囊窝内，呈梨形。胆囊有贮存和释放胆汁的功能，帮助食物，尤其是脂类食物的消化。胆结石是指位于胆囊系统内的结石，可以小到泥沙状，大至直径 1 英尺，据西方的资料，西方人胆结石中 90% 是胆固醇结石。在大多数情况下（约占 80%），胆结石是一种无症状的没有明显危害的疾病；但当一些特殊的情况发生时，结石嵌顿于胆囊管、胆总管或肝内的胆管分支内，就会造成疼痛。急性发作时，疼痛常较剧烈，以右上腹为中心，向右下胸或右肩、背部放射，持续数分钟、数小时不等，常伴有恶心、呕吐，严重时常需外科手术取石，甚至是胆囊切除，解除嵌顿和痉挛。

胆结石是一种有家族聚集倾向的疾病，女性，尤其是肥胖女性尤为常见，年龄与发病率亦呈正比。饮食与其也有着密切的关系，正确的饮食可以降低胆汁中胆固醇的浓度，减少胆结石的发生，有些食物甚至可以使已有的胆石溶解，缓解由胆石嵌顿造成的平滑肌痉挛。反之，不正确的饮食常可诱发胆石症急性发作。

蔬菜和某些水果

进食大量的蔬菜无论对预防胆石的形成，还是减少胆石症的急性发作均有重要意义。英国的一项研究表明，信奉素食主义的女性（即以蔬菜为主要食物的女性），胆石症的患病率仍为一般女性的一半！美国哈佛大学的一项涉及88,000个体重正常的中年女性的大规模调查发现，高蔬菜摄入组女性有胆石症的比例仅是低蔬菜摄入组的 60%～70%。坚果，豆类（豌豆，小扁豆等），橘子的抗胆石症发作的作用则尤为突出。

蔬菜及某些水果中的抗胆石成分被很多科学家认为是一些特殊的蛋白质，而不是纤维，这些蛋白包括大豆蛋白等。科学家们以这些蛋白作为动物的饲料后发现，动物胆汁中胆固醇浓度下降，胆结石的患病率或发作率降低，他们推测人类亦会有相似的改善。费城的学者们甚至发现大量的大豆蛋白可以使小的胆石溶解！

少量酒精

哈佛大学最近的一项研究表明，少量的饮酒可以抑制胆结石的发生。每天半杯啤酒或葡萄酒，或是 1/3 杯威士忌能使胆结石的发病率下降 40%！超过这个剂量的酒精摄入没有更高的保护率。

科学家们推测，由于少量的酒精可以促进胆固醇的分解代谢，从而减少了胆固醇结石的形成。

糖

如果你想要躲开胆石症的光顾，就该避免高糖低纤维的饮食习惯。在英国的一项试验中，一组有患胆石症倾向的受试者或进食低糖高纤维食物（27克纤维）或进食高糖低纤维食物（13克纤维，4盎司糖），6周后，科学家们发现，高糖低纤维组的受试者胆汁中胆固醇浓度明显升高！

因此，要拒绝胆结石，首先要拒绝过多的糖类摄入，多吃全米全面（富含纤维）和蔬菜水果！

咖　啡

如果你已经患上了胆结石，一定要小心咖啡这种饮料。因为荷兰的科学家发现即使是去脂去糖的咖啡，包括普通的和去咖啡因的咖啡都会刺激胆囊平滑肌收缩，引起胆结石急性发作，而这种效应在每日仅1.5杯的很少饮用量时即可发生。

很显然；咖啡因不是罪魁祸首，但一定有某种成分刺激了CCK（胆囊收缩素）的分泌，造成平滑肌的异常收缩。

不要忽视早餐

过晚或过少的早餐会使胆结石的发生率升高！那些因为生活工作的忙碌或为了减肥而忽视早餐的人，不要认为这只是耸人听闻的无稽之谈。美国国家糖尿病的消化道及肾脏损害研究所詹姆斯教授对4,730名妇女进行了长达10年的调查统计，那些晚餐与次日第一餐时间间距超过14小时者，即将早餐省略的女性，她们患胆结石的比例最高；而反之，晨起后规律进行充足早餐的女性，她们患胆结石的比例则最低！教授解释说，这是由于没有足够的规律的食物刺激，使胆固醇不能被适度地转换为可溶的胆酸形式，导致了胆结石的高发。

不仅早餐，出于任何原因的禁食，都会增加胆石症的风险，读者们应该相信专家的话。

超重与肥胖

为了预防胆结石的形成，保护一个正常的体重非常重要。超重，甚至是肥胖都会对此产生负面影响，尤其是对于中年的女性。而且，据美国哈佛大学的统计资料，超过标准体重的数量与胆结石发生的风险率成正比。从总体上看，肥胖的女性风险是正常女性的 6 倍，而仅仅超重 10 磅者的风险竟也上升了 1 倍！

这一作用的原理被认为是由于过多的脂肪造成胆固醇的内源性合成增加，分泌至胆汁中的量亦相应增加，不仅胆固醇，如果你的甘油三酯增高，HDL（高密度脂蛋白）降低，你都会面临成倍增加的胆结石风险！

过快地减体重

由上一节我们已经知道体内过多的脂肪堆积会促进胆结石的生成，因此保持正常的体重，减掉过多的重量是非常必要的。但是，中国有一句古话——"欲速则不达"，过快减轻体重反而会适得其反。最近，有很多研究都表明，为达到快速减肥目的而进食低脂低热量（即脂肪小于 3 克/日，总热量小于 600 千卡/日）的人胆结石的发病率升高 50%！其中体重下降最快者，胆结石发病率也最高！但同时，由此而造成的胆结石往往在人们维持减肥饮食时不会引起任何症状，而在他们减肥成功试图逐渐恢复正常饮食时突然爆发，出其不意！

因此，纽约肥胖研究中心的斯蒂文教授指出，每日中至少应有一餐的脂肪摄入量达到 5 克～10 克。只有达到了这一水平，才能刺激胆囊的正常排空，不会因胆汁淤积而促发胆石形成。做到这一点最简单的方法就是在减肥饮食的基础上每日吃二茶匙的橄榄油，缓和地每周少于 1.5 磅地减轻体重，千万不要操之过急。

脂　肪

过多的脂肪（除橄榄油外），会使胆结石的发生率增加，这一点我们已经很清楚了。那么，少吃脂肪类食物有没有预防胆结石的作用呢？在发生了胆结石后减少脂肪的摄入，能否减少疼痛的发作呢？

应该说第一个问题的答案是肯定的。适当地控制脂肪的摄入，降低血胆固醇、甘油三酯的水平，的确可以在一定程度上减少胆结石的形成。但对于第二个问题，答案便不是那么理所当然的了。

新的研究表明，胆石的运动是随机发生的，与食物中脂肪的含量无关。最具代表性的一项研究是美国乔治城大学医学院的试验：15 名受试者在不同的日子里分别吃脂肪含量为小于 15 克、大于 30 克和无脂的早餐，而后以超声波每隔 15 分钟测量胆囊的收缩情况。他们意外地发现，这 3 种不同含脂量的饮食并没有对胆囊的收缩产生影响，无论是高脂餐、低脂餐、甚至是无脂餐，胆囊收缩的情况完全相同！因此，科学家们认为，尽管低脂饮食对全身健康大有裨益，但它却没有降低已有的胆结石发作的能力。

饮食与肾结石

可能会抑制肾结石的食物：水果、蔬菜、高纤维谷类、大量饮水。

可能会促进肾结石的食物：高蛋白饮食，尤其是肉类、盐、高草酸盐食物，如菠菜、大黄。

肾结石是自古就有的一种常见疾病，在美国每年有100万人因为此病而住院治疗。男性的患病率是女性的3倍。而且，肾结石也是一种容易复发的疾病，5年内的复发率为40％，25年内的复发率为80％。

尽管肾结石的发生与遗传素质、代谢异常、感染、药物等多种因素有关，但日常的饮食对肾结石有很大的影响。原尿中含有一定浓度的离子成分，其中包括大多来自食物的钙离子和草酸盐离子，在低浓度时呈现溶解状态，在较高的浓度时便会有部分离子析出成晶体，这些晶体堆积到一定程度就成为结石，所以肾结石的最常见组成成分是草酸钙。据统计，工业化国家的肾结石有80％是草酸钙结石，食物中钙和草酸盐的含量及其他成分的比例直接影响到晶体析出的程度和结石生成的风险。有资料表明西方现代饮食习惯在世界的风行，已经使肾结石的发病率明显上升。那么，我们究竟应该如何正确地选择饮食呢？

在开始介绍具体的食物之前，我们想先说明我们在肾结石治疗方面的一项重要的原则：即肾结石的首选治疗不是药物更不是手术，因为这些治疗耗资巨大，副作用多，复发率高，食物才是最安全有效的选择。美国宾州大学斯坦利教授说，饮食是最有效的治肾结石的"良药"，它可以使肾结石的复发率降低 50%，饮食调节尤其对那些活动性结石效果明确。所谓活动性结石是指新近发生或长大的肾结石，如果病人 24 小时的尿钙、草酸盐或其他离子含量的确升高，疗效则更为明确。从这种意义上看，虽然我们说肾结石的治疗非首先药物或手术，但患病后还是应当首先到医院全面检查，了解结石的性质、大小、生长情况和尿液的离子浓度等，以便从饮食上有的放矢。

肉　类

如果你有罹患肾结石的倾向，那么你一定要注意，你要少吃肉，至少每天的肉类摄入不能超过 7 盎司！

因为过多的动物蛋白最终将转化为肾中的结石。因为动物蛋白代谢后，草酸盐和尿酸的浓度升高，晶体析出增多，结石形成的风险增加。

对于一些特殊的个体，在一般正常的动物蛋白的摄入时，尿中的钙浓度也会升高，其机理尚不清楚。因此，即使你没有超过前面说的肉食摄入量，如果你的尿钙较高，甚至是已有肾结石发生，你的饮食中的肉含量还应当适当地控制。

蔬　菜

英国科学家们最近发现，素食主义者患肾结石的比例仅是一般人的 1/3。他们饮食中的纤维成分是一般人的 2 倍，尿中的含钙量亦相当少，而当他们开始进食肉类后，尿钙便增加了。

日本人，过去是以蔬菜、纤维为主要食物，而肉类进食较少，因此肾结石患病率很低。但第二次世界大战以来，日本人的生活方式和饮食习惯渐渐西化，高动物蛋白低蔬菜饮食取代了过去良好的高蔬菜低动物蛋白饮食，结果怎样呢？日本人在二战后肾结石的发病率升高了3倍！

盐

美国宾州大学阿伦教授指出，限制食盐的摄入是最有效的防肾结石手段。

食盐里的某些成分参与结石的生成，并同时刺激钙的沉积。因此，有结石倾向或已患有结石的病人要尽量避免高盐处理过的食物，如腊肉、盐橄榄、罐装汤、熏咸鱼、腌肉、泡菜等，而且最好在自己烹饪时少用食盐。在阿伦教授的研究中证明，尿钙升高，即有肾结石形成危险的人，在限制食盐摄入，同时配合减少蛋白质的摄入后，尿钙的含量下降了35％！

请记住，科学家们推荐的食盐摄入量是每日小于5克，有肾结石倾向者最好控制在2.5克以内。

菠菜和大黄

吃含草酸盐丰富的食物同样会促进肾结石的形成，科学家们发现肾结石患者或有肾结石倾向者，尿中草酸根离子浓度较高。尽管科学家们也承认，其他的一些食物，如蛋白的过多摄入也可以造成这一结果，但吃富含草酸盐的食物如菠菜、大黄等，更是一个重要的原因，因为它无需代谢转化即可直接出现在原尿中。但也正因为造成尿中草酸离子浓度升高的原因比较复杂，科学家们至今尚未明确，富含草酸盐的食物每日的摄入量应控制在什么范围内。但菠菜、大黄和其他一些含草酸盐较多的豌豆、巧克力、茶等的摄入应当有所控制。

下面列出了含草酸盐量较多的食物种类，以从多到少的顺序排列，读者可作为参考：

菠菜、大黄、瑞士甜菜、豌豆、鹅莓、韭葱、黑莓、白薯、大豆、南瓜、巧克力、可可和茶。

含钙食品

也许这一节的内容会大大出乎你的意料，这也是我为什么没有把它放在开头的缘故。由于钙也是肾结石的主要成分，因此很多人会想当然地认为吃含钙食物，如牛奶或其乳制品越多，肾结石的发生率就愈高；反之，限制这类食品的摄入，便会降低肾结石形成的风险，但是，事实却恰恰相反。

美国哈佛大学盖伊教授和他的同事们对多达 45,619 名男性进行了长达 4 年的调查研究，他发现这中间饮食中含钙量最多的男性人群是含钙饮食最少人群肾结石患病率的 66%。无肾结石的正常男性每日比平均水平多摄入 600 毫克的钙，即 2 杯牛奶的钙量！这一研究还表明每日饮两杯或以上（8 盎司一杯）的去脂牛奶的男性，比每月仅饮 1 杯牛奶者肾结石的患病率下降 40%！每周大于 1 杯的奶酪摄入者，比每周食奶酪量小于 1.5 杯的男性肾结石的风险下降 30%！总之，多吃含钙食物非但不会在肾结石的形成方面有害，反而起着预防的作用。

那么，原因何在呢？科学家们解释说，可能是由于钙被摄入后，在胃肠内与草酸根结合成大分子，从而不易透过肠壁吸收入血进入原尿，从而使尿中的草酸钙减少，结石形成的风险自然就下降了。

大量饮水

早在2000多年前，名医希伯克拉底就已经指出，不管是什么原因造成的，什么组成成分的肾结石，大量饮水都是很好的一种治疗方法。水分可使原尿中各种离子的浓度降低，从而使其不易析出成非溶解状态，从而减少了结石的发生和进展。同时大量原尿的冲刷作用，还可使已形成的结石从体内排出。现代科学研究发现，饮水最多的人群，肾结石的发生率是一般人的71%。大量的饮水对那些占1/3的不是由于进食过多蛋白、食盐或草酸盐，而是由于有高尿离子浓度倾向所造成的肾结石尤为有效。

但不幸的是，大多数人并没有认识到他们饮水量的不足，反而还觉得自己每日的饮水量"已经够多的了！"。实际上，正常人每日最低的低水量应达到8杯，而为预防和治疗肾结石，应达到16杯/日之多，特别是夏季多汗的季节。不论你喝苹果汁还是苏打水，这里的有用成分其实只是水，而高糖软饮料、柠檬水由于草酸盐或其他成分过高，不太适合大量饮用。

饮 酒

这里简单介绍一下酒精与肾结石的关系。酒精会增加尿中钙和尿酸的浓度，啤酒中还含有较多的草酸盐，因此从这个意义上说，酒精的饮用是不十分适宜的，最多只是少量饮用。

举一个实例

一个47岁的费城银行经理，患肾结石已经15年了，但5年来，他每年都要发作5次，而在过去的10年中总共只发作了5次。于是，他来到宾州大学结石研究中心就诊，在那里，他接受了体外碎石治疗，一些肾结石被击碎排出，但后来，新的结石仍不断地形成。

当他再一次来到研究中心后，医生们仔细分析了他的饮食结构，发现他每日蛋白质的摄入约110克左右，其中动物蛋白占80克（约合12盎司的牛排），相当多的食盐也包含其中。于是医生协助他建立了一套新的饮食习惯，他将蛋白质的摄入控制在65克以下，限制了食盐的摄入，减少吃含草酸盐多的食品，同时大量饮水（清醒时每隔2小时饮水40盎司）。他坚持了下来，你猜怎么样？已经有3年了，他没有再形成新的肾结石，也再没有过肾绞痛的发生！

这个实例是否会给你多一点信心呢？

便秘的"果酱"疗法

依如下方法制成果酱，每天只需吃1茶匙，即可有治疗便秘的作用，这在加拿大魁北克省的一项涉及42名老年便秘患者的试验中得到证实：

5盎司去核海枣：切碎

5盎司去核果脯：切碎

1杯半开水与之搅拌，并上火煮，熬成稠状的果酱

保持规律排大便的饮食

- 多吃一些纤维性食物，包括蔬菜、水果，米糠、麦麸等，最后两个尤为有效。
- 增加纤维摄入时，应注意循序渐进，配合多饮水。
- 不要轻易求助于泻药。
- 对儿童来说，麦麸比米糠要安全些，如果试过麦麸而无效时，则应及时向医生求助。

儿童腹泻的快速治疗

- 对于急性腹泻的婴儿继续给予母乳喂养。
- 对怀疑有乳糖不耐受情况的儿童，应考虑改饮去过敏蛋白的牛奶配方，并向医生咨询。
- 给 5 岁以下儿童口服补液品，或以米汤等来代替。
- 给腹泻儿童持续喂以淀粉类食品，如大米汤等。

婴儿不适合吃酸乳酪

对成人和大孩子，腹泻时吃酸乳酪有一定的治疗意义，但对于 1 岁以下的婴儿却不适合。因为科学家们认为酸乳酪中的一些成分也和牛奶一样，可能会引起婴儿的不耐受，从而造成或加重腹泻及其他一些腹痛等症状，亦或在长大以后发生皮肤或呼吸道的过敏反应。

腹泻的四大元凶

- 牛奶
- 咖啡
- 山梨醇
- 果汁

治疗腹泻的食疗处方

如果你受慢性腹泻的困扰，首先应当做的，就是确定这是否是由于对某些食物的反应造成的。

- 首先停止饮牛奶和吃乳制品，观察是否腹泻慢慢好转。
- 将饮食中含山梨醇的成分去掉。
- 如果还没有效果，则试着戒掉咖啡，包括普通的和去咖啡因的。
- 避免那些使肛门排气增多的食物。
- 对于儿童，要尽量少喝果汁，尤其是苹果汁。

在治疗腹泻方面也有如下建议：

- 大量补液，即多喝低糖低盐的饮料。
- 试着喝大米汤或市售的口服补液盐。
- 不要让"胃肠休息"，要尽量继续进食，可试着多吃些煮胡萝卜，煮土豆等富含淀粉的食物。
- 如果你是一个乳糖不耐受者，要避免吃刺激性的高纤维饮食及使排气增多的饮食，当然还有牛奶。
- 少喝高糖饮料，如果汁、碳酸苏打饮料等，包括儿童在内。
- 每次进食进水时，应以少量多次为原则，尽量减少由此导致的恶心及呕吐。坚持正确的进食进水可以缩短腹泻的病程。

抑制排气过多的食物配方

- 首先要弄清你是否因为对牛奶中乳糖的不耐受而导致排气过多，那么，你就要减少饮牛奶和吃乳制品了。但酸乳酪是没有问题的。

- 还要小心低热量的甜味剂——山梨醇、在很多情况下，它也使排气增多。
- 仔细观察你自己的饮食与排气量的关系。
- 如果一定要吃大豆的话，最好是烹饪之后，尤其是前文中叙述的那种方法处理后再吃。
- 在吃一些易产气的食物的同时，加入一些大蒜和姜会有很大帮助。
- 如果你排气过多的问题非常严重，试着避免文中提到的所有使排气增多的食物。

如果你是个乳糖不耐受者，你该注意些什么？

- 如果饮牛奶的话，每次要饮较少的量。
- 和餐饭一起饮牛奶，不要单独饮用。
- 饮全牛奶而不是脱脂牛奶。
- 饮巧克力牛奶或许会好些。
- 不要饮黄油牛奶、酸奶及冰冻酸乳酪。
- 也可以在牛奶中加入补充体内消化乳糖的由酶组成的药品，或者饮用低乳糖的特殊牛奶。

治疗烧心感的食物配方

- 少吃脂肪类食物，多吃碳水化合物和蛋白质。
- 严格限制或避免摄入巧克力、咖啡、酒精、生洋葱、薄荷等，因为它们会使括约肌松弛，胃酸返流。
- 如果你怀疑你的烧心感与进食柠檬汁或其他辛辣食物有关，则马上饮清水（非酸性的）来缓解症状，而且以后要尽量避免这些食物。
- 超重者应及时减肥。
- 吃饭后3小时内不要平卧，更不要头低脚高位躺着，因为重力的原因会加重胃酸返流。

- 睡眠时以左侧卧位为佳。
- 谨慎饮酒，尤其不要在饮酒后很快平卧休息。

治疗腹部绞痛的食物配方

- 要弄清腹痛的发生是否与你对某种食物的不耐受有关，最常见的有牛奶、山梨醇、小麦、玉米和咖啡，米糠似乎比较安全。
- 要详细记录你每日的饮食种类和数量，至少观察 7 天，在这些饮食下你腹痛发作的频度和胃肠运动的情况，以明确某种饮食与腹痛的关系。
- 如果怀疑到某种食物是造成腹痛的元凶，则减少吃这种食物至少 3 周，观察腹痛是否减少，然后可以再增加它的摄入，看看腹痛是否又加重了。同时，应向医生咨询。

预防胆结石的饮食

- 大量吃蔬菜，尤其是豆类。
- 少吃糖。
- 如果你已有少量饮酒的习惯，可以保持下去。
- 不要过久地节食，还要注意不要忽略早餐。
- 减肥时要循序渐进，不能过快地减轻体重，每天可吃一些橄榄油。

防治肾结石的食物配方

- 最重要的是多喝水，除每日常规的其他饮料外，每隔 4 小时要喝 2 杯或以上的水。
- 限制食盐摄入在每天 2,500mg 以下，尤其是对于现在食盐过多的人。

● 少吃动物蛋白，尤其是肉，每天吃少于 7 盎司—8 盎司的肉或海产品。

● 少吃富含草酸的食物，如菠菜、大黄等，少饮高糖的可乐、柠檬汁等，因为它们也含有较多的草酸。

● 每天吃 2 次～3 次含钙食品——牛奶、乳制品，保持钙日摄入至少在 650mg～800mg 以上。

● 多吃高纤维的蔬菜和谷类。

这些方法将使患肾结石的风险下降一半，尤其是那些曾经过多进食蛋白和盐的人。

第三部分

饮食与癌症

总　　论

可能会防癌的食物：蔬菜（甘蓝、洋葱、胡萝卜、西红柿、绿色菜、黄色菜）、大蒜、水果（柠檬）、大豆、豆腐、鱼脂、茶、牛奶。

可能会致癌的食物：肉类、高脂食物、植物油（像玉米油等）、过度饮酒。

可能会阻止癌症扩散的食物：海产品、大蒜、十字花科的植物（如甘蓝）。

饮食被现代的科学家认为是对付癌症的最有力的武器之一，美国国家癌症研究所公布的资料显示，至少有 1/3 的癌症与饮食有关，而英国肿瘤学专家理查德教授则认为这一比例可达 60%！仅美国一个国家，正确的饮食每年可以预防 385,000～700,000 名新发癌症和 170,000～315,000 名病人死于癌症，换句话说每天就有 1,400 名美国人死于癌症，总死亡率中，每 5 个美国人就有 1 个死于癌症，而其中很多是可以以正确的饮食来挽救的！

癌症或者说恶性肿瘤的发生需要一段相当长的时间，一般从一个突变细胞生长为一个恶性肿瘤所经历的时间平均为 20 年～30 年，40 年～50 年者也不在少数，在这漫长的岁月里，在你不经意中，你的饮食可能正在慢慢发挥着它防癌或者致癌的作用。具体的作用机制可能十分复杂，并有其他很多因素的共同作用。但至少有一点令人兴奋，食物可以在很多环节上打断癌症的形成和发展，因此下面的内容可能会对你的一生都产生巨大的影响。

　　具体讲，食物可以阻断某些化合物在体内激活成致癌因子的过程；食物可以激活人体的解毒机制；食物可以预防细胞的基因突变；食物可以关闭（或启动）致癌病原体的破坏开关；食物中的抗氧化剂，如维生素，可以排除致癌物，甚至可以修复其造成的细胞损伤；食物可以使已具一定潜在危险性的增生性良性肿瘤向正常的方向转化；食物还可以在一定程度上抑制肿瘤的转移——尽管这后两种作用可能较为微弱，但它毕竟为我们提供了另一种选择，另一种武器，使人们在与癌症抗争的过程中，在成功的天平上又多了一颗砝码！

水果和蔬菜

　　当 20 世纪 70 年代，科学家们开始致力于食物与癌症的研究时，他们首先想到的便是蔬菜和水果。

　　美国国家癌症研究所防癌疗癌分部的彼得教授说："人们吃水果和蔬菜越多，患癌症，包括结肠癌、胃癌、乳腺癌、肺癌等的危险性就越低。"他的话，得到了大量事实和科学研究的证实。

　　美国伯克利加州大学格拉蒂教授在归纳了全世界近年来 170 项有关于此的研究后，写下了一篇综述，在综述里他指出，人群中吃水果和蔬菜量最多的一组人，是最少一组人癌症发生风险率的 50％！这些癌症包括肺癌、结肠癌、乳腺癌、宫颈癌、食道癌、口腔癌、胃癌、膀胱癌、胰腺癌、卵巢癌。退一步讲，即使不吃很大剂量的水果和蔬菜，而只是大约每天吃二次水果，比那些每周仅吃三次或以下的水果的人，肺癌的发生率下降 75%！这其中还包括吸烟者。这一点足以令科学家们吃惊和振奋，因为吸烟是最常见的一种致癌原因，而水果和蔬菜似乎可以对付它。

在综述的结尾处，格拉蒂教授总结说，水果和蔬菜为我们消除了很多潜在的致癌过程，就像即使是在流行病区，我们如果饮了已被消毒过滤的水，也不会得可怕的霍乱了。

那么，如何知道我们每日吃的水果和蔬菜是否充足呢？其实也很简单，到有条件的医院抽血做一下化验即可。血中维生素 A、胡萝卜素、维生素 C、叶酸、番茄红素等的水平就可以反应出你是否需要增加水果和蔬菜的摄入。同时，在一定程度上，也可以预测你今后患癌症的风险。比如，在瑞士的一项涉及 3000 名受试者跨度达 12 年的研究中发现，血中维生素 A 和胡萝卜素低的人，今后患各种恶性肿瘤，特别是肿瘤的风险增加；血维生素 C 下降者，胃癌和肠癌的风险增加。另一项英国的研究也表明，高 β-胡萝卜素的男性比低 β-胡萝卜素男性患癌症的风险下降了 40%；其他的研究还表明，血中叶酸和番茄红素的水平与癌症，特别是肺癌、宫颈癌、胰腺癌的风险成反比！所有这些成分，大多数都来自食物中的水果和蔬菜！

说到水果和蔬菜抗癌的机理，是非常复杂的。洋葱和大蒜是因为它们含有 30 多种抗致癌物，如二丙烯基硫醚、槲皮酮等，在动物实验中，它们可以对抗多种致癌物，如亚硝胺、黄曲霉素等的致癌作用，预防胃癌、肺癌和肝癌等多种癌症。番茄的红色和抗癌作用均来自番茄红素，西瓜中番茄红素含量也很高，杏中也有少量的分布。这种番茄红素可以对抗单氧的致细胞癌变作用，这种对抗效果甚至是我们熟知的胡萝卜的两倍！绿色和黄色蔬菜中含有丰富的抗氧化剂，其中包括 β-胡萝卜素、叶酸、脂色素，越绿的蔬菜含量越高。而且β-胡萝卜素和脂色素成分即使是在蔬菜被加热烹饪或冷冻后也不会像维生素C和谷胱甘肽那样被破坏。相反，β-胡萝卜素在加热后反而更易被人体吸收。这些抗氧化剂可以保护我们不患恶性肿瘤。橘子、柠檬、葡萄、酸橙等水果也被大力推崇，这是因为这些水果含有丰富的抗癌物质，据统计，这些水果是所有食物中含抗癌物质种类最多的，有58种，其中包括类胡萝卜素、黄烷类、萜、香豆素等，而且由于这些成分共同地存在于这类水果中，他们之间的抗癌作用有明显的协同作用，各种比例调配得仿佛一杯绝伦的鸡尾酒。因此，在吃这些水果的时候不该破坏它的整体性，举例说，如果你只饮橘子榨的汁，那么整橘中的大量谷胱甘肽便被你排除了。

大豆、豆腐

现在世界上的科学家们已开始告诫欧美国家的人，要开始尝试与适应吃大豆及豆腐等东方人早已习惯的抗癌食品。

大豆中已被发现至少有5种抗癌成分，它可以对抗由雌激素介导的癌变过程，如乳腺癌和前列腺癌。在动物试验中，大豆中的蛋白酶抑制剂，可以完全阻断结肠、口腔、肺、肝脏、胰腺、食道的癌变过程。同样是在动物实验中，大豆中的植物固醇和皂角可以抑制结肠癌细胞的增殖和分化，刺激正常免疫阻断宫颈癌和皮肤癌细胞的生长。好吧，不再提动物实验了，因为那毕竟不是在人类身上得到最终的证实。但对人类来讲，大豆中的确存在着比维生素C更出色的对抗致癌物亚硝胺的成分。而且对人类癌症发病率的统计也发现，喜欢吃大豆和豆腐的日本人的癌症发病率是世界上最低的！具有讽刺意义的是，美国是大豆的主产地，而收获的大豆绝大部分被用作动物饲料，剩下的则出口日本！他们白白浪费着丰富的抗癌资源，也白白地浪费着自己的生命。

茶

茶叶的抗癌作用是最近才被发现的。美国健康研究会约翰教授说："无论是红茶、绿茶还是乌龙茶都有这种令人欣喜的作用。"

科学家们最近对中国、日本和美国的饮茶情况与癌症关系的问题进行了大量的研究。他们发现，一般浓度地饮用绿茶（对人类而言），使小鼠皮肤癌的发生率下降87％、胃癌下降58％、肺癌下降56％。红茶和乌龙茶也有相似的效果。虽然这些数字是对小鼠而言，并不能完全反映人类的情况，但至少也说明一定的问题。

日本学者发现茶中有一种叫EGCG的茶碱，以绿茶中为最多，其次为乌龙茶，最后为红茶，这种茶碱被认为可能与茶的抗癌作用有关。

牛　奶

尽管牛奶中的脂类可能会有促癌的作用，但牛奶中的其他成分却可以抗癌，而且脂类也可被祛除只剩脱脂牛奶被我们饮用呀！

美国布法罗的科学家们对1,300名美国人进行了研究发现，那些规律饮用低脂或脱脂牛奶的人，癌症（包括口腔癌、胃癌、直肠癌、肺癌和宫颈癌）的发生率较不饮牛奶者低。

对牛奶抗癌成分的研究还处于猜测阶段，钙、维生素A、C、D、B_2等等都有可能，或者是一些迄今未被认识的化合物。但无论怎样，我们应该对牛奶，特别是低脂、脱脂牛奶另眼看待啦!

具有治疗效果的食物

上面谈到的水果、蔬菜、大豆、牛奶等，主要讨论食物的防癌作用，在这一节中，我们将着重谈谈食物对癌症的治疗作用。

在德国最新的一项研究中发现，大蒜对于恶性肿瘤细胞来讲是一种"毒药"，可以与化疗药物一样起着杀灭癌细胞的作用。它还可以作为一种免疫反应的调节剂，就像现在常用的治癌物——白细胞介素一样，刺激机体正常的免疫应答，对付肿瘤。在实验室体外试验中，大蒜可以激活巨噬细胞、T淋巴细胞，从而提高免疫活性，杀灭癌细胞。大蒜还可以作为一个天然的"抗生素"，杀灭诸如幽门螺旋杆菌在内的多种细菌，而这些细菌被认为与结肠癌和胃癌的发病密切相关! 尽管有些机制还需要在人类身上进一步得到证实，但已足以使我们看到了希望。

β-胡萝卜素是另一种有治疗作用的食物成分，它也可以刺激机体正常的免疫应答杀灭癌细胞，还可以抑制恶性鳞状上皮细胞和肺癌细胞的增殖，抑制肿瘤细胞释放的自由基的破坏力。β-胡萝卜素是通过在人体内代谢转化成的树脂样酸发挥以上功效的。而后者已被美国的科学家们广泛用于合成治疗血液系统恶性肿瘤和膀胱癌的化疗药物，并已取得了很大的成功。

小麦和甘蓝也可以用于治疗癌症，已知过高的雌激素水平是导致女性患乳腺癌的重要原因。而对抗雌激素的作用在乳腺癌已经形成后同样具有重要的意义，已经作为很多国家治疗乳腺癌的原则之一。小麦（尤其是未经加工的全小麦）和甘蓝便有促进雌激素代谢分解，从而降低雌激素水平的作用，因此乳腺癌病人多吃这些食物无疑是有益的。

鱼类，特别是其中的鱼脂有抑制癌细胞转移的作用。据哈佛大学的研究证实，鱼脂可以使乳腺癌术后的转移率下降，对其他的肿瘤似乎也有效。鱼脂可能是通过阻断癌细胞转移后的附着而使其无法在非原发处生存而实现上述作用的。因此，医生们常常特别嘱咐那些患乳腺癌的病人，要多吃鱼！

其他还可能有治癌效果的食物包括：甘草、蘑菇和酸乳酪等，还待进一步研究。

有一点需要指出的是，尽管食物有这样或那样的治疗癌症的作用，但它只能作为一种辅助的手段，绝不能取代药物或手术的治疗。

饮　酒

酒精会使其饮用者面临上、下消化道恶性肿瘤癌、肝癌、前列腺癌、乳腺癌等，尤其是结肠癌的发病率增高的危险。而且这种发病率的升高与饮酒量成正比关系。据国际癌症研究会对欧洲的一项调查显示，对于同时嗜烟及饮酒者，其喉癌发生率上升45%，鼻咽癌上升135%！美国俄克拉何马大学的专家们发现，大量饮用啤酒者，即每日饮啤酒超过5杯者，其直肠癌的发生率比正常人上升了100%！

同时，酒精还会刺激已有的恶性肿瘤的转移扩散。美国洛杉矶加州大学格尔教授发现酒精可以抑制人体的免疫反应，从而促进癌细胞从原发部位迁移至转移部位，生长增殖，并继续肆虐！因此，对于那些已患癌症的病人，戒酒就更加势在必行了。

脂　肪

对于脂肪类食物，不能一概而论，这里需要具体问题具体分析。

像橄榄油，它含有丰富的 Ω-3 脂肪酸，据美国健康研究会的研究结果，它具有防癌和抗癌作用。

像鱼油，前面我们已经提到了，它们具有抗癌和抑制癌细胞转移的作用。

而我们日常生活中，摄入最多的动物脂肪或除橄榄油等之外的其他植物油却有着致癌的作用。这些脂肪中含有大量的 Ω-6 脂肪酸，它能够刺激有癌变潜能的细胞向恶性细胞转换发展，激活结肠中的胆汁酸的促癌机制，抑制人体正常的免疫功能，使过多摄入这类脂肪的人面临癌症的威胁。

了解到这些，我们就应该认识到，我们不仅应当适当控制脂肪性食物的总摄入量，还应当注意调节各种脂肪摄入的比例，适量多吃具有保护性的脂肪。

饮食与乳腺癌

> 可能会抑制乳腺癌的食物：甘蓝、水果、蔬菜、豆类、全小麦、橄榄油。
>
> 可能会促进乳腺癌的食物：肉类、含饱和脂肪酸的食物、酒精、含 Ω-6 脂肪酸的植物油。

食物会对乳腺癌的发病、转归和最终的预后产生重大的影响。在乳腺癌与人体互相竞争对抗的各个环节中，食物都发挥着非常重要的作用，从微观上影响着细胞的命运，从宏观上掌握了生命的方向。

从世界范围看，亚洲的女性患乳腺癌的风险率比欧美国家的女性要低得多。其中，日本女性乳腺癌的发病率仅为欧洲妇女的 1/5！同时，已发生乳腺癌的日本女性，其肿瘤的发展恶化速度也远远落后于欧美患者！这里有一定的遗传因素的作用，但也不能因此就抹杀了食物的作用。一项有趣的调查表明，那些由日本移居至夏威夷的日本女人在改换为西化的饮食习惯后，乳腺癌的发生率逐渐上升至极为接近欧美种族女人的水平！这一点使食物的地位更加不可动摇。科学家们认为，要么是亚洲人的饮食中有某种防乳腺癌的保护因子，要么是欧美人的饮食中有某些致乳腺癌的损伤因素，要么就是两种情况兼而有之，才造成了这一结果。

要彻底弄清这个问题可不是一件容易的事，尽管科学家们无时无刻不在努力地工作，但还有很多谜底尚未揭开。但是，无论如何，就我们现在已弄清的一些东西而言，已足以使很多女性从中受益，免受或少受乳腺癌的困扰。英国乳腺癌专家理查德教授就曾乐观地预测，以现有的知识更正我们的饮食，就足以使乳腺癌在欧美的发病率下降50％！

食物与乳腺癌关系的中心环节就在于雌激素。因此乳腺癌（还包括子宫癌、卵巢癌）属于雌激素依赖性恶性肿瘤，它的发生和转归与体内相对过高的雌激素水平有密切关系。那么，影响到雌激素的代谢与吸收，就间接地影响到乳腺癌本身。三苯氧胺是临床上常用的一种预防和治疗乳腺癌的药物，它可以起到抵抗雌激素的作用。食物，也有它们的不同机制来制约雌激素水平的升高，在以下的小节中我们将详细论述。科学家们还指出，女性早年时的高雌激素状态可能是绝经后或老年后乳腺癌发病的祸根，因此从尽可能小的时候就用食物来预防高雌激素的状态是安全而且必要的。同时，雌激素的水平还影响着癌细胞的生长速度、转移与否，因此即使是在患乳腺癌后，尽可能早地选择正确的饮食，也可以帮助人体战胜乳腺癌。

由于乳腺癌的发生还与其他很多的因素有关，因此很多食物，如脂类等防治乳腺癌的机理还不甚明了，有待进一步研究。

甘 蓝

甘蓝类的植物是通过经典的雌激素途径，实现其影响乳腺癌的作用的。它可以加促雌激素在人体内的代谢清除过程，使雌激素的代谢半衰期缩短，大量的雌激素被甘蓝给"燃烧"了，那么人体中血雌激素水平自然会下降，由此造成的乳腺癌发生或恶化便也被抑制住了。美国纽约激素研究会的学者们指出，对全体人群来讲，包括男性和女性，甘蓝使雌激素的代谢灭活速度增加50%，尽管这一数字要求的甘蓝摄入量为每日14盎司的新鲜甘蓝，显然超过了日常可接受的范围，但少吃一点也会有一定的作用，尽管很可能会弱些。这一协会认为亚洲妇女之所以患乳腺癌较少，很大程度上可能与她们吃甘蓝之类十字花科的植物较多有关。

其他的十字花科植物还有：花茎甘蓝、花椰菜、布鲁塞尔球芽甘蓝、羽衣甘蓝、芥末、萝卜等。生吃或稍加烹饪，抗癌效果更佳。

全 小 麦

全小麦，即未经处理的包含糠、麸等的小麦。进食足够的全小麦可以降低血循环中雌激素的含量，从而达到防治乳腺癌的目的。

纽约健康研究会戴维教授对62名年龄在20岁至50岁之间的非绝经妇女进行了研究。这些妇女在接受调查之前每日吃小麦的糠、麸量是约15克，在开始研究后，她们将摄入量增加为30克。1个月后，她们血中的雌激素含量没有什么变化，但2个月后情况发生了变化，她们雌激素的血浓度下降了17%！

但吃燕麦或玉米糠、麸的女性却没有收到同样的效果，这是为什么呢？

小麦的糠、麸与其他谷类糠、麸的最大区别在于前者是不可溶的，它停留在结肠中供正常的菌群利用，并因此而调动了体内一系列复杂的生化反应，这些反应最终将导致较少的雌激素被释放入血。低脂的饮食也有这种作用，但作用强度远不及麦糠或麸，而且只能使一种名为硫化雌酮的雌激素下降，但麦糠、麸却同时可使另一种名为雌二醇的雌激素下降，而后一种雌激素被科学家们认为与乳腺癌的关系更为密切！

尽管这项研究是针对未绝经女性而进行的，但科学家们说，对于绝经期及老年女性，全小麦同样具有保护作用。

豆　类

多吃豆类，尤其是大豆，也可以使你在与乳腺癌的斗争中多一份取胜的信心。

由于豆类中含有丰富的植物性雌激素，像药物三苯氧胺一样，它们是雌激素的类似物，可以与体内的雌激素竞争性地结合雌激素受体，阻断雌激素的各种作用。同时，这些成分与受体结合后也能发挥与雌激素极为相似的作用。之所以说是"相似"，而不是"相同"，就是因为这些作用将雌激素原有的致乳腺癌发生和恶化的不良作用排除在外！

美国亚拉巴马大学药理与生化学专家斯蒂芬教授对此进行了动物实验和人类学的研究。他首先给动物饲以规律的高大豆饮食，然后将它们置于大量致癌因子中，他发现高大豆饮食组的动物乳腺癌发病比预计值下降了65％！他也对人类豆类进食情况与乳腺癌的关系进行了世界性的调查。他发现，在新加坡，进食大豆量是一般人2倍的女性，她们患乳腺癌的风险仅为一般人的50％！在日本，严格遵循传统饮食习惯的女性往往进食大豆量很多，她们或吃豆腐，或吃豆糕，或吃腌豆、煮豆，每日大概要吃3盎司的豆性食物，而她们尿中黄烷类异构体浓度很高，这种成分具有强大的抗癌，特别是抗乳腺癌和前列腺癌的作用！这也许就是日本妇女乳腺癌发病率低，同时乳腺癌患者肿瘤生长和扩散速度慢的重要原因吧!

海 产 品

科学家们已经逐渐认识到海产品也有防治乳腺癌的作用。有一项由加拿大学者主持的对世界上 27 个国家女性乳腺癌情况的调查显示,乳腺癌低发国家的妇女,像日本妇女,每天摄入的海产品如鱼类等很多。

另外,哈佛大学的乔治教授还认为鱼脂可以帮助人体的正常免疫功能与已形成的乳腺癌细胞斗争,还能阻碍肿瘤细胞在非原发部位的附着,从而抑制乳腺癌的转移。尽管这些观点还没有得到最终的证实,但乔治教授已经满怀信心地筹划着此项研究,相信不久会给读者一个可靠的答复。

含维生素 D 的食物

国际上推荐的维生素 D 的每日摄入量为大于 200 个国际单位。日本女性每日的摄入量约达 1,200 个国际单位,而美国女性每天只摄入 50 个国际单位的维生素 D,当日本女性移居美国后,她们每日维生素 D 的摄入也大幅度地下降,与之相对应的是日本女性乳腺癌的患病率远远低于美国女性,而当她们采纳了美国的饮食习惯,减少了维生素 D 的摄入后,她们乳腺癌的患病率也大幅度地升高了! 而且有资料显示,老年女性对低维生素 D 的饮食则更为敏感,更易因此而发生乳腺癌。

在实验室的动物实验中,维生素 D 被发现有抑制癌细胞增长的作用,我们宁愿相信它在人体内也发挥着同样的作用。

含维生素 D 丰富的食物包括鱼类，其中以鳗鱼为最丰富，每 1.5 盎司鳗鱼中就含有 5,000 个国际单位维生素 D，其他的鱼像鳟鱼、马哈鱼、沙丁鱼、鲭鱼、金枪鱼等也都较丰富。去脂的加维生素 D 的牛奶自然也富含维生素 D 喽。有这么多选项，我们何不放大腮帮尽情享用美味跟健康呢！

含维生素 C 的食物

随你去吃吧，含维生素 C 的食物永远也不会吃过多，因为这里似乎真是一个多多益善的例子。

维生素 C 对于不同年龄段的女性来说都具有保护的作用，保护她们不受乳腺癌的肆扰。这是加拿大国家癌症研究会在综合了 12 项不同的研究后做出的结论。

国际上推荐的维生素 C 日摄入量约为 60 毫克，而科学家们发现要使乳腺癌发生的风险率下降 16%，那么每日维生素 C 的摄入量应至少达到 380 毫克，也就是推荐量的 6 倍之多！

对于绝经后的女性，控制脂类食物的摄入可使其乳腺癌风险下降 10%，而若同时配合以每日 380 毫克的维生素 C，风险下降的百分比便一下达到 24%！

各种蔬菜和水果中都含有维生素 C，同时很多蔬菜中还含有胡萝卜素、类胡萝卜素等成分。因此，一位意大利的科学家认为，吃蔬菜似乎更为有效，他声称每天吃超过一种绿菜的女性，乳腺癌的发生率仅为少于一种绿菜的女性的 1/3。也许仅仅是一家之言，但多吃蔬菜应该是没错的，当然还有水果！

饮　酒

　　酒精对乳腺癌也有着一定的推波助澜的作用。科学家们也早就发现大量饮酒的女性有较高的乳腺癌发生率，但到底多大剂量为超标，且酒精到底是通过何种机制影响乳腺癌的呢？

　　直到1988年，第一个问题才似乎有了答案。美国哈佛大学公共健康学院马修教授对此进行了大量研究，他发现饮酒的剂量与促进乳腺癌的效果呈现正相关的曲线，即饮酒量越大，越利于乳腺癌的发生、发展，从曲线上看，每日约饮2杯酒的女性，其乳腺癌风险上升50%，但若日饮酒小于1杯，对乳腺癌似乎没有什么明显的影响，因此，虽然绝大多数美国女性都饮酒，归咎于此的乳腺癌比例只占13%。

　　同时由于小量地饮酒，可以起到保护心血管系统的作用，因此马修教授认为，对于那些已有小量饮酒习惯（即每日饮酒量小于1杯）的女性，没有必要要求她们戒酒。但超过这个剂量的女性，还是少饮为妙。因为增高了的血酒精浓度不但会增加乳腺癌发生的风险，还会刺激和加速乳腺癌的转移、扩散，这种效应也是与剂量正相关的，在大鼠试验中，血酒精浓度每升高0.25%，乳腺癌转移个数升高7倍！

　　第二个关于酒精作用机制的问题，尚没有一个满意的解答。有些科学家认为酒精抑制了机体的免疫功能，如使自然杀伤肿瘤的NK细胞活力下降等，还待进一步证实。

脂　肪　类

　　大量的流行病学资料显示，饮食中脂类物质的数量和种类与乳腺癌的发病和转归密切相关，但也有些学者在一些问题上持不同的观点。

应该说，在脂类（尤其是动物类饱和脂肪和 Ω-6 植物油脂）促进乳腺癌复发与转移这一论点上，科学家们还是不谋而合的。有些研究表明，以上两种脂类摄入较多，淋巴结受乳腺癌细胞侵犯的比例就越大，由乳腺癌造成的死亡率就越高。这点似乎可以解释，以吃低脂饮食为主的日本女性乳腺癌的 5 年生存率，比以吃高脂饮食的西方女性高 15% 的原因了。过多不良脂类的摄入会抑制人体的免疫功能，也会促进雌二醇（一种雌激素）的合成，在这两者的共同作用下，即使是已经外科手术治疗的乳腺癌也容易复发，且新发的肿瘤细胞上生有大量雌激素受体，对雌激素的升高极为敏感，如此进入恶性循环。换句话说，不适的脂类摄入，间接地为恶性肿瘤提供了能量与营养。

那么，动物性饱和脂肪和植物 Ω-6 脂肪摄入过多会不会增加乳腺癌的发生率呢？请恕我暂时还无法给你一个肯定的答复，我仅在这里把已有的发现呈现给你。

在哈佛大学最近的一项涉及 90,000 名女性的调查中，没有发现脂类摄入与乳腺癌发病率有关。但也有动物实验发现，以上的高脂饮食会促进乳腺癌的发生和生长。而且，地中海地区女性，平素以吃橄榄油为主，较少吃动物和其他植物油，而她们乳腺癌的发生率亦很低。至今，持不同观点的科学家们仍在各执一词，争论不已，且让我们静观其变吧！

饮食与结肠癌

　　可能会防治结肠癌的食物：全小麦（麦糠、麸）、蔬菜（甘蓝等）、水果、牛奶和酸乳酪、海产品、含钙食物、含维生素D食物。

　　可能会促进结肠癌的食物：高脂食物、红肉、酒精。

　　在美国，每年有11,000名新发的结肠癌患者，也有50,000名美国人死于结肠癌。而英国牛津大学肿瘤学专家理查德教授认为，这其中的90%都是可以以正确的饮食来避免的。

　　结肠癌好发于中年人，常有家族聚集倾向。很多结肠癌由多发的大肠息肉逐渐恶变而来，通常这种恶变的过程需要10年左右。在恶变的过程中，良性或介于良恶性之间的结肠细胞逐渐转化为失去控制的恶性的结肠癌细胞，在这一漫长的过程中，食物可以在许多环节上打断这种转化，预防结肠癌的发生；食物还可以作用于已有结肠癌的机体，使其战胜癌症，并长期地抑制癌症的复发和转移。从这种意义讲，无论你有多大的年龄，多强的结肠癌遗传背景，无论你是否已患有结肠癌，是否已因此而接受手术或药物治疗，无论这些治疗是否已经取得了治愈性的效果，下决心选择正确的饮食都恰是时候，都会有所帮助。

147

麦　麸

如果有人告诉你科学家们已经发现了一种可以使结肠癌的风险降低30％到50％，可以使50,000人免受结肠癌侵扰的"药物"，你是否会相信呢？如果你同时被告之，这种"药物"不但有效，而且安全、便宜，你是否还会相信它的存在呢？你该相信的，因为这个"世纪大发现"的确存在，它就是日常生活中司空见惯的麦麸。不过，现代的生活使它离我们的饮食越来越远了。

其实，为起到保护作用，麦麸每日需要被摄入的量是很少的。据加拿大多伦多大学杰夫里教授发表于《癌症学杂志》的文章中说，如果美国人每天多吃13克（即1碗麦麸片），结肠癌在那里的发生率就会下降31％，每年就会减少50,000个被诊为结肠癌的病人。而这一摄入量仅比现在美国人平均摄入的水平升高70％，而实际上美国人实际的摄入水平是很低的，像中国、印度这样的发展中国家，居民的实际已有摄入水平可能与这一保护作用的水平很接近了。

全小麦中的麦麸不仅可以预防结肠癌的发生，还可以抑制结肠癌的扩散转移和复发。美国亚利桑那癌症中心艾尔伯特教授对17名已接受了手术治疗的结肠癌病人进行了研究，他让这些病人在手术能够进食后即开始每天至少吃13.5克麦麸，2个月后检查他们直肠上皮细胞的增殖情况，它被认为可以用来代表癌症的复发几率。教授发现，即使是那些术前被认为有高复发可能性的病人的直肠上皮细胞的增殖速度也没有出现异常地增快。更令人感到高兴的是，仅仅两个月，60天的正确饮食就已经开始令采纳者们受益了。

其他的一些谷类或燕麦中，及一些水果、蔬菜和坚果中也含有纤维，但似乎麦麸对它们来说有不可替代的地位，尽管还没有人能说清这是为什么，麦麸中似乎还包含着一种独特而有效的成分。在美国健康研究所，科学家们令75名女性每日保持进食30克的纤维，这些纤维分别来自小麦、燕麦和玉米。8周后，只发现食小麦纤维组即麦麸组结肠癌倾向被抑制。科学家们还发现，食麦麸组病人的大便中胆酸和细菌酶系的含量减少，而这两种成分被认为会促进结肠癌的发生。关于机制的推测，在动物实验中被证实有效的麦麸成分——植酸和戊糖也正在被科学家们验证是否有效于人体。

海 产 品

抑制结肠癌前病变——家族性多发性大肠息肉生长，最快捷的方法就是多吃海产品，特别是鱼类。意大利罗马大学一项有名的研究中发现，增加进食鱼类后仅2周，癌前息肉细胞的生长就开始受到了抑制！在这项研究中，对照组吃空的胶囊，而实验组吃鱼油胶囊，2周即发现了以上的区别，而3个月后，鱼油组中有90％的病人细胞的增殖速度下降了62％，有1个病人的癌前细胞增殖速度甚至为零！

阅读过意大利那篇论文的读者可能会说，科学家们给实验者吃的鱼油剂量相当于每天吃8盎司鲭鱼，这么大的量一般人是很难坚持的。但文章的作者后来也指出，开始的超大剂量是为了以负荷量来纠正过去多年不足的鱼脂摄入，从根本上扭转病人的营养素质，短时间内，就可以以一个稍小的量来长期地巩固和维持这种作用。

蔬　菜

　　美国农业部医学植物学专家杜克教授本人患有家族性多发性大肠息肉，同时有明确的结肠癌家族史。他现身说法地告诉别人，一定要大量吃蔬菜，因为他说他自己在坚持每隔一天吃一次甘蓝后，他的息肉神奇般地几乎消失了，更不用说癌变了。

　　其他科学家也认为，不仅甘蓝，很多蔬菜都可降低结肠癌的发生率。格林沃德教授对过去20年中关于此问题的37项研究进行了总结发现，蔬菜，几乎和其他高纤维食物一样，可以使结肠癌发生率下降40%！而蔬菜中起作用的可能并不仅仅是纤维，可能还有一些现在还不为人知的成分也在其中出力。

　　应当说，最值得一提的当属甘蓝这类十字花科的蔬菜，它是所有蔬菜中抗结肠癌效果最好的。科学家把这种作用归功于其富含的成分之一——吲哚，但这方面研究还处于动物实验阶段。

　　世界上第一个研究甘蓝与结肠癌关系的是美国纽约州布法罗市的科学家们。他们对该市的男性进行了调查后发现：那些每周吃甘蓝次数超过1次的男性，患结肠癌的风险仅是那些次数少于等于1次/月的男性的1/3；而每二至三周才吃一次甘蓝的男性，风险也会下降1/2。美国犹他州的另一项涉及600名受试者的研究也发现，其中吃甘蓝最多的一组人，结肠癌的风险比吃甘蓝最少人群低70%！吃甘蓝多的人甚至患结肠息肉的比例都较低！

含钙食物

有很多理由促使你增加含钙食物的摄入，其中包括这种元素似乎可以对抗结肠癌这一原因。

美国圣地亚哥加州大学格兰特教授发现每日规律地摄入含钙食物（如饮牛奶等），并坚持达20年的男性，比那些很少摄入含钙食物的男性，在结肠癌的风险率上下降了2/3！他认为每日1200毫克至1400毫克的钙摄入量就可以预防65%～75%的结肠癌发生。但不幸的是，现在中年男性平均的日摄钙量仅为700毫克，中年女性则只有450毫克。这离保护水平距离甚远！以饮牛奶计算，每日需加饮2杯至3杯脱脂牛奶。

含钙食物可以使异常增生细胞的生长状态受到控制，可以抑制结肠内具有致癌作用的酶的活性。以色列一所医院的医生对35名成人进行了研究，他们被给予每日1250毫克至1500毫克的钙，坚持1个月后，发现他们结肠上皮已有的细胞异常增生下降了36%，而当他们停止规律地补钙后，异常的增生状态又恢复如前；美国底特律的科学家发现，每日1250毫克的钙摄入仅坚持1周后，部分受试者结肠中促癌的酶的活性就下降了50%，尽管仍有部分受试者对此没有任何反应。

牛　奶

牛奶中除了有上一节中提到的钙元素之外，还有一些其他的抗结肠癌成分。

维生素D就是其中之一，它在海产品中也有一定的含

量。格兰特教授在 1974 年曾对25,620 名受试者血维生素 D
水平与结肠癌风险率的关系问题进行了长达 8 年的研究。他
发现，血维生素 D 水平高者其结肠癌风险为血维生素 D 水
平低者的 70%。国际卫生组织推荐的维生素 D 日摄入量为
400 国际单位，而实际上超过 200 国际单位的日摄入量即可
以起到抗结肠癌的作用！那么 200 国际单位的维生素 D 相
当于多少牛奶呢？——8 盎司一杯的 2 杯牛奶！

　　现在市售的牛奶中有些被加入了嗜酸乳酸杆菌，成为酸
牛奶，酸乳酪等。这种细菌可以与维生素 D 和钙协同作用
抵抗结肠癌，使结肠中的致癌酶活性下降得更为明显，达到
40%～80%。读者在购买这些特殊的牛奶时应先仔细阅读标
签，看看是否添加了这种有益的细菌成分。

水　果

　　苹果等一些水果中含有丰富的果胶，它也属于纤维素
类，但与麦麸纤维不同的是，它是一种可溶性纤维，它同样
具有抗结肠癌作用。美国圣安东尼奥市得克萨斯大学健康中
心的生物教授艾文先生在动物试验中，他以果胶饲大鼠后，
发现它们结肠癌的发病率下降了 50%！果胶来自苹果、香
蕉、梨、李、杏、白皮柠檬等，最简单的摄入果胶办法就是
吃果脯！

　　关于水果抗癌作用的研究在一些方面取得了新的进展。
科学家们发现水果中有一些与人工合成的阿司匹林类似物，
叫水杨酸，而阿司匹林被发现有一定的抗结肠癌作用，至于
其类似物，水杨酸会不会也有相似的作用呢？科学家们对此
持积极乐观的态度。

饮　酒

过量的饮酒会使你面临二倍甚至三倍的结肠癌风险率！而且饮酒量越大，风险就越高！饮酒还促进结肠息肉的发生，后者则有恶变成结肠癌的可能。

在日本的一项研究显示，受调查的26,118名40岁以上的成人，嗜酒者乙状结肠癌的发生率比不饮酒者高三倍！其他部位结肠癌发生率的升高没有这么明显，因此日本学者认为酒精与乙状结肠癌的关系可能更为密切，但也有一些研究显示直肠部分的结肠癌更易受累。

酒的种类也有一定的关系，有趣的是，烈酒的致癌作用不如啤酒，葡萄酒的致癌作用则最弱。啤酒使结肠癌的发病率上升12倍（指每日都较多饮用啤酒的人）！同时，啤酒与直肠部分的结肠癌关系更为密切，若使直肠癌发生率升高，只需日饮2杯～3杯啤酒，但葡萄酒或烈酒的饮用量都需要4杯以上！

对于酒精促进结肠癌的机理尚无定论。有人认为它会抑制人体的免疫功能，也有人认为酒中含有如亚硝胺类的致癌物，等等。

肉类和动物脂肪

如果你患有结肠息肉，或有结肠癌的家族史，或甚至已患结肠癌，你一定要注意这一节的内容。

哈佛大学的爱德华教授和他的同事们认为，从世界范围看，人们吃动物脂肪越多，其结肠癌的发病率就越高，同时有恶变可能的结肠息肉的发生率也越高。在他们的一项涉及

7,248 名被调查者的研究中，那些动物脂肪占饮食总热量小于等于 7％的人，结肠息肉的发病率仅为比重为 14％的人的一半！

科学家们认为，脂肪尤其是动物脂肪能够刺激某些微生物在结肠内的增殖，而这些微生物大量增殖的结果便是产生许多的胆汁酸，后者被认为是一种致结肠癌物质。纤维和其他一些食物可以与胆汁酸结合，对抗这一作用，但动物脂肪似乎又可以对抗纤维的这种保护机制，变本加厉地促进结肠癌的发生。

即便是祛除了脂肪，动物的肉类也有一定的致癌危险性，尤其是红色的肉类甚至比动物脂肪的威胁性更大！

在哈佛大学沃尔特教授的一项历时 6 年的研究中发现，每日进食约 5 盎司红肉（牛肉、猪肉、羊肉等）的女性患结肠癌的风险比每月进食少于 1 盎司红肉的女性高 150％，而且红肉摄入量越高，风险越大！即便是每周甚至每月 1 盎司，也比少于 1 盎司者风险高 40％！以哈佛大学学者们的观点，任何一丁点的红肉摄入都是危险的！

相反地，鱼肉和鸡肉等非红肉却有着抗结肠癌的作用。每周吃 2 次～4 次鱼肉可使结肠癌风险下降 25％，每天吃去皮鸡肉可使风险下降 50％！

沃尔特教授对此的解释是，鸡和鱼中的脂肪可能是具有保护性的。

饮食与肺癌

可能会预防肺癌的食物：蔬菜、水果、绿茶、低脂牛奶。

可能会延长肺癌生存期的食物：蔬菜，尤其是花茎甘蓝。

肺癌与饮食的关系相当有特点，我们几乎可以说是蔬菜的缺乏摄入使人们患上了肺癌，也就是说它几乎与吸烟处于同样的重要地位。

如果你现在是或曾经是吸烟者或被动吸烟者，或者有其他一些原因使你成为肺癌的易感人群的话，你就应当马上求助于饮食，特别是蔬菜这个法宝了。令人惊喜的是，科学家们发现每天甚至每周多吃一根胡萝卜，或半杯菜汁或果汁，情况就会大不相同，它可能会使你肺癌的风险率下降一半或更多！这并非天方夜谭而是世界各国科学家们经过多年研究发现的。

国际疾病预防和控制中心蒂姆教授说："这一点的确令人吃惊，那就是与吸烟直接有关的肺癌和口腔癌，可以很好地被充足的水果蔬菜的摄入来预防，同时摄入不足的人群似乎更易受吸烟的威胁而发生癌症。有些科学家甚至把蔬菜和水果称为抗癌的'必需营养'。"

还有一些食物，像茶、牛奶等也有抗肺癌的作用，以下将分别详述。

蔬菜和水果

这类食物在抗肺癌方面的重要地位已不容置疑,这里将进一步讨论一下它们抗癌的机制。

胡萝卜,白薯,菠菜等蔬菜的抗肺癌有效成分是其中丰富的 β-胡萝卜素,它是一种橙色的分子片段,早在 150 年前就被分离出了。据美国霍普金斯大学马里林教授的一项著名的研究说,人血中 β-胡萝卜素的浓度直接影响着肺癌的发生率,它们之间呈现正比例关系。纽约州立大学最近的一项调查指出,每周吃 1 次富含 β-胡萝卜素的食物都可以显著降低肺癌发生率,若每周吃 2 根胡萝卜,肺癌发生率下降 60%,每周吃 2 次生菠菜,下降 40%,每周饮 2 次生花茎甘蓝汁,发病率下降 70%!尽管不同遗传素质的个体对 β-胡萝卜素的反应有一定的差异,但反映到所需进食的蔬菜量上,这种差异是非常容易接受和解决的。例如,有吸烟习惯的人可能只需每天多饮半杯蔬菜汁即可达到同不吸烟者相似的效果。其实无需严格计算每周吃几次这种蔬菜及每次吃多少克,最简单的方法就是在你原有的基础上,每天再多吃一大口胡萝卜,这样就可使肺癌的风险下降 45%!多么简单易行又行之有效。

绿色蔬菜和豆类之所以能抗癌,是因为它们含有丰富的叶酸,它是一种 B 族的维生素。美国亚拉巴马大学道格拉斯教授对比了肺癌患者与正常人的血清叶酸水平,发现前者血中的叶酸明显下降。他指出,叶酸水平下降后,细胞内就会发生染色体断裂,更易受致癌因子的损伤而癌变。

还有一些蔬菜,包括西红柿和甘蓝等,它们中发挥抗癌作用的主要成分既不是 β-胡萝卜素,也不是叶酸,而是其他一些更为复杂的成分，如类胡萝卜素（黄酮素）、番茄红素、吲哚等，它们与胡萝卜素、叶酸等协同作用，也发挥着强大的抗癌特别是抗肺癌作用。

因此，科学家们建议说，我们每日应广泛摄食蔬菜的多种菜肴，以使各种有效成分互相协同，发挥更大的作用。

茶

对比日本和美国的吸烟者，他们的肺癌发病率也有很大差别，一个可能的解释是由于日本人的饮茶习惯，尤其是饮绿茶，使他们面对的肺癌风险大大下降。

据美国纽约健康研究所的科学家们研究发现，在动物实验中，绿茶含有一种能对抗烟草中致癌成分的特殊物质。饮绿茶的小鼠比饮白水的小鼠肺癌的发生率下降 30%～45%，在美国其他地区和日本进行的研究也有相似的发现。但在美国市场上大量出售的红茶中这种抗癌成分的含量很低，但亚洲市场上则很容易买到具有抗癌作用的绿茶。

食物与吸烟的关系

之所以单独地提出这一个问题，是因为它的答案可能有点令人出乎意料。

科学家们发现，吸烟者与非吸烟者对抗癌食物的敏感性相比较，前者反而更高。抗癌食物似乎在吸烟者体内更易发挥抗肺癌的作用。例如男性中，以往有吸烟习惯最近戒除的人，仍保持吸烟的人和从未吸烟的人，敏感性从高至低为保持吸烟者、刚戒烟者、非吸烟者。

这点是否有些令您不解和意外呢?!

但是，这也并不意味着不该戒除吸烟这种恶习。因为虽然抗癌食物在吸烟者体内的抗癌作用更为明显，但也不能完全抵消吸烟的强烈的致癌作用；而不吸烟者，虽然抗癌食物的作用稍有减少，但无需减去吸烟的致癌作用，因此从净作用讲，肯定还是戒烟者或根本从未吸烟的人受益更多。

肺癌患者的饮食

前面叙述的是如何选择正确的饮食来预防肺癌，这一小节中我们将谈谈已患肺癌的病人在饮食方面应注意些什么。

多吃蔬菜和水果一定是没有错的，因为其中的 β-胡萝卜素等可以抑制肺恶性肿瘤细胞的生长及转移扩散，可以延长肺癌患者的平均寿命。美国夏威夷大学癌症研究中心调查了463 名男性和 212 名女性肺癌患者，发现其中大量吃多种蔬菜水果者平均寿命有所延长，女性吃花茎甘蓝、西红柿的效果最佳，男性则对西红柿和橘子反应最好。

其他的食物如茶叶等是否可以治疗肺癌的问题尚待进一步研究。

饮食与胰腺癌

　　可能会预防胰腺癌的食物：水果尤其是柠檬类，西红柿，豆类等。

　　可能会促发胰腺癌的食物：红色肉，被加工处理的猪肉（腌肉、火腿、冻猪肉）。

　　胰腺癌是一种在临床上治疗很困难的疾病，首先是难于早期发现，其次是对放疗、化疗和手术等各种手段均不敏感。因此，胰腺癌的预防就显得比其他肿瘤更为突出和重要了。

水　果

　　为免受胰腺癌的困扰，最快捷的方法便是多食水果，尤其是柠檬、橘子等。

　　瑞典最近的一项研究表明，每天吃 1 个柠檬的人比每周吃少于 1 个柠檬的人，在胰腺癌发生的风险上下降了 1/3 到 2/3！科学家们甚至发现吃干果也有预防胰腺癌的作用。

　　美国的路易斯安那是全美胰腺癌患病率最高的一个州，那里的科学家们发现肉类是重要的致癌物，而水果却可以对抗肉类的致癌作用，同时，进食水果的量与胰腺癌发生的风险率的降低是成正比的。那些吃猪肉量非常多的人，如果不注意吃水果，那么其胰腺癌的风险率将成倍地升高，而如果他们注意同时很大量地吃水果，他们患胰腺癌的风险可能会不出现任何增加！

对于水果抗胰腺癌的机理，大多数学者认为是其中维生素C的作用，但一定还有许多其他的复杂或尚未人知的成分也在默默地参加这场战斗。

西　红　柿

蕃茄红素具有强大的抗胰腺癌作用。

美国霍普金斯大学对26,000名成人进行了10年的调查研究。他们发现，那些血中蕃茄红素水平低的人患胰腺癌的风险较高，同时，那些患有胰腺癌的病人往往同时伴有低蕃茄红素血症。举例说，血蕃茄红素水平最低组的成人，其胰腺癌风险率是高血蕃茄红素水平组成人的5倍！

西红柿中含有大量的蕃茄红素，因此它是一种上好的抗癌食物。西瓜中也含有一定的蕃茄红素，也有一定的预防胰腺癌的作用。值得提出的是，红草莓的颜色来自于另一种化学成分，而并非蕃茄红素，因此它不包含在这类抗胰腺癌食物中。

豆　类

为预防胰腺癌，至少应保持1周吃1次豆类的习惯。美国罗马琳达大学医学院保尔教授主持了一项大规模的调查，发现每周吃1次豆类食物的人，患胰腺癌的风险率比每周少于1次者降低40％！

科学家们认为是一种被称作蛋白酶抑制剂的成分和其他的一些因素赋予了豆类抗胰腺癌的作用。

肉　类

肉类是危险的，至少在对于胰腺癌的问题上是这样的，是应当尽量少摄入的。

就世界范围看，胰腺癌在摄食肉类最多的地区发病率也最高。尤其是过多的煎制的肉类，熏肉、腌肉，特别是猪肉都会使发病率增加。在日本，每周至少吃一次这种肉的人，发病率升高 50%；在瑞典吃油煎肉类的人比吃其他方法制作的肉类的人发病率也升高；在美国洛杉矶，每周至少吃 5 次牛肉的人，胰腺癌的发病率整整增加 1 倍！

在动物实验中发现，那些被喂以过多油脂的动物，其胰腺组织受损的细胞数目越多。

科学家们认为，肉类之所以是危险的，是因为它们包含大量的油脂，腌肉中的亚硝胺等也是凶手之一。

161

咖啡、茶和酒精

在 20 世纪 80 年代，有两项研究发现咖啡会增加胰腺癌的发生率，每天 1 杯～2 杯的咖啡，即可使发病率成倍上升。从那以后，很多科学家都开始致力于这方面的研究。但在此后的研究中又发现，无论是普通咖啡还是去咖啡因的咖啡，与胰腺癌的发病率没有任何关系。

在茶叶与胰腺癌关系的问题上，尽管有少数学者认为每次 3 杯或以上的饮茶量会使胰腺癌风险上升一倍，但压倒多数的数据显示，两者没有什么必然的促进关系，相反，有些学者还认为饮茶可以预防和对抗胰腺癌。

酒精的情况与茶亦有些相似，尽管仍有一部分人认为饮酒，特别是啤酒，会促进胰腺癌的发生，但更多的学者还是认为两者没有任何关系，而且即使有一定影响，这种影响也是微乎其微的。

饮 食 与 胃 癌

　　可能会预防胃癌的食物：甘蓝、茶、大蒜、葱、洋葱、大豆、富含维生素 C 的蔬菜和水果。

　　可能会促进胃癌的食物：盐、腌肉或熏肉。

　　在本世纪初，胃癌可以说是给美国人最大威胁的癌症之一，至今，在世界的其他国家像日本，胃癌仍然是人口死亡中的主要疾病。

　　美国人近年来胃癌发病率的降低，主要应归功于农业生产能力和冷藏贮存技术的提高和人们重视饮食防癌的观念。

富含维生素 C 的水果和蔬菜

　　在一项包括日本、英格兰和波兰在内的研究中发现，没有每日摄取蔬菜和水果习惯的人，其胃癌的发病率呈二三倍地增长。蔬菜的抗胃癌作用似乎比水果更强，科学家们对 70,000 名居住在夏威夷的日本后裔进行了 18 年的追访调查，对比了其中 111 名胃癌患者与其他人的饮食习惯，发现两者之间最大的差异就在于，前者吃各种蔬菜的量不如后者。科学家们还发现，每天吃 3 盎司或以上的蔬菜量的人，胃癌的风险下降了 40％！

　　具有代表意义的蔬菜和水果有：甘蓝、胡萝卜、柿子椒、西红柿、莴笋、芹菜、桃子、橘子等。其中作用最大的，当属甘蓝。在中国的黑龙江省，胃癌的患病率很高。大量研究已经证实，当地的中国甘蓝有很好的预防作用。那些被鼓励后每天吃 1/3 杯生甘蓝或二茶匙熟甘蓝的人，他们胃癌的发病率明显下降！对于习惯吃色拉的美国人，多吃些由甘蓝或其他蔬菜水果制成的色拉也是一个好主意。

关于水果和蔬菜的抗胃癌成分，科学家们相信除了维生素 C 之外，还有吲哚、类胡萝卜素、亚硫化物等等许多物质。

葱、洋葱和大蒜

在中国的山东省，胃癌的发病率也比较高。但在国家癌症研究所监督下进行的一项调查中显示，那些每日规律摄入葱或大蒜的山东人（每日约 3 盎司大蒜），胃癌的发病率下降 60%！洋葱也有相似的保护作用，但作用最强的还当属葱。同时，这种保护作用的程度，或者说胃癌发生率的下降与进食这类食物的量是成正比的，即吃葱、蒜越多，得胃癌的风险就越小！

其实达到保护作用的食物量是完全可以接受的，以洋葱计算，每天吃一个一般大小的洋葱，应该说一点也不为难吧！

茶

在日本学者进行的一项涉及 4,729 名成人的调查中发现，大量地饮茶（即每日超过 10 小杯的饮茶量），可以提供 40 毫克/日～50 毫克/日的维生素 C 和其他一些可以对抗亚硝胺的成分，而这些成分使其胃癌的发生率下降。这一点在体外试验和人群调查中都被证实。

豆　类

豆类，特别是大豆被日本科学家奉为抗胃癌的食物。日本人大多有喝豆浆汤的习惯，科学家们发现每天喝一碗豆浆汤的日本人比没有这种习惯的日本人患胃癌的风险几乎小2/3！即使是偶尔为之，也使男性的胃癌发生率下降17%，女性下降19%。

现代科学研究显示，大豆中有多种抗癌成分，所以尽管豆浆汤中的盐为促胃癌物质，饮豆浆汤者还是从总体上获得了益处。

盐、肉和油脂

之所以把这三种食物相提并论，是因为它们被科学家合称为胃癌的三大同谋。

盐，是很多年以来就已经被认识到的一种致胃癌食物，当它和肉类，特别是腌肉或熏肉同时出现时，摄入者慢性胃炎或胃癌的发病率均会上升。如果这个人同时是一个低水果、蔬菜摄入者，这种威胁就更大了。

饮食与其他癌症

皮肤黑色素细胞癌从 1980 年以来在美国的发病率升高了一倍，这时很多科学家开始研究如何从饮食入手预防黑色素细胞癌。他们发现，保持正常的 Ω-3/Ω-6 比例关系尤为重要。日常生活中应少吃富含 Ω-6 的动物油和植物油，多吃含 Ω-3 的鱼油等，这样不但能预防黑色素细胞癌，还能延长其患者的平均存活时间。

子宫内膜癌与饮食的关系也甚为紧密。美国亚拉巴马大学的学者们指出，摄食胡萝卜、花茎甘蓝、菠菜、莴笋、罗马甜瓜等富含 β-胡萝卜素的食物可以降低这种癌症的发生率。即使每周只吃一次，也能使发病率下降 27%！酸乳酪，普通奶酪和其他一些富含钙元素的食物也能显著地预防子宫内膜癌。

宫颈癌是威胁女性健康的又一主要恶性肿瘤，现在认为这种癌症的发生与某种病毒的感染有关。而叶酸一方面可以抑制这种病毒的生长，另一方面，当叶酸缺乏时，宫颈细胞的染色体容易发生断裂，在这种基础上更容易受到病毒的损害而发生癌变。美国亚拉巴马大学的查理斯教授对 464 名妇女进行的调查也表明，其中血叶酸水平低于正常者在感染这种病毒后发生宫颈癌的风险为叶酸正常组的 6 倍！因此，科学家们建议广大妇女吃富含叶酸的食物，如绿菜、豆类等以预防宫颈癌。有些科学家还认为番茄红素可以抑制宫颈上皮细胞的异常增生，从而可能间接预防宫颈癌。西红柿和西瓜中含蕃茄红素比较丰富，也可供女性选择。

　　由于喉癌与吸烟有密切的关系，科学家们认为，那些对另一种与吸烟密切相关的癌症——肺癌有益的食品，也必将使想预防喉癌或战胜喉癌的人受益，具体请参见"饮食与肺癌"一节。但有一点需要指出，饮食似乎只对已经戒烟的吸烟者有效，而对正在吸烟者无效。因此，若想预防喉癌，戒烟的必要性就更不容置疑了。

　　最近的研究资料表明，乳制品的过多摄入会增加前列腺癌的风险。据一项调查显示：每日饮2杯牛奶者患前列腺癌的风险是饮1杯者的2倍，而饮3杯者则是饮1杯者的2.5倍！奶酪、鸡蛋和肉食的过多摄入都似乎是不利的。科学家认为这一后果的罪犯成分很有可能是脂类，因此饮脱脂或低脂牛奶似乎安全一些。

抗乳腺癌的食物

- 无论你是绝经还是未绝经的女性，多吃鱼类、豆类（特别是大豆），可以预防乳腺癌并抑制其生长。
- 多吃对抗致癌物活性的食物，如大豆、十字花科蔬菜、麦麸等。
- 多吃绿色蔬菜可干扰乳腺癌细胞生长。
- 将饮酒量限制在1杯/天。
- 多吃富含 Ω-3 脂肪酸的鱼类和富含单不饱和脂肪酸的橄榄油等，少吃富含 Ω-6 脂肪酸的玉米油、红花油、向日葵籽油及使糕饼松脆的油。
- 学习日本人的饮食习惯（指二战前的日本人）：每天吃8盎司水果、9盎司蔬菜、3盎司豆制品（豆腐等）、3.5盎司鱼类及很少量肉、牛奶或酒精。

抗结肠癌食物配方

- 最重要两点是：一，有规律吃高纤维麦麸；二，少吃红色肉及肥肉，即使吃肉，也最好使用微波炉而不用油煎或烧烤。
- 多吃蔬菜,尤其是十字花科蔬菜,如甘蓝等,每周至少2次～3次,但也无需每天都吃。它们为你提供纤维、吲哚等物质,在动物实验中被证实可抗结肠癌。
- 多吃鸡肉和鱼类，对于已有多发息肉者，多吃鱼类可抑制息肉的生长及癌变可能。
- 脱脂牛奶或酸乳酪可提供乳酸菌生长的有利环境，预防结肠癌发生。
- 控制饮酒量，每日2杯以下，尤其少喝啤酒。
- 对于有多发息肉者和已发生结肠癌而行手术治疗的人，以上的建议则更有意义。

抗肺癌饮食

- 无论你是否吸烟，最好的抗肺癌饮食就是吃大量的蔬菜，尤其是含β-胡萝卜素和类胡萝卜素丰富的蔬菜，包括胡萝卜、甘蓝、菠菜、绿色菜、莴笋、白薯等。
- 吸烟者应戒烟，并在戒烟后每日吃至少半杯绿菜或橘黄色蔬菜。它可以对抗由吸烟造成的细胞恶变过程，并可抑制肺癌细胞的生长。
- 多喝茶，尤其是绿茶。
- 多吃豆类，尽管这方面还缺乏更多的证据。
- 如果已患肺癌，请多吃蔬菜，尤其是西红柿、甘蓝和其他富含β-胡萝卜素、蕃茄红素、脂色素的食物，可以抗癌延长寿命。

第四部分

使你感觉更好、
更聪明的食物

饮 食 与 智 力

抑制剂：糖、蜂蜜、其他碳水化合物，包括干面食、面包和酒精。

兴奋剂：咖啡因、蛋白质。

如果食物能对癌症、心脏病、关节炎和消化系统疾病——西方文明的慢性疾病有如此大的效果，那么它为什么不能影响人大脑的工作方式？它能，并且确实能。新的开拓性研究已经表明，你所吃的东西有助于决定你是否敏锐和有精力，你的记忆力和集中注意力有多好，是否抑郁、焦虑，是否进取，大脑波是否异常以及你是否易受某些精神疾病和退行性神经性疾病的影响。一些东西——如碳水化合物，蛋白质，脂肪和咖啡因，对你的情绪和精神活力有深刻的、几乎是立即的影响。

根据最新研究，即使是某些营养成分的长时间轻微缺乏，也能使你的大脑波及功能异常。这个结论对于该领域的研究者有些令人惊奇，因为先前的研究以为大脑不会受到来自这些轻微事件的连续变化的影响。比较幸运的是，你可以比较容易地通过饮食使大脑波恢复正常。

麻省理工学院的研究人员朱迪丝·沃特曼说：一个回到家的孩子，下午已吃过土豆片，喝过可乐，晚上吃的是奶酪和比萨饼，甜食是冰淇淋，所有这些均可提供足够消化数小时的碳水化合物。当他该做功课时，由于困乏和慵懒而变得困难。

沃特曼博士的大脑性食物理论

在剑桥麻省理工学院工作的神经内分泌学家理查德·沃特曼及其同事因发现食物影响大脑活动的机理而备受赞誉。

根据他们的开拓性研究，秘密在于许多能在大脑细胞中传递信息的化学物质，即神经递质。这些神经递质是神经细胞利用一些被称为前体的特殊食物成分作为原材料合成的。食物有助于产生具有不同功能的各种神经递质，依赖于各种食物所提供的食物成分的类型合成神经递质。例如，色氨酸是蛋白食品中的一种氨基酸，可用于合成 5-羟色胺。5-羟色胺是一种镇静化合物，使你变得更为松弛，昏昏入睡，头脑不清。蛋氨酸，也是一种氨基酸，可生成多巴胺和去甲肾上腺素及神经递质，使大脑充满活力，人变得更加敏锐，思考问题及反应事情更为迅速，精神更集中，精力充沛。

由于大脑的化学过程极其复杂，因此多吃一些含特定氨基酸多的食物并不意味着能直接将之送至大脑。各种氨基酸，由于分子量大小不同，血液中浓度也不同，所以只有通过竞争才能进入大脑。因此当你喝含蛋氨酸的牛奶时，因为在牛奶中更多量的其他氨基酸可将蛋氨酸由大脑中排挤出去，所以大脑中蛋氨酸水平不升反降。另一方面，沃特曼博士说，食用一些不含蛋氨酸的高碳水化合物饮食，实际上可以增加大脑中的蛋氨酸水平，产生更多的 5-羟色胺，使人趋于镇静。

然而并不是所有的科学家都同意沃特曼博士对脑化学复杂机理的解释。但大家都一致认为：正常人食用高碳水化合物食品，可降低大脑活动性；蛋白性食品则可以抵消因碳水化合物所致的智力迟钝。但也存在例外：如 PMS 患者，季节性情绪紊乱患者及吸烟者戒掉尼古丁后，由于某些未知原因，食用碳水化合物则可以使这些人的大脑反而兴奋。

蛋白质

对于绝大多数人而言，首要原则之一就是，碳水化合物尤其是糖类是脑活动的抑制剂。含蛋白的食品则称为刺激剂。当你想保持思维敏锐时，不要吃糖果，蛋糕，油炸圈饼，冰淇淋，冰糕或清淡含糖的谷类食品，米饭以及干面食（不含肉，牛奶或其他蛋白食品）。而要想保持高度敏锐，应多吃富含蛋白的食品。比较好的食物应是低脂肪的海产品，火鸡胸脯，脱脂牛奶，低脂酸牛奶和瘦牛肉。脂肪也是一种抑制剂，由于其消化所需时间尤其长，可使大脑变得迟钝。其他食品如绿色蔬菜类则可能是相当中性的，既不刺激也不抑制大脑活性。

芝加哥医学院心理学教授，食物——情绪的研究者邦妮·斯普林说，富含蛋白的食物不会使大脑充满活力或使人更聪明。她认为蛋白质仅仅是防止碳水化合物使大脑变得模糊，正好说明食用少量蛋白质就可防止碳水化合物的大脑致钝作用。你也没必要刻意吃大量蛋白质来消除碳水化合物的作用。斯普林教授说，研究证明，一餐中含有 5%～10% 的蛋白质即有助于阻止大脑中 5-羟色胺的聚积。而 5-羟色胺，许多人以为可促进睡眠，这正是碳水化合物使人昏昏欲睡，头脑不清的原因。因此专家建议，面食中夹有少量肉或奶酪，蛋糕配合牛奶，面包卷伴金枪鱼，效果会比较好。若想保持高度敏感，尤其应避免食用纯碳水化合物，如硬糖果，焦糖，橡皮糖，黑巧克力，软糖，茶或咖啡中加的糖或蜂蜜，所有以上食品中含很少或几乎不含蛋白质。

咖　啡

自从咖啡 17 世纪首次进入药房及欧洲的咖啡屋以来，使用者非常惊诧于它对大脑的刺激作用。刚开始时，人们以为其作用十分强大，对精神的敏感性也相当高，以至于只有医生才有权分发咖啡，一些人甚至建议禁止咖啡成为公共饮料。但今天数以百万计的人用咖啡来提神，并且感觉极好，其对大脑的药物样作用已无可非议。

对大脑中咖啡因活性的进一步研究发现，咖啡因是一种奇特的刺激剂。它是下调抑制大脑活性的物质，而不是释放刺激大脑活性的物质。研究显示，咖啡因之所以有此功能，是由于其与大脑中腺苷的化学性质相似。而腺苷则是由神经末梢分泌的可抑制脑细胞活性的物质。咖啡因，在大脑中伪装成腺苷，隐蔽于细胞受体位置，排除腺苷，防止其抑制大脑细胞活性。因此大脑细胞就处于兴奋状态，并且少量咖啡因即可发挥作用。两杯咖啡中的咖啡因即可阻断大脑中半数腺苷受体达两小时之久。因此喝少量咖啡就会令人兴奋，大量饮用咖啡是不必要的。

根据美国马萨诸塞州那泰克地区美国陆军研究院心理学家及咖啡因与行为关系专家哈里斯·利伯曼的持续研究，显示极微量的咖啡因即可改善人的精神面貌。在一实验中，利伯曼博士让受试者在早晨服用不同剂量的咖啡因，剂量从碳酸类可乐饮料中所含的极少量咖啡因（约 32 毫克）到一杯10 盎司的咖啡中所含的大量咖啡因（约 256 毫克）。然后他进行了一系列的精神细微测试，包括测定反应时间，注意力广泛程度，对数字的集中注意力及准确度等。

令人惊讶的是，所有剂量的咖啡因，即使是最微小的，也能改善受试者在测试过程中的表现，刺激他们的大脑，使思维更加敏捷，反应更迅速，注意力更集中。

许多其他研究证实，咖啡因可增加警惕性，改善人们在精神压力下的表现，降低疲劳。那么咖啡因的最佳剂量是多少呢？大约 100 毫克～200 毫克的咖啡因，相当于在早晨饮用一杯 5 盎司或 10 盎司的咖啡。到下午这些咖啡因就会降解，人的精力也随之消减。有意义的是，研究人员发现摄入更多的咖啡因并不能进一步改善受试者的精神表现。因此在一天中饮用许多杯咖啡来使大脑更清醒是无效的，也是毫无意义的。但是研究人员认为，当你需要保持头脑清醒时，只需饮用 1 杯～2 杯咖啡就能奏效。

咖啡因的摄入甚至可以消除人们餐后易出现的精神萎靡，许多美国人喜欢在餐后饮用一杯咖啡。威尔士大学卡迪夫研究院的心理学家们进行的研究证明，咖啡是餐后萎靡的自然解毒剂。首先研究人员证明午餐后消沉、萎靡是一种普遍现象，即使午餐吃得很少也会如此。在一实验中，不管受试者午餐的摄入量有多大，饭后 32 名男性和女性均感觉昏昏欲睡，注意力不集中，头脑不清晰，缺乏活力，并且在完成需要持续注意力的任务时比较容易犯错误。

研究人员想搞清含咖啡因的咖啡是否可以消除午餐后昏昏欲睡的现象，结果当然是可以的。祛除咖啡因的咖啡不能消除午餐后的消沉，而普通含咖啡因的咖啡则能消除午餐后消沉。午餐后常饮咖啡的人其持续注意时间会更长，或能够以更快的速度，更高的准确性来完成指定任务。

如果你从咖啡或茶或软饮料或巧克力中获取咖啡因，并刺激大脑，那么你就应该知晓你很可能会成瘾，虽然上瘾也是比较轻，无害，至多是为此多付出一些金钱而已，但是在某种程度上成瘾也可能会是毁坏性的。大量消耗咖啡因可引起精神上，行为方式上或身体上的严重不适。最新研究发现了咖啡因引发上瘾后的典型体征，简而言之，就是消耗咖啡因时你会感到异常舒服，而缺乏咖啡因则变得非常痛苦。

约翰·霍普金斯大学的精神分析及神经科学教授罗兰·格里菲思认为咖啡因确实有增强、刺激作用，如果突然戒断咖啡因，很可能会出现戒断症状，如倦怠、头痛、意志消沉等症状，可持续数天至一周时间。这说明咖啡因确实有成瘾性，不需要很多的咖啡因就可上瘾。专家曾经认为每天至少饮用5杯或更多咖啡才可能上瘾，现在格里菲思教授证实，每天只需饮用一杯5盎司的咖啡就会上瘾。

格里菲思教授认为，要确证一个人对咖啡因是否成瘾非常简单，只需放弃咖啡因的各种来源，包括咖啡、茶、软饮料2天，观察其是否有疲劳感，头痛，不爱活动，脾气暴躁，意志消沉等症状，其中头痛和疲劳是戒除咖啡因后的典型表现。关于如何戒断咖啡因，后文另有介绍。

通常只需在早晨一杯咖啡，中午至下午晚些时候再一杯咖啡，即可给予大脑足够能量使用。大剂量咖啡因，相当于每天5杯～6杯以上咖啡，误以为可使人更有精神，注意力更集中，实际上可引起焦虑，烦躁，兴奋甚至颤抖。这些都是咖啡因综合征的表现。对咖啡因敏感的人，少量咖啡因即可引发以上症状。既然每个人对咖啡因的耐受性不同，所以一个人的兴奋剂量很可能是另一个人的中毒剂量。

在哈佛大学，研究者发现一件非常特殊的情况：咖啡或咖啡因实际上可使某些人打呵欠，而不是使其清醒。根据哈佛大学《健康学报》报道，当这些人饮祛除咖啡因后的咖啡，所有人均变得清醒了。

布瑞格哈姆及波士顿妇女医院的精神分析学家昆廷·里

杰斯特认为这些奇特的个体经受了比较少见的、有些矛盾的情形，即咖啡因使其沉睡而不是兴奋、清醒。实际上他们为消除疲乏，喝咖啡越多，就越困乏。一位 35 岁妇女说，尽管她在一天之内喝了 10 杯咖啡，2 升可乐，可晚上还是睡了 12 个小时，并且整个星期天白天一直呆在床上。

这种情况发生的原因尚不清楚，但里杰斯特博士推测某些个体对咖啡因可能有特殊的反应（与所预料正相反）。《健康学报》建议：如果喝咖啡以后你仍想睡觉，那么不妨停止饮用咖啡 2 个星期~4 个星期，观察情形是否有所改善。

水果和坚果

水果和坚果是提高脑力的食品吗？美国农业部大福克斯人类营养研究中心的心理学家詹姆斯·彭兰德最近研究表明确实可以，因为水果和坚果中微量元素硼含量较高，而硼可以影响大脑的电活动。彭兰德博士说祛除硼可以降低大脑的精神敏锐程度，从而使人比较难于完成某些特定任务。

他让 15 个 45 岁以上的人分成两组：低硼饮食组和高硼饮食组，各进行 4 个月。低硼组个体大脑电活动更为缓慢，大脑更为迟钝。他说他们的大脑产生更多的 θ 波和更少的 α 波，而这正是正常人睡眠时发生的，硼的缺乏看来可以抑制大脑。当饮食中硼极端缺乏时，他们对最简单工作的反应也迟钝了。他们不能快速地触摸到手指，不能用计算机操纵杆准确地跟踪物体，也不能从字母表中快速指出特定的字母，他们只是变得更为缓慢。当他们食用高硼饮食时（每天 3 毫克），脑电波活动明显改善，脑电图也是如此。

彭兰德博士惊讶地发现大脑易受食物中含量极微小的因素的影响。他说：在营养学中，大脑对极微小量差异如此敏感是令人惊异的，也是一个新发现。

那么硼在什么食品含量最丰富？坚果、豆类植物、有叶类蔬菜（如花菜）和水果（如苹果）、梨、桃和葡萄等含硼较丰富。如果你每天吃 2 个苹果（1 毫克硼）与 3.5 盎司花生（2 毫克硼），每日得到 3 毫克硼，促进大脑活动。

对老年人大脑的建议

最好每天吃一定限额的维生素 B_1、B_2、胡萝卜素和铁。根据彭兰德博士的研究，在老年人中这些东西的微量缺乏也可导致思维迟钝，记忆力下降。他及其同事将 28 个 60 岁以上的健康人营养状况与其大脑功能进行研究发现：

（1）低水平的维生素 B_1 与大脑活动的某些损害有关。维生素 B_1，也称为神经维生素，主要集中于麦芽和麦麸中，坚果、肉类及谷类加工食品中。

（2）摄入足量维生素 B_2 的个体在记忆测试实验中表现较好。维生素 B_2 主要来源于肝、牛奶、杏仁及谷类加工食品。

（3）摄入足量胡萝卜素的个体，在思维测验中表现较好。胡萝卜素来源于绿色有叶类蔬菜和深橘红色水果及蔬菜。

（4）尤其引人注意的是，营养性高铁摄入的老年人表现出与年轻人相同类型的脑电图和脑电波活动。铁来源于绿色植物、肝、有壳水生动物、红肉和大豆。

（5）研究中发现恢复最高精神功能的维生素所需量，恰好等于推荐饮食摄入量（RDA），以至于不需额外补充维生素。彭兰德博士说，只需通过食物，我们就可得到足够的维生素来保护大脑。

海 产 品

如果你的记忆力在下降，注意力分散，那么你锌的摄入量可能不足。令人惊讶的新发现是，科学家们发现即使是锌的少量缺乏也会轻微地损伤大脑功能。得克萨斯大学医学院盖维斯顿分院的锌专家哈罗德说，这是比较奇怪的。他及其同事发现正常的健康男性和女性，祛除少量锌后，在记忆力和注意力测试中表现较差。当重新补足锌后，他们的智力活动得以改善。例如，当妇女摄入足够锌后，对单词的记忆及可视化设计能力分别提高12%和11%。

在另一研究中，摄入很低量锌（1毫克～4毫克）的男性在美国北达科他州的大福克斯实验室中生活7个月，发现会犯更多错误，在15个智力及感觉运动测试中对10个测试反应较慢。可以肯定的是，锌缺乏主要影响大脑功能的短期记忆力和注意力两方面。

这并不意味着你需要额外补充锌来维持正常的记忆力，你可以通过食物来获得提高记忆力的锌。这些食品有牡蛎，鱼类，豆类，谷类食品，粗的谷类食品，黑肉火鸡。仅仅一盎司的生牡蛎就可提供200毫克锌，多于推荐的摄入量150毫克，3盎司的烟熏牡蛎含有103毫克锌，以上数据来源于美国农业部的统计数据。

英国伦敦大学荣誉教授A·E·本德认为，存在这样一个理论：人类是在海边和湖边进化而来的，因为鱼类可以为人的大脑发育提供其他物种所没有的物质。因此传说中认为鱼是大脑智力食品的说法是有依据的。

猪　油

过量的动物脂肪可以降低人的智力才能。食猪油的小鼠不如食用豆类的小鼠那样比较容易地找到逃出迷宫的路。食用猪油者的空间记忆也受到损害，注定他们会犯更多的错误。研究者说这是否适用于那些食用巨无霸（一种麦当劳食品）而不是豆腐的人尚不清楚。但科学家们已经开始了这方面的研究，以弄清食物中某种脂肪长时间影响脑功能包括记忆力的可能性，在动物实验中最有可能的就是饱和型动物脂肪。

理论上，脑脂肪化的效果是有意义的。像其他细胞一样，脑细胞也通过膜相互支持，有足够证据表明，摄入脂肪酸的类型可以改变细胞膜的脂肪构成，从而影响大量体内信使，包括神经递质的产生。

关于脂肪可影响记忆力和学习能力的实验，是首先由加拿大安大略省多伦多市的克拉克精神分析研究院的学者们，于1986年在幼年小鼠上进行的。当这些小鼠用猪油（饱和动物脂肪）或大豆或二者的混合物饲养21天后，食用大豆的小鼠最有能力从特定的迷宫中逃出来。

在随后的研究中，多伦多大学的格林伍德博士用猪油或大豆饲养小鼠更长时间（3个月），在几个复杂的迷宫中测试其记忆力，发现猪油的慢性消耗者在测试中表现最差，食用猪油的小鼠缺乏学习某些迷宫构造的能力，他们的临时记忆力（包括长时间记忆与短时间间隔记忆）受到严重伤害。

到目前为止，研究人员不能详细了解脂肪改变脑功能、影响记忆力的机理，但是已可推测脂肪能引起"大脑广泛的弥漫性改变"。纽约布鲁克黑文国家重点实验室的杰克·万博士说，一个 30 岁的酒鬼的大脑功能可能像一个 50 岁正常人的大脑。

控制饮酒——挽救大脑

太多饮酒对于大脑并不是一件好事，酒精的滥用可引起大脑的功能损伤，尤其是记忆力下降，纽约布鲁克黑文国家重点实验室的医学博士杰克·万如此认为。通过复杂的 PET 扫描和 MRI（磁共振成像）来研究年轻的酗酒者的大脑，他证明饮酒者大脑受到损伤，包括脑皮质的萎缩，脑结构受损，代谢活性降低。他说：他们已经降低了整个大脑的代谢活性，但主要是在大脑前皮质及与记忆有关的部分。

大多数专家建议酒每天的摄入量应限制为 2 杯，更有些人喜欢每天仅仅一杯。

母乳与智商

强有力的证据表明母乳中存在一种未知物质，可刺激大脑发育，食用母乳的小孩智商更高。英国剑桥大学医学研究会达恩营养所的婴幼儿营养室主任艾伦·卢卡斯支持以上说法。在一个有关 300 例早产儿的研究中发现，食用母乳的早产婴儿比用配方奶粉的婴儿智商要高。具体而言，只食用母乳或母乳加上配方奶粉的早产婴儿在 7 岁半和 8 岁时智商比只食用配方奶粉的婴儿高出 8.3 个点，并且婴儿饮用母乳越多，他们的智商也越高。食用配方奶粉的婴儿平均智商为 93.1，而食用母乳的婴儿智商平均值为 103.7。

母乳喂养所致的高智商可能归因于喂奶时的依恋、结合等因素。该研究排除了对母乳喂养的偏见，以及因为婴儿太小不能吸吮，所以只能用管喝配方奶的偏见。

许多专家坚持认为，在鱼中发现的 Ω-3 型脂肪酸可能是母乳中提高智力的关键成分。Ω-3 型脂肪酸在胎儿和婴儿大脑发育中举足轻重，因此专家建议怀孕和泌乳的妇女应吃海鲜食品，以充分摄取 Ω-3 型脂肪酸，确保小孩大脑的正常发育。

注意：污染有 PCB 或甲基汞的鱼会伤害胎儿及婴儿。为安全起见，怀孕及泌乳妇女应限制剑鱼、鲨鱼、新鲜金枪鱼的食用，为每月一次，罐装金枪鱼限量 7 盎司，在靠近工业污染源的河流、湖泊、海湾或港口所捕的鱼应避免食用。避免食用鱼皮及内脏；食用多种来源的鱼；食用小鱼，如沙丁鱼是最安全的。

保持最大活力和脑力的饮食建议

在考试、演讲、重要的商业会议或执行要求大脑清醒的任务前，食用低碳水化合物，高蛋白，低脂肪的食物。

麻省理工学院的营养研究学者朱迪丝·沃特曼的建议

● 早餐应吃的食品：脱脂奶，水果，煮得较老的鸡蛋，咖啡，茶，果汁；避免食用的食品有咸肉，烤面包和肉冻，松饼，薄煎饼，华夫饼干，油炸卷饼。

● 午餐应吃的食品有普通金枪鱼，绿沙拉，煮虾或蒸虾，果盘，低脂家庭奶酪，3 盎司～4 盎司的火鸡，鸡肉，烤瘦肉；避免食用的食品有意大利细条实心面，比萨饼，法国式油煎食品，花生黄油果冻三明治，小甜饼，普通软饮料。

● 晚餐应吃的食品有烤沙丁鱼或其他鱼，绿色蔬菜，西红柿，浆果；避免食用的食品有烤牛肉，酸乳脂烤土豆片，玉米粒，馅饼。

为保持清醒，用餐时在吃鱼等蛋白质食品以前，别吃面包一类的碳水化合物，这样做是为了充分利用蛋白质使大脑精力充沛的作用。总是先吃蛋白质，在开始消化蛋白质，其成分已到达大脑时再食用碳水化合物，吃饭的先后次序是很重要的，不要忽视。

不要空腹吃或在无蛋白质食物时吃碳水化合物（例如高碳水化合物的谷类食品与高蛋白牛奶一同食用效果会比较好）。空腹时只吃面包，面卷，面糊或薄脆饼干可令人困乏，沃特曼博士说，就好像是空腹喝酒后一样放松。

如果你想保持敏锐的注意力，就不要吃大量的高脂食物，太多会令人昏昏欲睡。脂肪在消化道停留时间越长，疲乏持续时间就越长。食物含脂肪量越多，大脑恢复清醒与活力所需时间就越长。

饮 食 与 心 情

　　有助于改善心情的食物有：含叶酸丰富的食物，如菠菜；含硒丰富的食物，如海鲜食品；碳水化合物（包括糖），咖啡因，大蒜。

　　学术上人们不再争论，一致认为吃的食品可以影响人们的心情——感觉或好或坏。虽然人们对食物的选择基于味道或其他明显的标准，但也有证据表明人们对食物经常有意识地选择，选择那些能改善大脑化学特性，使大脑保持较好状态的食物。他们用抗抑郁剂自我治疗，慢性压抑可能与身体长期缺乏某些成分有关，而这些营养成分未受到重视，长时间未得到纠正。

　　除咖啡因与糖以外，其他食品很少被刻意研究，搞清食品控制情绪的方式。然而可以确定的是食物可以影响大脑中的神经递质。与压抑和暴力有关的大脑神经递质之一就是5-羟色胺，据知它通常可改善情绪，对于某些易于受压抑的人可显著改善其情绪。蒙特利尔麦克吉尔大学精神分析系的抑郁问题专家西蒙·杨博士说，大脑低水平5-羟色胺相当于精神病。例如，自杀或试图自杀的人以及冲动、有暴力行为的罪犯等，这些沮丧者的大脑5-羟色胺水平较低。让更多的5-羟色胺进入大脑或者增强5-羟色胺的活性，有时可以缓解沮丧等症状，这就是冬天抑郁症患者为何吃糖的原因。

饮食与冬季抑郁症

随着冬天的到来，大约有 3,500 万美国人进入了一种被称为季节性情绪紊乱（SAD）的抑郁之中。国立精神卫生研究院在 SAD 方面有造诣的专家罗森塔尔博士说，碳水化合物当然是战胜冬季抑郁症的、大脑需要量很大的物质。他解释说，正常人食入碳水化合物（如糖）后，不管在什么季节都会变得缺乏生气与精力。但是 SAD 患者效果却正相反，对他们来说，碳水化合物恰好是一种抗抑郁剂。罗森塔尔博士说碳水化合物使他们充满活力，精神饱满。

他在国立精神卫生研究院实验室进行了一系列实验，测试碳水化合物对 SAD 患者及正常非抑郁症患者的影响，给他们全部服用含糖甜饼。吃了 6 个甜饼（含 105 克碳水化合物）2 小时后，抑郁病人变得更活跃，不再紧张，压抑，疲劳。但正常人却变得昏昏欲睡。可能的解释是这些抑郁病人有异常的脑化学性质，介导抗抑郁剂 5-羟色胺的代谢。许多人相信，吃碳水化合物通过提高 5-羟色胺的水平或活性来克服抑郁症。

朱迪丝·沃特曼博士说许多吃面食与酥皮点心的人可能是用碳水化合物来作为一种可食性抗抑郁剂。

罗森塔尔博士说无论什么原因，如果你有冬季抑郁症，尽量不要使你的大脑缺乏它们急需的碳水化合物。缺乏只会使你更加恐慌，因为大脑对甜食和淀粉的急需有一定的生物学强度。他说："我们的许多病人称之为上瘾，就像渴望咖啡因一样。"当你身体急需碳水化合物时，想在食物中去掉碳水化合物可能也不会成功。罗森塔尔博士建议该类型抑郁症患者，不要食用高蛋白，低碳水化合物的饮食，尤其是在黑暗的冬季更要多吃碳水化合物。

　　为缓解季节性情绪紊乱，你可以吃些甜食，但是吃些如干豆，面食，蔬菜，谷类，面包，薄脆饼干之类的复杂碳水化合物可能更有益于健康。罗森塔尔博士也告诫人们不要用过量的酒与咖啡因（每天多于 2 杯咖啡）来消除冬季抑郁症，这两种物质太多会引起焦虑及一些情绪问题。

咖　啡　因

　　像传说中所述，咖啡因是世界上应用最广泛的精神兴奋药物，并有提神作用。最近发现咖啡因对情绪有良好的调节作用，从而可以解释几个世纪以来人们用咖啡因来减少早上说废话，改善下午及晚上的情绪，甚至缓解坏心情或抑郁症。人们经常说早晨一杯咖啡会带来满脸笑容，这也是确实存在的。

　　约翰·霍普金斯大学精神分析学、神经科学教授罗兰·格里菲思主要研究了咖啡因的广泛应用。其研究证明咖啡因可改善人的感觉，使人产生幸福感，甚至欣快感，而这正是人们刻意寻求的。沉溺于咖啡因的人寻求对咖啡因的适当依赖，给自己以满足感，减少其焦虑感。

　　普通的咖啡因消费者可明显地感觉咖啡是否含咖啡因，对未标记的咖啡进行盲测，普通咖啡因消费者可比较容易地找出并大量饮用含咖啡因的咖啡。

　　马里兰州只斯达健康科学服务大学医学心理学教授安德鲁·鲍姆说，幸运的是，要想得到相同的刺激作用，不必经常喝更多的咖啡。对 48 个严重依赖咖啡的受试者进行盲测，不管受试者对咖啡的上瘾程度多么严重，每天早晨每人一杯咖啡都会得到相同的刺激作用。

早晨这些受试者不经意地饮用一杯不含咖啡因的咖啡或茶，他们则会变得暴躁，易怒，慵懒，抱怨头痛，完成智力性工作较差。某天他们被秘密地给一杯含咖啡因的咖啡，他们的情绪会产生变化，变得不再紧张，能出色完成智力工作。鲍姆博士说比较好的就是每天只需一杯咖啡就会使每天早晨有个良好的开端，即使对于那些每天大量饮用咖啡的人也是如此。

美国埃默里大学的梅尔文·科诺博士说，看来似乎有数以百万计的大量饮用咖啡的人，实际上都在自觉或不自觉地用咖啡来治疗抑郁症，而我们每个人几乎都广泛地存在某种程度的抑郁。

梅尔文·科诺博士说，对大脑生理的最新研究证明，咖啡因是一种温和的抗抑郁剂，并且中等程度的抑郁症用咖啡因治疗效果不错，不需服药治疗。他用咖啡因较长历史时期的安全性作为例证，不像抗抑郁药物和刺激药物，咖啡因在数个世纪的长时间内已被服用了数十亿次，没有任何一种处方药会有类似的经历，无明显副作用，说明其剂量的安全性，至少每天 2 杯～4 杯还是比较安全的。

然而过多的咖啡因会损害健康与心境，扰乱睡眠，引发焦虑，而所有这些都依赖于个体对咖啡因的耐受程度。小剂量的咖啡因可改善心情和表现，而大剂量咖啡因则对精神及身体有害。

但是若祛除咖啡因情形又会如何呢？纽约市蒙特菲尔医学中心的西摩·所罗门博士说，取消习惯性饮用咖啡，除会引起头痛外，还可引起抑郁。根据格里菲思教授的研究，根据各人的反应不同，一般要出现一到两天的抑郁，长的可持续一周时间，这是祛除咖啡因后的正常表现。逐渐戒掉咖啡因，可减轻抑郁。关于如何戒绝咖啡因，后面另有评述。

菠　菜

是否有人告诉过你绿色蔬菜可有利于改善心情？或者你消沉只是因为你没有食用足够的利马豆类和蔬菜？这几乎是不可能的，不可能会有人告诉过你。然而令人惊奇的是医学已经证明，在美国人尤其是美国妇女中广泛存在的叶酸缺乏会引起精神紊乱，尤其是抑郁与智力减退及精神分裂症。叶酸是从绿色有叶蔬菜中分离出来的 B 族维生素，在豆类中含量也比较丰富。科学家们已公认叶酸作为一种抗抑郁物质所发挥的作用。

麦克吉尔大学的杨博士有大量证据可以证明叶酸缺乏与心情抑郁有关，补充叶酸，消除叶酸缺乏则可治愈抑郁。

杨博士陈述道，关于叶酸如何广泛影响大脑功能，确实是有目共睹：各种精神紊乱病人，尤其是抑郁症患者，通常叶酸缺乏的可能性要高于普通人，并且低叶酸的精神紊乱病人病情会更严重。他说有较好的原因可以解释维生素缺乏会引起抑郁症，其原因之一就是叶酸缺乏会引起大脑 5-羟色胺的水平下降。

在实验中受试者食用祛除叶酸的食物 5 个月后，整天昏睡，健忘，易怒。恢复维生素的摄入可使大部分症状在两天内消失。关于多大剂量的叶酸才有抗抑郁作用，这点可通过对服用锂进行治疗的 75 例抑郁病人进行双盲试验得出。研究人员让半数受试者服用 200 毫克叶酸（相当于 3/4 杯菠菜中的叶酸含量）一年，另外半数人服用安慰剂，结果发现食用叶酸者抑郁症明显改善。

杨博士建议那些对叶酸敏感的个体每天服用 200 毫克～500 毫克才有抗抑郁作用，这些维生素可由食物中获得，但也应注意大剂量叶酸可能有毒性作用。

海鲜食品中的矿物质

你可能听说过鱼类属于大脑智力食品。现在有新的证据表明吃海鲜食品可改善心境，原因如下：海鲜食品中微量元素硒的含量极高，而许多证据又表明缺乏硒者更易于发生抑郁。威尔士斯万西大学的心理学家戴维·本顿和理查德·库克博士最近证明，食入较少硒的人更易发生焦虑，抑郁，疲乏，而在摄入足量硒后感觉会明显改善。

在一组对照实验中，50 例健康男女年龄从 14 岁至 74 岁，5 周内每天服用 100 微克硒或安慰剂，同时测量了饮食中的硒含量。从头至尾有一系列的测试来判断其心境，他们是更沉着还是更焦虑，是友好还是充满敌意，兴奋还是压抑，精力充沛还是劳累不堪，头脑清晰还是混乱。

实验结果令人惊讶：当受试者摄入足够的硒后，心境明显改善，并且如果他们以前硒缺乏的越多，心境改善就越明显。研究人员推测硒的微量缺乏，在不足以致病的情况下，对心境设置了一道障碍。因此纠正硒的微量缺乏可使心境正常化，摄入更多硒不会进一步改善心境。

与硒缺乏相关的恶劣心境普遍存在。研究人员发现每天摄入 72 微克硒的个体，增加硒的摄入后感觉明显改善。英格兰人摄入的硒量更少，只有 43 微克，美国人饮食中硒也很缺乏。

硒如何影响心境尚不清楚，但是可能与其抗氧化能力有关。在其他研究中，老年人服用硒和维生素 E 或其他抗氧化剂后，心境与智力状况明显改善，脑血流量也明显增加。对老年性痴呆症患者进行研究发现，包括硒在内的抗氧化剂可改善心境及其精神表现，然而威尔士的研究人员推测硒可能会有一些未知的神经功能。

坚　果

食物中的硒主要来源于谷类，海鲜食品及肉类。但要想得到真正的硒补充，可尝试一下巴西的三角形胡桃。康奈尔大学毒理化学实验室主任唐纳德·利斯克说，坚果是硒含量最丰富的食品，每天吃一粒坚果可保证绝不会缺硒。他发现由于三角形胡桃生长于高含硒的土壤中，所以硒含量极高，2,500倍于其他果实。利斯克博士发现，吃半打坚果可迅速提高血中硒水平达100％～350％，但是一天也不宜吃太多，因为硒也有毒性作用。

有利于改善心情的含硒食品

你不必吃含硒药丸来获得足量的身体所需的硒。下列每种食物中含有相同量的硒（均是100微克），从各种食物获取一点硒就比较容易地改善心境，以下是食品的列表：

一个三角形胡桃，4.5盎司罐装金枪鱼，7盎司箭鱼或蛤肉，5盎司烹调好的牡蛎，4.5盎司的向日葵种子，12片白面包，8盎司干燕麦皮，5.5杯膨松的麦制品，5盎司鸡肝。

大　蒜

这看来似乎有些奇怪，但是许多实验人员在观察大蒜对血和胆固醇的正面作用时，也注意到吃大蒜后心境也明显改观——较强的幸福感，一些研究人员确实也讨论过这种受欢迎的令人惊讶的作用。

这一点对于德国汉诺威大学的研究人员尤其有意义，最近他们观察了大蒜对高胆固醇患者的作用。结果发现，食大蒜者在吃大蒜后感觉更好，感觉明显不易疲劳，较少焦虑、敏感、易怒及烦躁。大蒜的治疗作用较明显，这与许多药物的严重副作用形成鲜明对比。研究人员推测，大蒜治疗法的广泛流行，可能源于该方法对人们幸福感的正面促进作用。大蒜替代品在德国是应用最广、销售最多的抗抑郁药物。

辣　椒

吃辣椒可使人兴奋，而这兴奋不仅仅是感觉上的。辣椒中的热物质——开普塞辛实际上可诱导大脑中内多啡的升高，使人暂时兴奋。这是宾夕法尼亚大学心理学家保罗·罗兹对辣椒进行了广泛研究后发现的。罗兹博士解释说，由于一些未知原因，在食用热辣椒后，开普塞辛使舌和口腔内的神经末梢兴奋，使其向大脑传送错误信息。为保护机体免受可感觉到的损伤，大脑分泌天然的止痛剂或类似吗啡的内多啡，引起兴奋。继续食入辣椒可诱发内多啡的持续释放，累积到较强的兴奋程度。他认为某些人吃辣椒会上瘾，可能与此兴奋作用有关。

饮食与焦虑、紧张

有助于减轻焦虑的食品有糖和淀粉，产生焦虑的食品有咖啡因和酒类。

感觉紧张，易怒，有压力，焦虑是自然之事，每个人随时都有可能发生。但对于许多人而言，焦虑可能是慢性并且比较严重的，不仅可以引发恐惧，不自信，还有心跳过速所致的突然不适，冒汗和颤抖。强烈、持续的焦虑甚至会导致可怕的恐慌感与无能的恐惧。

你可以通过食物来缓解这些紧张、焦虑的状态，某些食物与饮料可充当镇静剂或焦虑引发剂，使大脑镇静或兴奋。

咖 啡 因

你可能不会惊讶，引起高度焦虑的物质之一就是咖啡因，咖啡因是咖啡、茶、可乐中的主要兴奋性物质。对大多数人而言，普通剂量的咖啡因对改善心境和精神表现是比较安全的。但是对于某些脑细胞对咖啡因比较敏感的人而言，每天喝5杯~6杯咖啡可以引发某些公认的精神病症状。进一步增大咖啡因的量，根据个体对咖啡因的敏感性，可压倒性控制更多的普通人。实际上美国精神分析学会将"咖啡因中毒"作为一种精神异常，其症状包括神经质、兴奋、焦虑、心跳过速、失眠、易怒、思维和言语混乱。

正如华盛顿特区华特利德军事医学中心精神分析研究室前主任约翰·格里德所指出的，咖啡因中毒的症状与焦虑性神经官能症的症状在本质上难以区分；临床治疗时纯粹浪费了许多检测，大量的镇静剂和精神病护理。所有这些都是为了寻找并不存在的疾病，而仅仅是由于咖啡因的过量应用。

格里德博士说一些人可能真正需要药物来减轻焦虑，但是对于某些人而言，祛除咖啡因可能会好于另外服用其他药物。

你可能会认识到自己、家庭成员或朋友正在经受着如同一位 37 岁上校所经历的考验：达两年之久的慢性焦虑，包括每天昏昏欲睡，颤抖，对工作成绩的担心，胃不适感，不安，反复腹泻，失眠，睡眠时间极短，易醒。在标准的焦虑测试中得分较高，说明焦虑程度相当严重。

三次化验检查也未发现异常。普通剂量的安定片及其他镇静剂丝毫不起作用，并干扰其工作。当他最终遇到华盛顿华特利德军事医学中心的格里德博士时，格里德博士告诉他咖啡因中毒可能是其焦虑的主要原因。上校几乎不能相信此事。对他而言，每天 8 杯～14 杯咖啡是常规而且也是必需的。最后当焦虑症实在难以忍受时，他戒掉了咖啡因。一个月内症状开始减轻，三个月后困扰他长时间的焦虑奇迹般消失了。

在美国有 300 万人存在过度敏感的身体预警系统，令其易于发生恐慌，恐慌是一种经常发生的可导致恐惧症的无能恐惧，因此咖啡因的危险性就进一步扩大了。由于遗传学的原因，这类人的大脑与普通人明显不同，使其对压力和咖啡因的刺激更敏感。他们对焦虑的反应超出正常范围，是生理上截然不同的状态。

国立精神卫生研究院焦虑与情绪紊乱研究部主任托马

斯·乌德记载，咖啡因可使恐慌性精神紊乱患者与正常人产生过度焦虑与恐慌。他观察了咖啡因对这两种人的影响情况，精神紊乱患者每天饮用480毫克咖啡因，相当于4杯～5杯咖啡所含咖啡因量，可以引发恐慌。

令人惊讶的是，当乌德博士将咖啡因剂量加大到每日750毫克（相当于7杯～8杯咖啡）时，8个正常人中的2个发现也有恐慌感。咖啡因诱发的这种恐惧和无能反应，证明它对大脑有广泛的药理作用。

很明显，正如乌德博士所述，某些人的大脑对药物更敏感，恐慌性精神紊乱患者只喝较少的咖啡因就会失去自控。但是也有可能会发生不同剂量的咖啡因会使许多非可疑个体，包括易发生恐慌性精神紊乱的儿童，产生恐惧感和焦虑。当然在可疑的神经系统中，咖啡因只是引发焦虑和恐惧的许多因素之一，但是咖啡因却是惟一一种比较容易消除的因素。

咖啡因诱发的焦虑和恐慌性紊乱症普遍吗？伦敦精神分析研究院的麦克莱姆·布鲁斯博士称咖啡因是严重焦虑与不适的被长期忽视的诱发因子。在最近研究中，他发现25%的焦虑病人在祛除咖啡后奇迹般地恢复了正常。

布鲁斯博士说比较典型的是一例33岁的女病人，有严重的长期焦虑和不适，十年来每周她要忍受2次～3次恐慌袭击，服药及心理治疗均无效。作为英国传统生活的一部分，她每天都要饮用大约9杯浓茶，相当于540毫克咖啡因或5杯～6杯咖啡。

作为尝试，布鲁斯博士要她戒掉咖啡因一周，她感觉病情立刻好转，遂立即取消药物治疗，她的恐慌袭击也消失了，从未复发过，除非在极少数情形下，如当她每周饮用超过半杯茶的限量时，再多的咖啡因又可引发恐慌袭击。

饮 酒

　　饮酒与焦虑经常同时发生，但是人们却经常饮酒以消除焦虑，能行吗？或者某些比较敏感而又经常大量饮酒的人，戒酒后是否可以消除其病理性焦虑。乌德博士陈述道，许多病人即使是饮少量酒在 6 小时～12 小时内也会引发恐慌感或频繁的恐惧感。在酒精消除后，症状消失，乌德博士将这种现象称为"小戒断综合征"。许多专家也推测恐慌患者只能饮用极少量的酒精，饮少量酒就会像正常人饮大量酒一样，获得同样的大脑神经递质活性。

　　不管情况如何，乌德博士建议任何恐慌不适患者应该戒酒或每天不超过 1 杯～2 杯，以观察酒精是否促进恐慌。他说如果你发现极少量酒就可引发焦虑或恐慌，那么你就应该完全戒酒。

　　麻省理工学院的朱迪丝·沃特曼博士说选择适当的食物，适当的量，在适当时间进食，其效果会与镇静剂同样有效。1.5 盎司到 2 盎司碳水化合物（相当于 2 匙半白糖）可引发5-羟色胺的产生，而 5-羟色胺则可以在 20 分钟以内减轻或缓和焦虑的严重性。

"最甜"的焦虑治疗法

　　虽然平静大脑，缓解压力，减轻焦虑的这种自然方法有些奇怪，但是这种疗法已经沿用了数个世纪。我们的祖辈推荐在睡觉前应吃些蜂蜜促进睡眠。中国有句古话：在紧张时喝甜茶。然而甜食可以平静大脑的理论与大众观念相左。随便问任何一个人，都会说糖是能量的快速提供者，可使人兴奋、雀跃，充满活力。但最近对大脑生物学的研究显示，包括糖和淀粉在内的所有碳水化合物对绝大多数正常人有相反的作用，它们是典型的镇静剂，使身体放松并促进睡眠。一系列实验显示，碳水化合物是焦虑的抑制剂，而不是引发、促进剂。

比较经典的是美国芝加哥医学院心理学教授邦妮·斯普林对一组健康男性和女性进行的试验，这些人或吃富含碳水化合物的果子露或吃富含蛋白的火鸡胸片，2小时后对受试者进行标准测试，检测心情好坏与其敏锐性。与食火鸡者相比，食含糖果子露的妇女易昏睡，而食果子露的男性则变得放松。斯普林教授说，某些个体包括妇女和40岁以上的人，对糖的镇静作用更为敏感。对另外一些人，食碳水化合物则会变得筋疲力尽，诱发所谓的"糖抑郁症"。

专家认为糖能充当镇静剂，归因于其对大脑的几种复杂生化反应，比较公认的说法是：吃糖可产生更多的色氨酸，并进入大脑，转化成为5-羟色胺，引发镇静作用。

顺便说一下，碳水化合物引起血糖的突然升高又突然降低，并不会导致人们昏睡。测试经常发现昏昏欲睡者的血糖水平比较高，大多数的敏锐性及疲劳与脑化学特性而不是血糖有关。

当你想保持平静时，最有效的药物就是碳水化合物，包括含复杂糖类的土豆、面食、面包、大豆、谷物。要想获得最快的镇静作用，应吃天然的甜食，包括蜂蜜和糖。而人工甜食，如糖精，并不会使大脑镇静。

沃特曼博士的抗抑郁、抗焦虑处方

朱迪丝·沃特曼博士说当你想保持平静或镇静时，应吃些淀粉或糖。她的丈夫，神经内分泌学家理查德·沃特曼已经描述了碳水化合物影响脑化学特性的令人诧异而且看来似乎自相矛盾的机制。理查德·沃特曼已经将这些发现转化为实际应用，建议用碳水化合物充当镇静剂来减轻压力，缓解焦虑。下面就是他的一些建议：

- 糖和淀粉都是镇静剂，但糖发挥作用更快，含糖饮料5分钟就会发挥作用，像谷类和面包等含淀粉食品发挥作用需要30分钟～45分钟左右的时间。

- 对大多数人而言，最佳镇静剂量是1.5盎司—2盎司纯碳水化合物，如2盎司软糖，9盎司非饮食性可乐，不需要大量服用。引发镇静作用的大脑化学改变在刚开始吃糖果、小甜饼、谷类食物或软饮料时就开始了。

- 不要将蛋白质与碳水化合物混合食用。应单吃碳水化合物，这就意味着在吃高碳水化合物的谷类时不要同时喝高蛋白质的奶。即使是少量蛋白质也会阻碍碳水化合物的镇静效果。

- 吃些低脂含量的碳水化合物食品。含脂的糖果与甜食起作用需较长时间。近乎纯糖的软糖、焦糖、薄荷糖和棒糖比高脂糖发挥作用要快得多。

- 为迅速减轻压力与焦虑，可饮用含糖饮料，因为液体可更快速通过胃。沃特曼博士建议喝一杯茶（含2匙糖）或一杯可乐与水，而不是牛奶，或慢慢饮用8盎司不含咖啡因的普通软饮料，慢慢喝，直到感觉变好为止。

- 如果你估计有一段较长时间如12小时～14小时会充满压力，那么应吃些低脂高糖食物，如爆玉米花、玉米饼、小果汁软糖，或其他干谷类早餐食品；喝些含糖饮料如棒糖等，也会使压力得到控制。

洋　葱

古埃及人用洋葱来放松肌体，诱发睡眠，对此肯定存在一定原因。黄色及红色洋葱，均富含槲皮酮，它是一种抗氧化剂，抗炎物质及温和的镇静剂。根据最近法国的研究，槲皮酮至少可以作用于小鼠中枢神经系统，诱发睡眠。

抗焦虑食品的配方

- 如果你有焦虑，那么应戒掉咖啡因或严格限制咖啡因的摄入至少一星期，观察焦虑是否会消除。这包括含咖啡因较少或不含咖啡因的咖啡、茶、可可、巧克力或可乐等。对戒断咖啡因必须要有心理准备，诸如头痛等症状会在祛除咖啡因 19 小时内出现，第一二天会加重，然后消失。如果你想确证咖啡因是导致焦虑的主要原因，可重新喝些咖啡，观察焦虑是否会重新出现。

- 如果你有恐慌袭击或不适，应戒掉咖啡因或减量。乌德博士认为，"每天两杯咖啡也许不会引起恐慌袭击，但更多的咖啡则会引发恐慌"。注意：恐慌袭击的发生与咖啡因是否有关，应向专家寻求适当治疗。

- 如果饮酒后更加焦虑或恐慌，那么酒应减量或完全戒除。

- 为减轻压力，缓解焦虑，应多吃些碳水化合物，如面食与土豆。为获得更迅速的效果，应吃些含糖和蜂蜜的食品，这些长期以来都被认为是温和的镇静剂。

饮 食 与 行 为

有助于抑制敌对行为的食物：碳水化合物，包括糖和淀粉。

吃含糖食物会促进犯罪、反抗社会及破坏性的过激行为吗？这种理论在本世纪七八十年代受到广泛欢迎，导致许多机构为减少犯罪心理而禁食小吃与甜食。糖恐怖的比较典型的例子就是现在比较著名的"Twinkie防御"。1978年丹·怀特射杀了旧金山市市长乔治·莫斯科尼及城市监护长哈维·米尔克，然后将其犯罪行为与复杂的想法归因于女主人提供的含糖Twinkie，并且大量食用。

糖

吃甜食可以促进多动性与敌对性的观念相当流行，因此当该理论在实验室被严格验证与鉴定时，人们惊讶地发现很少有实验能支持该理论。国立精神卫生研究院的实验反复证明，那些让子女不要吃糖的防止多动症和过激行为的父母是错误的。比较典型的是对18个2岁—6岁的学龄前儿童（被父母称之为特别喜欢吃糖）及12个对糖无偏爱的男孩进行的研究。

所有小孩在不同的时间分别吃糖或人工甜食——柠檬饮料中的糖精等，然后让这些儿童在一起玩耍，没有人能够分别出哪个小孩吃了什么东西，同时所有儿童均戴有一个可测量体力活动的装置。

仅仅从儿童的外在表现没有人能发现哪些儿童吃过糖，老师、父母及经过训练的观察者均不能发现与食糖有关的敌对性变化。吃糖的儿童，测量仪也未显示出更为活跃的活动。研究人员推测，急性糖负荷并不会增加学龄前儿童的活动性或敌对性。几乎每个已进行过的双盲测试研究，均排除了糖作为行为恶化剂的可能性。

曼诺瓦夏威夷大学营养学甘斯博士说："我知道可能有50或60个不同的研究计划是针对于儿童与其行为的。如果你观察过这些研究的结果，你将会发现糖与儿童的多动性是无关的。"

甘斯博士于1991年回顾并分析了这些客观的科学证据后，提出糖不会助长那些正常或多动的儿童的反抗社会的过激行为与多动反应。然而她并不否认在某些特殊情形下也可能会发生，实际上她提醒父母们注意：为阻止某些行为的发生而限制儿童对糖和碳水化合物的摄入可能会事与愿违，甚至反而会促进这些行为的发生。原因如下：研究显示，包括糖在内的碳水化合物更易于使大脑平静，而不是激活、刺激大脑，因此会减少多动性与反抗性行为，而不是促进或增加这些行为的发生。

芝加哥医学院的心理学家邦妮·斯普林，在该领域的研究处于领先水平，他甚至认为过度活跃的儿童之所以特别喜好碳水化合物，主要是因为这些碳水化合物有镇静作用，而不是刺激作用。因此父母们千万不要错误认为糖会引发多动性行为，相反应该相信糖类正在缓解、减少这种行为的发生。

根据麦迪逊威斯康星大学的研究人员进行的研究，令人惊讶地发现，吃糖实际上可以改善许多罪犯的行为表现。在盲测中，研究者给囚禁的 115 名 10 多岁男性犯人和 39 名高中男生提供早餐，该早餐是含有蔗糖或人工糖的谷类食品，总糖摄入量为 1.5 盎司。然后研究人员对受试者进行一系列神经心理学测试，包括注意力，多动性，心情，行为干扰性等。每名男性接受两次测试，在食用含糖早餐或不含糖早餐后。

该大学心理学副教授、研究发起人约瑟夫·纽曼推断，没有任何证据可以表明糖对该群体中的任何个体有负面作用。

纽曼博士说，实际上糖有助于抑制多动性与破坏性行为，尤其是对于那些有严重问题的年轻人。这些个体吃蔗糖后的表现要明显好于吃不含蔗糖早餐后的表现，非犯罪者在食用含糖早餐后，其行为与心情也要好得多。然后纽曼博士提示非多动性病人，吃糖后在精神测试中表现出受到轻微损伤，如手指触摸与短期记忆会受轻微影响。但这些也不是不能预料的，因为我们已经了解糖与其他碳水化合物可诱使正常人昏睡及智力活动减弱。

胆 固 醇

低胆固醇是否比高胆固醇更能使人情绪化，产生敌对性？尽管这个问题看来有些荒唐、愚昧，但是在科学上却是一个合理的广为讨论的理论，并且有许多证据支持该问题的肯定结论。第一个线索源于 1981 年国立精神卫生研究院对男性进行的大规模研究，该研究显示减低胆固醇水平可以降低心脏病突发率。但令研究人员惊讶的是，低胆固醇水平并不会延长寿命；反之，研究中的男性反而死于其他事故，如杀人或自杀，从而弥补了因心脏病发作致死减少而延长的寿命。芬兰的研究人员也发现低胆固醇与暴力、攻击性行为有关。

有时科学家必须考虑到一些无法预料的事情，而美国鲍曼·格雷医学院行为学家杰伊·卡普兰与匹兹堡大学心理学家斯蒂芬·马努克恰好做到了这一点。他们用与人类亲缘关系最为相近的猴子作为试验对象，饲食低脂饮食以降低胆固醇，观察猴子的行为变化。他们用猴子研究了两年，让半数猴子吃低脂饲料，以热量计，脂肪含量低于30%，因此血胆固醇较低。另外一半猴子吃高脂饮食升高胆固醇。

结果很明显，约一半的低胆固醇猴子表现出暴力性行为，包括抓、咬、粗暴地推，并折磨它们的邻居。马努克博士说："我们并不了解其发生机制，也不知道是高胆固醇让猴子变温和还是低胆固醇使猴子变粗暴。"然而他推测高脂性胆固醇可能会影响大脑神经细胞释放神经递质，包括5-羟色胺的释放，进一步影响情绪。最新研究也发现低胆固醇（＜160）老年人比高胆固醇老年人更易患抑郁症。

糖的具体作用

人们没有理由担心吃含糖食物会引发进攻性行为，暴力或多动性行为。另一方面证据显示，吃碳水化合物（包括糖）的大多数儿童与成年人均趋向于平和、镇静，并减少其进攻性行为。因此吃碳水化合物是自我治疗而不是自我毁灭，缺乏碳水化合物的年轻人实际上只会加重自己的不良行为。

但这并不意味着你和你的家庭需要经常大量食用糖类来改善脑化学特性及其行为。在通常情况下，太多的糖只会助长肥胖、高胰岛素和高血糖。吃些复杂的碳水化合物如面食、谷物类、面包等，它们对大脑有镇静作用，但需要较长时间才会发挥作用。

饮 食 与 头 痛

经常引发头痛的食品有：巧克力、红葡萄酒、咖啡因、味精、腌肉或熏肉、老化的奶酪、坚果、酒精、冰淇淋。可以缓解或预防头痛的食物有：鱼、鱼油、生姜等。

应该相信所有类型的头痛，不管是鼻窦性头痛，紧张、压力性头痛还是令人惊惧的周期性偏头痛，均可能是由你每天的食物引起的。许多人患有长期性头痛，却从未意识到该病会与饮食有关。儿童中饮食引发头痛的情况比较多见，也没有被认识到。如果你有严重头痛，如周期性偏头痛，那么食物诱因可能是一个首先应考虑的问题。然而根据著名的头痛专家的看法，现在已经认识到能引起周期性偏头痛的同一种食品，也能引起不太严重的较常见的血管性头痛。

原因如下：所有这些常见的头痛，如紧张，压力性头痛与鼻窦性头痛实际上是周期性偏头痛的较轻类型，与周期性偏头痛源于相同的大脑生物学机理，准确一些可称为血管性头痛。因此在所有的这些良性头痛中，必须充分考虑到饮食因素的影响，而现在正有 5,000 万美国人备受头痛的折磨。

新的头痛理论

你是否患有经常性的严重头痛很大程度上依赖于你的基

因易感性。基因易感性越大，许多因素就越易引发头痛。而许多因素却不是能人为控制的，如天气的变化、亮光、强烈的刺激性气味和月经周期等。能人为控制的最简单的头痛诱发因素就是饮食，因此在预防头痛的过程中，避免一些危险的食物因素就变得极为重要。

食物诱发头痛的机理比较复杂，是因为食物不可能单独作用从而诱发头痛，通常是两种或更多种因素来共同作用于大脑调节机制，诱发头痛。这有些与大量电输入时会引发短路相类似，这也就是喝红酒为何会引发一次周期性偏头痛而不是多次的原因。如果在有压力的情形下喝红酒并且吃一大块带蓝纹的上等乳酪，那么你患头痛的几率会大增。纽约市蒙特菲尔医学中心头痛部主任及《头痛手册》的作者西摩·所罗门博士认为，引发头痛的食物的量也应予以考虑，因为一片巧克力不会引发头痛，而一箱巧克力则完全可以诱发头痛。

巴克霍尔兹博士说，头痛在吃食物后一天或更长时间才会出现，导致食物的诱发作用更不易被发觉，尤其是那些经常食用的东西。

密歇根州立大学临床医学萨珀教授说：你是否存在患头痛的可能性，这是天生固有的，是由遗传所决定的；而食物则可影响该可能性，诱发头痛。

食物影响头痛的主要方式

许多常见食品含有酪氨酸、亚硝酸盐等化学物质。这些物质可直接作用于遗传学上较敏感个体的大脑，诱发可致头痛的神经与血管变化。头痛发作次数与严重程度依赖于个体的敏感程度和食物与其他因素对大脑的累加作用。在某些情况下，食物可刺激血管收缩，导致血流机能障碍，暂时性的神经功能与视力障碍。其他情况下，脑血管扩张、膨胀，并引发头痛。

根据以上理论，所有能够诱发头痛的食品都应受到怀疑，例如，巧克力、老化奶酪、熏肉与红葡萄酒。

另一方面，许多研究人员坚持相信，成人和小孩的头痛起源于广泛存在而未被认识到的过敏性食物与难容物。因此身体的免疫系统将某些食品看做抗原（外来物质），导致血管变化，诱发头痛。该理论假定各种食品不含有通常所知的诱发头痛的化学物质，但可依赖于个体的特异敏感性诱发头痛。

食物性头痛的普遍性

多少种头痛与食物有关尚存在争论，一些专家认为很少，只占总数的 5%～20%，而另一些专家则说大多数头痛与食物有关。美国过敏反应学院食物过敏委员会前主席詹姆斯·布伦曼说："我认为 3/4 的周期性偏头痛与食物有关。"虽然某些食品更容易诱发头痛，但是现在这类食物正日益增多，甚至有许多专家相信几乎任何一种食品都可能是一种诱因。例如一妇女发现自己周期性偏头痛的诱因是肉桂，而肉桂却并不在已发现的周期性偏头痛食物诱因之列。萨珀教授说，现在已经将牛奶列为一种普通的头痛诱发剂，尽管其诱发机制仍不清楚。巴克霍尔兹博士认为，对大多数人而言，最危险的头痛诱发剂莫过于咖啡因。

减少或避免食用诱发头痛的食品可消除头疼，在最近的研究回顾中，心理学助理教授辛西娅·拉德尼陈述道，研究发现 70%～85% 的周期性偏头痛患者在限制诱发食品摄入后，头痛减轻，发作次数下降。

下面所列是能诱发最严重头痛的食品。大多数研究都针对于极端血管性头痛——周期性偏头痛患者的，但是专家认为，相同的食品可能会引起绝大多数患者都患有轻度的头痛。

可引起严重头痛的食品（含大量酪胺的奶酪）

奶酪	酪胺含量（毫克/0.5 盎司奶酪）
带蓝纹上等奶酪	15.0
老化的 Cheddar 英国干酪	7.5
丹麦带蓝纹上等奶酪	5.5
意大利白色半软乳酪	2.4
瑞士干酪	1.9
磨碎的巴马干酪	1.1

胺 类

称为胺的食物成分可轻易地使大脑混乱。古希腊哲学家普利牛斯宣称，新鲜的椰枣可引起头痛，现在我们已经知晓椰枣分子结构中有胺基的蛋白，这些胺类物质已公认为致头痛物质。比如巧克力，传统上的周期性偏头痛诱发物质，含有苯乙胺；另一种常见的头痛诱发食品柑橘，则含有辛胺。但是诱发周期性头痛最严重，最著名的是酪胺。酪胺在食物中广泛存在，但含量各不相同，包括酒精类饮料（尤其是红葡萄酒），日常食品（老化及硬奶酪，酸牛奶，酸乳酪），发酵产品（某些面包和新鲜蛋糕），水果（椰枣，无花果，葡萄干），坚果和泡菜。有趣的是，给受试者单独食用纯酪胺并不是总能引起头痛，证明必须有其他诱因结合才能诱发头痛。

最有可能引起头痛的物质

● 咖啡因（咖啡因，茶，冰茶，可乐）。

● 巧克力。

● 奶酪。

● 酸牛奶、冰淇淋。

● 坚果。

● 已处理并保存的或过期的肉（包括热狗，香肠，熏肉等）。

● 含酒精饮料（尤其是红葡萄酒，香槟酒，深色饮料，而伏特加则不易引发头痛）。

● 味精（谷氨酸钠）。

● 某些蔬菜，包括蚕豆，利马豆，藏青色豆，豆荚，泡菜和洋葱。

● 柑橘类水果（橘子，柚子，柠檬，酸橙）与菠萝以及果汁。

● 其他水果，包括香蕉，葡萄干，红梅，罐装无花果，鳄梨等。

● 发酵产品，包括家制发酵面包，酸味半熟面包和其他酵母发酵产品。

● Aspartame（Nutrasweet）。

红葡萄酒

红葡萄酒的确值得怀疑，如果你认为它可引起你头痛，那么这的确是可能的。在酒类饮料中红葡萄酒作为头痛的诱发剂名声最坏，可能的原因在于红葡萄酒富含许多葡萄类物质，包括酪胺在内的同种类物质。红葡萄酒被证明可引起头痛源于最近的许多研究，包括最近对 19 名周期性偏头痛患者进行的研究。

英国伦敦的利特尔伍德博士让受试者饮用小棕色瓶中的酒，以免受试者看出内容物的区别。其中一些含有一杯西班牙红葡萄酒，另一些则是伏特加与柠檬的混合物。这两种酒含有相同的酒类物质，让受试者饮用调配后的酒，只是为了掩盖其一致性。一些人认为是感冒药，另一些人则认为是焦糖残渣。饮用后严密观察，注意受试者的反应。

在 3 小时之内，11 名周期性偏头痛患者饮用红酒后，其中 9 人诱发了典型的周期性偏头痛，一致表现为心悸，恶心，对光敏感。饮用伏特加的患者则无头痛发生，非周期性偏头痛患者饮红酒后亦无头痛出现。

利特尔伍德博士认为最主要的一点就是红葡萄酒确实可以引发周期性偏头痛，并且明显不是由酒引起的。利特尔伍德博士也说她实验中采用的红葡萄酒中酪胺含量极低，而酪胺正是传统上认为起主要作用的物质。她认为红葡萄酒中的诱发头痛的活性物质是苯的一种天然化合物，而不存在于白酒中。某些周期性偏头痛患者体内由于某些酶的缺乏，而不能正常代谢该化合物，从而诱发头痛。

巧 克 力

巧克力是引发周期性偏头痛的著名物质，对 490 名周期性偏头痛患者进行调查，发现 19% 的有品牌的巧克力，其饮食危险性仅次于酒精。

英国人对 20 例典型的周期性偏头痛患者进行双盲性试验研究，证明这种危险确实存在，所有患者均相信是巧克力引发头痛。作为测试，研究人员给 12 例患者 1.4 盎司的巧克力块，而另外 8 例患者则给以安慰剂或假巧克力块。平均在 22 小时以内，食用真巧克力的 5 例患者（40%）觉察到了周期性偏头痛来临前的预兆，而吃安慰剂或假巧克力的人则均无头痛表现。

需要注意的是，白巧克力，含的是可可奶油，而不是巧克力液（酪胺的一种来源），并不会诱发头痛。

亚硝酸盐

如果你易患头痛，那么应该了解热狗、熏肉、火腿含亚硝酸盐，硝酸盐的食品都是有名的头痛诱发物质。加利福尼亚州大学旧金山分校的神经学家威廉·亨德森与尼尔·拉斯金在一位头痛患者的帮助下采取了有效措施以预防该类型头痛的发生。该患者 58 岁，经常抱怨头痛，有时面部潮红，大约是在食用热狗、熏肉及其他含亚硝酸盐的肉后发生的，头痛可持续数小时。

作为实验，他同意饮用一种无色无味的液体，或含 10 毫克或更少或不含亚硝酸钠，他自己并不清楚自己喝的是哪一种。然而当他饮用亚硝酸钠溶液时，13 次中有 8 次出现头痛；喝安慰剂从未发生过头痛。放弃食用含亚硝酸钠的肉时，他的头痛症状消失了。

Aspartame

Aspartame 会引起头痛吗？其生产者说这种人工促甜剂不应受到指责。但是联邦政府和头痛专家已收到足量的抱怨和指责，证明 Aspartame 可诱发某些敏感者头痛。纽约市蒙特菲尔医学中心头痛神经学家 R·B·利普顿说："在相当一部分的头痛患者，尤其是周期性偏头痛患者中，Aspartame 是一个重要的饮食诱发因素。"他研究了该物质对 117 例头痛患者的影响情况。

凯勒博士在佛罗里达大学进行的另一项研究表明，Aspartame 可使超过半数的受试者头痛次数增加。实际上他们连续 4 周，每天 4 次吃进共 300 毫克 Aspartame，其周期性偏头痛发作次数比安慰剂组的多出两倍以上，并且头痛持续时间会更长，在 Aspartame 诱发的头痛中，许多个体出现了一些特殊症状，如昏睡、震颤、视力减退等。Aspartame 为何会诱发周期性偏头痛尚不清楚，但是却像其他那些诱发头痛的食物一样，该物质也是主要作用于那些天生敏感的个体。

味　精

许多人说味精所诱发的头痛不像其他头痛，它伴有脸及胸部的发热、刺痛、出汗、腹部痉挛、昏睡等。然而许多头痛专家却将味精归入诱发血管性头痛的最常见物质之列，因为许多人不能较好地对味精进行代谢，引发在血液中的聚集，导致过度的化学反应与头痛。

用做调味品的味精广泛应用于食品加工业。如果你对味精比较敏感，那么应该了解下列食物，包括水化植物蛋白（HPP），水化蔬菜蛋白（HVP）和 Kombu 的提取物都含有味精。北部加州的斯科普博士告诫大家，要尽量避免食用以上各种含有味精的食品。

咖 啡 因

不要认为咖啡因不会引起头痛。它既可引起头痛又可缓解头痛。根据华盛顿大学精神病学家沃德博士的实验，一杯浓咖啡可消除中度头痛，咖啡因单独作用相当于止痛剂——安非他明。

巴克霍尔兹博士说，但也存在不利的一方面，即咖啡因也是一种广泛的头痛威胁剂，他发现咖啡因在许多不被怀疑的个体身上引起头痛，实际上咖啡因可能是国家一号头痛刺激剂。他督促道："如果你有头痛，首先要做的事情就是戒除咖啡因。"他说尽管咖啡因确实可通过收缩已扩张和肿胀的血管，从而暂时缓解头痛，但是这种方法在长期的治疗中却是后院起火。因为在祛除咖啡因后，一度收缩的血管迅速极度肿胀，引起弹性回缩扩张，引起更严重的头痛。因此从长远来看，咖啡因的应用通常会使许多人患头痛，他告诫人们不要用咖啡因来治疗头痛。

那么多大量的咖啡因是头痛危险剂量呢？这主要依赖于人们对咖啡因的承受力，因为不同的个体承受量差别较大。单独一杯咖啡在一些敏感的个体可促发头痛，而其他人许多杯咖啡也不会引发头痛。巴克霍尔兹博士说："这并不意味着每个人都需要放弃咖啡因，但对于那些易发生头痛或对咖啡因敏感的人而言，戒掉咖啡因可能是终止头痛所要做的最重要的事情。"注意：为避免咖啡因戒断后的头痛，应该在两周以内逐渐戒掉，而不是突然戒掉。

如果你已习惯于饮用咖啡因而又偏偏得不到，你将会感到很恐惧。专家认为，事实上数以百万计的美国人正在忍受着咖啡因戒断性头痛和其他症状，却从未想到其病因。他们习惯上认为咖啡因戒断性头痛相当少而且微不足道，只发生于那些严重沉溺于咖啡因（每天饮用超过5杯咖啡）而又突然戒断的人。这是不对的，也是不真实的。虽然这些人戒断咖啡因时头痛极重，但是戒断性头痛通常发生于那些每天只饮1杯或2杯咖啡的个体。

大多数戒掉咖啡因或得不到每天所需量的人，经常要经历严重头痛。在研究中，除掉咖啡因的个体经常称他们从未经受过如此严重的头痛。某些人功能会失常或失去暂时的活动能力。咖啡因戒断对许多人而言是烦恼并且难以容忍，以至许多专家近来在美国精神病杂志上说，这种头痛，官方应宣布其为一种精神紊乱。

约翰·霍普金斯大学医学院格里菲思博士的实验表明，戒除咖啡因引发的头痛主要发生于那些一天只喝1杯浓的煮咖啡或3杯含咖啡因的软饮料的人。并且格里菲思博士发现，咖啡因戒除症状不仅包括头痛，还有疲劳、中度抑郁、肌肉痛、僵硬、感冒样感觉、恶心、呕吐。在一个大型研究中，格里菲思博士及其同事让62名饮用咖啡者突然戒掉咖啡因两个星期，在这段时间中，他们或得到咖啡因药丸（相当于2杯咖啡略多些）或得到模拟药丸。当祛除咖啡因后，52%的人抱怨头痛，11%的人发生抑郁，11%的人感到疲劳，一些人有严重的感冒样症状，13%的人出现这种疼痛以至于不得不破坏研究规定而服用阿司匹林或其他止痛剂。

包括头痛在内的诸多症状在停饮咖啡因后12小时～24小时内开始出现，在20小时～48小时达到顶点，通常持续约一周时间。

一男性，34岁，患有严重的悸动性头痛，一次可持续数小时，常于周末发作。在明确病人本身无其他问题后，医生推荐做一次精神分析测试，其焦虑测验的得分相当高。一个主要的线索就是惟一能缓解其头痛的药物是含有咖啡因的抗镇静药，他常一天吃 8 片～10 片此种药片，而普通的阿司匹林则对其无效。

他有时自夸其咖啡量："我一天喝 10 杯～15 杯咖啡，在办公室我喝的咖啡比谁都要多。"一个工作日，他平均摄入 1,500 毫克咖啡因，周末回家以后，因无平时的工作压力而常常不饮用咖啡，这也是很自然的。

大夫估计其发病原因可能是咖啡因祛除后头痛。当病人血液中咖啡因水平下降时，他就要经受一次头痛。医生劝其戒除狂饮咖啡的习惯，在此后的几周内，头痛几乎完全消失，在焦虑性测验中，其得分也基本正常。

若有晨起头痛，请控制咖啡因的摄入。

令人惊讶的是，你可能不知道自己的咖啡因戒除性头痛，也没有去努力戒掉咖啡因，实际上这种头痛是许多常饮咖啡的人常发生的事情。如果在早晨醒来后经常头痛，那么很可能是因为在夜间咖啡因水平下降的原因。早晨一杯咖啡可提供咖啡因来消除头痛，但这也是一个恶性循环，需要更多的咖啡因才能消除日后的头痛，同时头痛也会加重。

在周末或节假日你患有头痛，可能是由于你日常工作时摄入大量的咖啡因，而休假时咖啡因摄入量突然减低，引发头痛。最新研究甚至提示术后头痛（以前认为由麻醉剂引起）可能是单纯由于习惯性的咖啡因缺乏引起的，因为在手术前数小时及手术过程中病人不能摄入咖啡因，导致咖啡因水平突然降低。

为防止突然戒掉咖啡因而引起的身体不适，应该逐渐减少咖啡因的摄入量，直至完全戒除。下面是美国专家的建议：

尝试每隔数天减少一杯咖啡的摄入，直至自己感觉舒服；或将普通咖啡（含咖啡因）与去咖啡因的咖啡混合来冲淡，稀释咖啡因，逐渐增加去咖啡因的咖啡的比例，同时减少普通咖啡的含量。当然同时也应减少其他来源的咖啡因，如可乐，多饮些"不含咖啡因"的软饮料。可乐中咖啡因含量极大。

权威专家指出，由于吸烟者代谢或消耗血液中的咖啡因比非吸烟者要快得多，因此如果你吸烟，并且喝咖啡，就需要更多的咖啡来获取咖啡因。这同时也意味着如果你要戒烟，同时也应降低咖啡因的摄入量，否则只会导致血液中咖啡因浓度过高而产生焦虑。

冰 淇 淋

如果你在喝冷饮，吃大块冰淇淋或冰镇酸牛奶时，嘴中的冰凉感突然变为前额部位的头痛，那么这是一种称为冰淇淋性头痛的现象。头痛通常持续时间不长，约 20 秒～30 秒，有时可发生于鼻、颞部或颊后深处。萨珀博士说，当冰凉物体接触口腔顶部时，刺激第 5 颅神经，经分枝由口腔表面传入大脑，该颅神经是头痛的主要传导途径。

为什么许多人患有冰淇淋性头痛而其他人却没有尚不清楚，然而患有此类型头痛的人却普遍存在。英国最近研究发现，将冰淇淋接触 50 名学生的上腭，46％的学生会产生头痛。

萨珀博士说，解决的方法就是慢慢地吃，喝冷的东西，使其保持在口腔前部，让口腔顶部慢慢冷却，这样可减轻冷刺激，避免头痛。

饮　酒

不仅要注意喝的量，还要注意喝的是什么。所罗门博士说，不仅酒精可引发宿醉性头痛，而且其他成分如调料等可有助于区分不同酒精类饮料的味道，也会引发宿醉性头痛。酒类饮料中的许多成分是天然存在的，如葡萄中的酚类或蒸馏及老化过程中产生的醛类物质，其他则是添加剂，如亚硫酸盐等。

含有以上各种物质的饮料有红葡萄酒，香槟酒与波旁威士忌酒，而这些所含成分正是以上酒类饮料引起头痛的主要原因。伏特加中此类物质含量最低，最不可能引起宿醉性头痛，但这并不意味着你可以毫不顾忌地喝伏特加，因为喝伏特加太多当然也会导致头痛。

宿醉性头痛发生的机制尚不清楚，但是看来似乎是大脑中酒精太多导致代谢紊乱，引起大脑低血糖所致。因此专家建议在睡觉前吃些含果糖丰富的食品（如果汁）是比较有利的。所罗门博士说果糖有助于代谢导致头痛和其他宿醉症状的酒精化学产物。饮用大量的液体（如水）也是很重要的，因为酒精会引起脱水。与其他类型头痛一样，宿醉性头痛的敏感性是可遗传的。

周期性偏头痛

根据英国伦敦患病儿童医院小儿科神经学家埃格博士的最近研究，显示你的小孩可能患有由食物引起的周期性偏头痛，而你却未想到这一点。他研究了食物过敏对88名严重周期性偏头痛患儿的影响，这个精心设计的双盲试验的里程碑性的发现，对世界是一个震惊，使广大医学界刚刚认识到，大量的食品均可引起周期性偏头痛。

令埃格博士惊讶的是，他发现 93% 的男孩与女孩（3 岁～16 岁）在停止食用某些食品后，头痛消失。有些人几乎是在停止食用引起头痛的食物后头痛立即消除，另外许多人在停止吃敏感食物后 3 星期头痛才消除。

尤其令人惊讶的是他发现有 55 种不同的食物均可引起头痛及其他症状，如腹痛，腹泻，哮喘，湿疹及多动等。头号诱因是牛奶，可在 30% 的儿童中引发头痛，其后依次是鸡蛋（发病率为 27%），巧克力（25%），橘子（24%），小麦（24%），奶酪（15%），西红柿（15%），再往下依次是猪肉，牛肉，谷类，大豆，茶，燕麦，咖啡，花生，熏肉，马铃薯，苹果，桃子，葡萄，香蕉，草莓，甜瓜和胡萝卜。

尽管 20% 的儿童只对一种食品有反应，但大多数儿童对数种食品均有反应。一些人在食用致敏食物几分钟后即可诱发周期性偏头疼，其他情况下食用致敏食物与疼痛开始之间的时间间隔可以超过一个星期，通常是 2 天～3 天。另一个令人可怕的说法是：通常情况下，儿童比较喜欢食用那些可导致头痛的食品。埃格博士说："他们有时甚至是渴望得到这些食品，并经常大量食用。"他认为，不像那些典型的过敏食品，可立即引发头痛且需要的量不是很大，引发周期性偏头痛的食物其过敏反应发展极其缓慢，慢慢地与食物中的抗原接触、反应，并且引发反应也需要大量的食物。

在另一创始性的研究中，埃格博士发现周期性偏头痛患儿经常有癫痫症状，而这些症状可通过控制某些食品来避免。埃格博士研究了 63 名儿童，其中 8 名只有癫痫症状，55 名有癫痫症和周期性偏头痛。这些儿童连续 4 周食用一种被称为"寡抗原饮食"的食物，这种食物由不会诱发过敏反应的成分组成。

这种饮食对于既有癫痫症又有周期性偏头痛的患儿而言发生了奇迹：55％的患儿不再有癫痫发作，25％的人发作次数明显减少。该饮食对于那些只患有癫痫症的儿童无明显效果。

作为附加证据，埃格博士做了一个双盲对照实验，在实验中可疑的过敏食品一种种陆续而秘密地加到饮食中，有32个儿童，相当于89％的儿童癫痫又发作了。下面是一些经常引起癫痫的食品：牛奶（可使37％的儿童发病），奶牛乳酪（36％），柑橘类水果和谷类（29％），鸡蛋（19％），西红柿（15％），猪肉（13％），巧克力（11％），玉米（10％），所有的儿童至少对两种食品有过敏反应。

避免食用这些食品7个月至3年后，超过半数的年轻人其癫痫症得到完全控制，其他人癫痫发作次数比原来减少一半，并且最主要的是他们的周期性偏头痛不见了。埃格博士坚持认为，饮食对于癫痫和周期性偏头痛是一种有效的治疗剂。

埃格博士说，癫痫症与周期性偏头痛的相互关系长期以来令神经学家感到迷惑。他推测二者与大脑中神经递质的化学改变有关，即这种化学改变又会受食物成分的影响。举例说，他认为，类鸦片肽与癫痫发作和免疫学改变有关。许多食物，尤其是牛奶和谷类食品，含有类鸦片肽，他估计这也许就是二者相关性所在。

值得注意的是埃格博士和其他研究者发现，这种饮食对于只患有癫痫症的儿童是无效的，只对那些同时患有周期性偏头痛的癫痫症患儿有效。

生　姜

不妨尝试一下生姜的治疗效果。过去比较流行的姜片在预防周期性偏头痛方面与有严重副作用的处方药的作用类似。根据丹麦奥登斯大学的斯瓦斯夫博士的研究，证明生姜在某些文化传统中用于治疗头痛，恶心及神经紊乱已达数世纪之久，并且生姜有其生理学方面的作用。与阿司匹林和许多其他较复杂的治疗周期性偏头痛的药物相类似，生姜可作用于前列腺素。前列腺素是一种有助于控制与组胺有关的疼痛、炎症反应的体内激素样物质。实际上，生姜可以像阿司匹林一样阻断前列腺素的合成，消除炎症反应与疼痛。

作为实验，斯瓦斯夫博士及其同事建议一名 42 岁女病人，在有视觉功能紊乱时食用生姜，视觉功能紊乱是周期性偏头痛来临的前兆。病人接受了他们的建议，每天与水混合食用 500 毫克～600 毫克生姜，相当于 1/3 汤匙姜粉。实验取得了巨大成功，病人说在 30 分钟内就觉察到头痛发作已经失败了，接下来的 3 天～4 天，该病人每次吃 1/3 汤匙生姜粉，每天 4 次服用。

以后该女病人常规性食用未烹调的新鲜姜根，作为饮食的一部分，证明效果非常不错，周期性偏头痛的发病次数与强度均明显降低。食用生姜以前，她通常一个月有 2 次～3 次严重的头痛发作；在食用生姜的 13 个月中，她每两个月才有一次比较轻缓的头痛发作。

医生推测生姜可能通过与现代治疗药物相似的一种机制或几种不同机制的结合，达到预防周期性偏头痛的目的。既然没有证明或发现生姜有副作用，因此，斯瓦斯夫博士建议成人与儿童可以比较安全地食用生姜来预防或治疗周期性偏头痛。

鱼　油

你可以将鱼当做头痛防护剂来食用。美国辛辛那提大学医学院的麦克伦博士的实验表明，吃 6 个月鱼油胶囊可使60％的严重周期性偏头痛病人头痛被阻断，发作次数减半，由一周发作二次变为每二周发作一次，头痛的严重程度亦相应减轻。由于某些未知因素，食用鱼油男性比女性更能发挥作用。麦克伦博士也建议食用更少的饱和动物脂肪有时可预防周期性偏头痛，因为饱和脂肪可刺激一种特殊的激素样物质的形成，并通过一系列反应引发周期性偏头痛。

这并不意味着，当你感觉头痛即将来临时，你应该像吃药一样吃些鱼。然而研究表明，经常吃鱼，尤其是含脂肪鱼，如鲑鱼、金枪鱼、鲭鱼及沙丁鱼等，对脑化学特性有长期的影响，有助于在一段时期内减轻周期性偏头痛的发作严重程度，并减少发作的次数。

食物止痛剂

牡蛎、大鳌虾、肝、坚果、种子、绿橄榄和麦麸可以充作止痛剂吗？这是完全可能的。根据美国农业部的最新研究，所有以上食品均富含铜，有助于消除常见的各种疼痛，而这些疼痛可由止痛剂缓解。这是一个惊人的发现，它是由美国农业部的心理学家彭兰德博士完成的。

彭兰德博士分析一个特殊医院病房中的男性和女性患者的低矿物质饮食，并进行研究得出以上结论。他说，当这些个体饮食中铜含量很低时，他们所需的止痛剂的量相当于高铜饮食时所需止痛剂量的两倍，他们要求用阿司匹林或其他止痛剂来消除包括头痛在内的各种疼痛。

他推测美国人饮食中常见的铜缺乏可能会影响大脑的化学特性和血管壁的收缩，并且会突然引起更多的疼痛和头痛。

治疗头痛的饮食配方

首先最重要的是尽量确认并避免食用一些头痛诱发食物。以下是约翰·霍普金斯大学的巴克霍尔兹博士对其病人所提的许多建议：

- 在一个月以内要尽量避免食用前面所述的最有可能诱发头痛的食物，也应避免服用许多含咖啡因的药物。
- 如果你经常饮用咖啡因，应该戒除咖啡因至少两个星期。你可以饮用去咖啡因的咖啡及含二氧化碳却不含咖啡因的软饮料。
- 如果你的头痛已消除或减弱，那么你可以尝试每3天或1周1次在饮食中加一种食品。如果头痛重新发作，就说明该食品是头痛诱发剂，应尽量避免食用。巴克霍尔兹博士警告，头痛可能在食用过敏性食品24小时以后才会出现。在明确哪种食品是头痛诱发剂后就避免食用，以免引起头痛。然而他推荐说：如果你经常性头痛就不要将咖啡因再加到食品中去，最好是完全戒除咖啡因。
- 此外，正如其他专家所言，你可以尝试着多吃些鱼和生姜，对某些人可能有助于阻断头痛的发生。
- 如果儿童有严重头痛和癫痫症发作，那么应检查一下是否存在可能的食品诱发物质，最可能的诱发剂就是牛奶。

第五部分

饮食与感染
及呼吸疾病

饮食与感染、免疫

　　可激发免疫功能的食品有：酸牛奶，日本蘑菇，大蒜，富含β-胡萝卜素和锌的食品，素食，低脂食品。

　　可降低免疫功能的食品有：高脂饮食，尤其是多聚不饱和植物油，包括玉米油、红花子油、豆油等。

　　没有任何东西会如功能强大的免疫系统一样影响你的身体，它可将你从各种疾病，由较小的局部感染到较严重的癌症中挽救回来。你的基因组成确实可以影响免疫功能，而环境因素亦然，其中比较重要的就是你的饮食了。只是在最近，科学家们才开始研究并初步揭开了免疫系统复杂而又有趣的工作的面纱，发现其对食品有一定的依赖性。人们已经越来越清楚地了解到食品可以控制身体免疫系统的功能，食物含有维生素、矿物质及其他特异的化合物。最新研究显示，该类物质可广泛刺激免疫功能，增强对细菌、病毒感染的抵抗力，提高对肿瘤细胞生长的抑制能力。

食物影响免疫功能的机理

　　吃的食物可以强烈影响白细胞的表现和抗感染、抗癌症的一线战斗力，包括吞噬杀死细菌与肿瘤细胞的中性粒细胞，T、B淋巴细胞，自然杀伤细胞（NK细胞）。B细胞可分泌产生抗体，破坏外来入侵者，包括病毒，细菌和肿瘤细胞。T细胞指导许多免疫活动，并产生两种化学物质干扰素和白细胞介素，其中白细胞介素对清除感染与肿瘤是必需的。自然杀伤细胞是防止机体发生肿瘤的第一道防线，他们可以破坏肿瘤细胞和被病毒感染的细胞。

许多研究显示，众多的食物及其成分有助于控制血液中白细胞的浓度及活力，因此食物作用于免疫系统，可刺激、增强免疫系统功能，消除感染与癌症。

酸 牛 奶

如果你未对免疫系统采取其他措施，就喝点酸牛奶。长期以来酸牛奶就是一种有力的疾病抵抗性物质，其在科学界的声誉及影响力正在日益扩大。人们很早就认识到酸牛奶可以杀死细菌或使其失去活力，现代研究显示，酸牛奶广泛提高机体的免疫功能并发挥作用。对动物和人的最新研究证明，酸牛奶可刺激机体产生 γ-干扰素，提高自然杀伤细胞的活性，促进抗体的产生。许多年以前，意大利德西蒙医学教授通过细胞培养进行研究表明，在提高免疫功能方面，酸牛奶与人工合成药物同样有效。

美国加利福尼亚大学医学院戴维斯分校的哈尔彭博士进行的研究，提供了与人有关的有力证据。在关于酸牛奶的免疫效用的大型研究中，他及其同事发现，4 个月内每天喝 2 杯酸牛奶者，其血中 γ-干扰素水平 5 倍于不饮用酸牛奶者血中 γ-干扰素的水平。68 名受试者，年龄从 20 岁至 40 岁，1/3 的人不喝酸牛奶，1/3 的人食用含活性培养物的酸牛奶，1/3 食用加热灭活培养物的酸牛奶。只有含有活性培养物，才能提高干扰素水平，活性培养物在正常的酸牛奶中广泛存在。

更令人兴奋的是，哈尔彭博士通过一年追踪研究发现，每天只吃6盎司酸牛奶即可使年轻人和老年人防止患感冒、枯草热和腹泻。干草热症状可明显消失，感冒发生率下降了25％。

在有关酸牛奶的另一个突破性研究中，Kraft通用食品公司营养学家西米克博士证明，酸牛奶可刺激免疫力，可以阻止肺癌的发生。虽然科学家们长期怀疑酸牛奶的抗癌能力，但这是一个较好的证据表明，普通酸牛奶中的两种菌群可预防癌。其他研究显示，美国酸牛奶中富含的嗜酸粒细胞培养物有助于预防癌，尤其是大肠癌。西米克博士用普通酸牛奶饲养小鼠，然后注入肿瘤细胞，结果食用酸牛奶使预期的肿瘤数目减少了1/3。比较明显的是，即使是酸牛奶被加热后，95％的活性培养物被杀死，照样可以预防癌症的发生。

秘密何在？也许是酸牛奶可以增加自然杀伤细胞的活性。西米克博士与其他学者证明，酸牛奶可刺激人和动物的自然杀伤细胞，增强其对肿瘤细胞的杀伤力。

虽然饲养小鼠的酸牛奶剂量较大，但西米克博士说，其中细胞有机物的数量与人食用普通酸牛奶得到的数量大致相当。他认为主要是酸牛奶中乳酸杆菌有机物的浓度，刺激自然杀伤细胞对肿瘤细胞发动更多更猛烈的攻击。看来有些奇怪的是，即使是死亡的细菌仍旧有免疫增强作用。这说明加热或冷冻杀死细菌培养物的酸牛奶，仍可以提高免疫力。

日本蘑菇

为刺激免疫系统，应吃些日本蘑菇，这种棕色牛肉状亚洲蘑菇在美国市场上已经越来越多见。传统中的中医学者已经长期崇拜日本蘑菇的治愈能力了。1960年美国密歇根大学的教授科恩博士发现了原因所在，他从这种蘑菇中分离出了一种抗病毒物质，称之为lentinan，有较强的免疫刺激活性。

一系列研究发现，分离出的lentinan对提高免疫力有奇效。日本蘑菇中的lentinan，被确认为生物反应改善剂，可提高巨噬细胞和T淋巴细胞的功能。研究显示lentinan可刺激巨噬细胞，促进抗肿瘤细胞因子IL-1（白细胞介素-1）的产生，同时增强巨噬细胞的细胞毒活性。这种蘑菇也可刺激T淋巴细胞的增生，尤其是辅助T细胞及其产物白细胞介素-2的生成。

匈牙利布达佩斯塞麦路维斯医科大学的科学家们最近研究也发现，lentinan可使机体细胞增强抵抗肺癌细胞克隆和扩散的能力，因此这种蘑菇有助于免疫系统作用的发挥及预防癌的发生。

大　蒜

不要忽略大蒜对机体免疫功能的刺激作用。这种球状物何以成为抗细菌、病毒及癌症的物质？其部分原因在于其提高免疫功能的能力，尤其是大蒜可刺激T淋巴细胞和巨噬细胞的活性，而这正是免疫功能发挥作用的关键因素。以上结果是由美国罗马琳达大学医学院的兰教授所发现的。实验中他发现大蒜提取物可刺激巨噬细胞，使其产生更多细胞因子以杀死有害微生物与肿瘤细胞。他将大蒜称之为"生物反应改善剂"。研究人员正在试图发展合成生物反应改善物质，来治疗癌症。

数年以前，佛罗里达巴拿马城的阿克帕临床研究中心的阿卜杜克博士及其同事吃了大量的生蒜，最多达到每天15个小鳞茎，其他人则不食大蒜。食蒜者血液中自然杀死细胞增多，实际上这些自然杀伤细胞比不食蒜者的自然杀伤细胞，可多杀死达140%～160%的癌细胞。

素　食

食用各种水果和蔬菜可以提高你的免疫系统功能。这些植物性食品中含有一系列能提高免疫功能的化合物，包括维生素C与β-胡萝卜素，并且食素者的免疫防御能力更为强大。德国海登堡国家癌症研究中心最新研究并比较了男性食素者与食肉者的血液，他们发现在抵抗肿瘤细胞的入侵方面，食素者白细胞的能力两倍于食肉者的白细胞，这表明食素者只需要相当于食肉者半数的白细胞就能发挥同样的作用。食素者的白细胞为何如此有力尚不清楚，但研究人员推测食素者可能产生更多的自然杀伤细胞或者功能大大增强的自然杀伤细胞。毫不惊奇的是，食素者血中β-胡萝卜素的水平也比较高，来源于水果与蔬菜的胡萝卜素，是人类免疫系统的好朋友。

水果与蔬菜

多吃些菠菜、胡萝卜及其他富含β-胡萝卜素的水果与蔬菜。研究显示β-胡萝卜素可以提高机体对细菌、病毒及肿瘤的防御能力。根据亚利桑那大学塔克森分校的沃森博士进行的研究，证明β-胡萝卜素可增加特异抗感染细胞的含量，如自然杀伤细胞，活性淋巴细胞与辅助T细胞。β-胡萝卜素越多，防御性免疫细胞增加就越多。例如每天摄入30毫克或

60毫克β-胡萝卜素，连续两个月均可使免疫细胞增多，但60毫克的效果更为明显。停用胡萝卜素两个月后，免疫细胞数量又恢复至实验前水平。这个剂量相当于每天吃5个～10个胡萝卜或喝1杯～2杯磨碎的山芋。因此胡萝卜素饮食，包括菠菜，卷心菜，山芋，南瓜和胡萝卜，均可提供这种免疫刺激剂量的胡萝卜素。

锌

多吃些锌含量高的食品。如果缺锌，那么你的免疫系统就不会正常运作。锌有助于促进免疫系统功能，包括抗体和T细胞的产生，促进其他白细胞的活性。缺乏锌的动物不能抵制细菌、病毒、寄生虫的攻击，例如缺乏锌的成年人及儿童通常有更多的感冒和呼吸系统感染。

根据国立卫生研究院的科学家斯佩克特博士的研究，锌甚至可使已退化的免疫系统重新充满活力。他解释说，锌甚至有助于逆转正被损害的免疫系统功能，而这些免疫功能在60岁以后会迅速衰退。中年以后我们免疫系统的重要器官胸腺开始明显萎缩，胸腺分泌胸腺素，刺激T细胞的产生。当胸腺开始萎缩时，胸腺素的产量也明显下降。

然而意大利研究人员对老年大鼠的研究发现，每天低剂量的锌可引起它们80%的胸腺组织再生，活性激素显著升高，抗感染T细胞数目也明显增多。

当意大利国家老龄研究中心让一组65岁以上的人，每天15毫克锌摄入，结果他们血中激素水平和活化T细胞水平，升高至相当于年轻人的水平。

锌含量最丰富的是牡蛎，3盎司的生牡蛎含有63毫克锌，3盎司烟熏牡蛎含103毫克锌。

脂　肪

应少吃些脂肪。太多的脂肪，尤其错误种类的脂肪，会损害免疫功能。人类的证据表明，过多脂肪会抑制人自然杀伤细胞活性，而这些细胞在机体内巡逻，以清除那些试图聚集在一起的自由基和致癌物质。马萨诸塞大学医学院医学和流行病学赫伯特教授进行的研究中，让年轻人减少饮食中的脂肪，由 32％减少至 23％，其自然杀伤细胞活性上升48％。原来饮食中脂肪含量最高者，减少脂肪摄入后，免疫功能改善最显著。

但是免疫功能也依赖于脂肪的类型。鱼油（含 Ω-3 型脂肪酸），实际上可提高免疫力。最令人不安的是植物中的多聚不饱和脂肪，主要是 Ω-6 型脂肪酸，主要在玉米油、红花子油及葵花子油中。吃太多的这类物质可严重扰乱免疫功能，例如这些油会抑制淋巴细胞的生成，引起免疫反应部分下降。

并且 Ω-6 型植物脂肪氧化更快，生成可攻击免疫细胞的氧自由基。许多的动物研究发现，这种类型的植物脂肪可抑制免疫功能，并抗自由基活性，吃玉米油可促进动物癌症的发生。

饮　酒

喝点酒，尤其是红葡萄酒，可以无意识地提高机体对某些感染的抵抗力。存在以下原因：酒可以破坏致病微生物或使其失活。古希腊人用红葡萄酒消毒伤口，在二战中法国人用它来帮助纯化污染的自来水。19 世纪晚期在巴黎流行的霍乱中，红葡萄酒挽救了无数生命。一位法国医生注意到，饮红葡萄酒者对伤害有更强的免疫力，并建议人们将红葡萄酒与水混合饮用以起保护作用。奥地利军医进行的实验证明，用红酒或白酒，单独或与水 1∶1 混合后，在 15 分钟内可迅速杀死霍乱和伤寒杆菌。后来证实红酒可以杀死任何种类的细菌，包括沙门氏菌、葡萄球菌和大肠杆菌，这些细菌通常会引起食物中毒。虽然红葡萄酒有抗感染力是由于葡萄皮在发酵过程中形成的化合物所致，但普通酒类也能杀死许多臭虫。

法国酒学研究院的格洛耶茨教授说："在现代科学的帮助下，我们正在证明我们祖辈已经知道的事情。他们习惯于将鱼和水果浸于红葡萄酒中消毒、杀菌。"

食品药物管理局的研究人员克朗茨博士说，实际上，如果你在吃了一些感染有病菌或病毒的食品时，喝些含酒精饮料，将不易患病。他的研究表明，同时饮酒的人，在吃了感染有沙门氏菌和葡萄球菌的食品后不易发生食品中毒。并且在最近的研究中他发现，酒精几乎可消除由于食用感染的生牡蛎而引起肝炎的危险性。

由于食用感染的生牡蛎而引起 A 型肝炎暴发流行后，克朗茨博士认为，那些用一杯红葡萄酒、鸡尾酒或其他酒冲洗过牡蛎的人，在食用生牡蛎后将不会患有肝损性疾病。实际上无论食入多少被污染的牡蛎，酒可以消除 90％ 发生肝炎的危险性。克朗茨博士说，啤酒不含有足够浓度的酒精消灭病毒。他推测，酒可能以某种方式阻断肝炎病毒被吸收入血，或在到达小肠前机体就通过酒精杀死了致病微生物。

注意，克朗茨博士强调，即使同时饮酒，同时食用生牡蛎也是不安全的，因为酒精并不能杀死生牡蛎中许多潜在的致病微生物，只有通过烹调才能将之杀死。

提高免疫力的饮食方法

- 首先可以肯定的是，建立抗感染、抗癌症免疫防线的最佳饮食，就是多吃些水果与蔬菜，尤其是大蒜和富含 β-胡萝卜素与维生素 C 的食物。

- 少吃些肉，尤其是富含脂肪的肉，更应该尽量少吃或不吃。

- 限制食用玉米油、红花子油和葵花子油，以减少 Ω-6 型脂肪酸的摄入。

- 多吃些海产品，尤其是含脂肪较多的鱼类、水生贝壳类及含锌较多的其他食物。

- 经常性多喝些酸牛奶、酸奶酪。

- 尽量少吃糖，有许多证据表明，糖可降低机体的免疫功能。

饮食与伤风流感、支气管炎、鼻窦疾病及干草热

有助于治疗或减轻以上疾病的食品有：鸡汤，大蒜，辣根，辣椒，咖喱片，富含维生素C食品以及酸牛奶等食品，而牛奶则有可能会加重以上各种疾病。

令人惊奇的是，许许多多古老的食物疗法，通过医学先圣和祖辈们的努力，流传了数个世纪，当遭遇到诸如伤风流感等呼吸系统问题时，经受住了科学的考验。对此了解最多的当数加利福尼亚大学洛杉矶分校的齐曼教授，受早期医学、文学读物的影响，他认为数个世纪以来，用于治疗呼吸系统疾病的食物，有点类似于今天我们应用的药物。它们有一个共同的作用，那就是稀释肺分泌物，促进其运动，不使其停滞于呼吸道内，可经咳嗽或正常途径排出。这些食品与药物被称为"粘液活动性物质"，包括减轻鼻充血的食品与药物及化痰剂。对呼吸系统的疾病而言，起主要作用的是红辣椒和它的一些发热的刺激性食品，即使是希波克拉底也曾指出，醋和辣椒可以减轻或缓解呼吸道的感染。

辛辣食物

根据齐曼教授的研究，以下是某些食品模拟药物的机理。热红椒中的挥发性物质为开普塞辛，化学结构与药物

Guaifenesin 相类似，它是一种化痰剂，主要存在于止咳糖浆、伤风剂和化痰剂中。

一种被称为安丽印的化学物质，是大蒜之所以产生刺激性气味的原因，在体内可转为一种类似于粘液素的化学物质，粘液素是欧洲市场上一种经典的调节粘液流动的肺病治疗药物。

辣根中的主要化学活性物质为芥子家族成员，有芥子油，可刺激嗅神经末梢，引起流泪并分泌唾液。

齐曼教授说，对患有伤风、感冒或支气管炎的病人而言，许多非处方药物确实与辣椒有些类似，但是他更相信辣椒的作用。辣椒不会引起其他任何副作用，相信绝大多数的人可以忍受热辣、有刺激性食品，更关键的是能够从中受益。

毫无疑问，最佳的粘液活动性食品是热的、调料性的。他说，人们不应对此感到奇怪，从古到今治疗肺和呼吸道疾病的比较受欢迎的食品有芥子、大蒜、热辣椒等。虽然这些食品中的活性物质可通过各自不同的机制发挥作用，但他认为，它们通常会引起呼吸道粘液的流动并稀释粘液，使其易于排出。

当发热物质与口腔、喉、胃接触时，触及神经受体，传递信号至大脑，反过来激活控制呼吸道周围的分泌腺的迷走神经，使腺体持续释放液体，使眼睛流泪，鼻流水，表现就如同人在咬了一口热辣椒或芥子粉后的症状。他说，想像有许多的水性液体释放进入你的肺和支气管通道，阻止充血，鼻窦流液，并冲洗掉刺激物，这正是所有热、刺激性食品的共同药理特性。他认为热、刺激性食品适用于呼吸道分泌物较正常更浓的情况，包括鼻窦炎，感冒充血，哮喘，干草热，肺气肿和慢性支气管炎。

齐曼教授也敦促那些曾患慢性支气管炎和肺气肿的患者，要经常吃，至少每周吃 3 次这些热、刺激性食品。他说病人在这样做后，呼吸更容易，需要更少的治疗，并且他在调查中发现，食热调料性食物较多者更不易患慢性支气管炎和肺气肿，尽管这些人吸烟，而吸烟被证明是慢性支气管炎和肺气肿的主要诱因。

鸡　汤

　　为何用鸡汤治疗伤风感冒？第一位推荐用鸡汤治病的医生是 20 世纪著名的诺斯，当强大的穆斯林领导人斯内坦请求为他的儿子治疗哮喘时，这个故事便发生了。诺斯为其开了一个鸡汤的处方，并且说明不要介意鸡汤用的是老母鸡，也没有大蒜。根据齐曼教授研究，鸡汤仍有许多用途，因为它有许多治疗作用。齐曼教授说："鸡汤像其他的蛋白食品一样，含有一种天然氨基酸——半胱氨酸，在做汤时会释放出来进入汤中。半胱氨酸与称为乙酰半胱氨酸的药物的化学结构极其相似，医生经常为支气管炎和呼吸道感染患者开此种药物。"实际上，乙酰半胱氨酸来源于鸡毛和鸡皮。在药理学上，乙酰半胱氨酸类似于其他粘液动力性物质，稀释肺中粘液，使其易于排出。

　　迈阿密沿岸的西乃山医学中心的肺病专家萨克诺博士同意以下观点：鸡汤中含有一种芳香类物质，有助于清洁呼吸道。他于 1978 年在著名医学杂志《Chest》上发表了有名的关于鸡汤的研究论文。他让 15 名健康男女饮用热鸡汤或热水或凉水，然后分别于 5 分钟、30 分钟测量粘液和气体通过受试者鼻腔的速率。

　　令他惊奇的是，鸡汤在抗充血方面优于热水与凉水，并且即使是鸡汤蒸汽也优于热水。他甚至认为鸡汤也有助于清除鼻子的伤风症状。如果鸡汤是热的，并有蒸汽挥发，那么它将更迅速更有效地清洁呼吸道。

为获得有抗充血功能的鸡汤，齐曼教授建议加入一些大蒜、洋葱、辣椒及咖喱粉之类的调料。他将这种汤称为世上最好的伤风治疗物。为避免或战胜伤风、感冒，他建议最好是每天一碗加入以上调料的鸡汤，但应注意啜饮鸡汤要比喝鸡汤更为有效，因为鸡汤的治疗效果可以持续半个小时，因此就需要持续而缓慢摄入鸡汤的药物性成分。

大蒜与洋葱

当你感到咽喉有些疼时，应吃些大蒜或洋葱来驱除伤风、感冒。犹他州布瑞格罕穆大学普罗沃分校微生物系主任詹姆斯说，如果你在很早（未感冒）就这样做的话，就可能根本不会感冒。他证实，如民间传说一样，这两种食品可杀死伤风、感冒病毒。例如他发现大蒜提取物几乎可以杀死100％的导致伤风的鼻病毒和流感、呼吸道病毒——副感冒病毒。长期以来，大蒜在世界各地就被广泛用作治疗伤风的药物。大蒜在俄罗斯非常普遍，以至于俄罗斯人认为大蒜是俄罗斯的"青霉素"，据报道俄罗斯曾经进口了 500 吨大蒜来治疗流感。

毫无疑问的是，数百次实验均显示大蒜有较强的抗细菌、抗病毒活性。

韦尔博士说："我发现治疗伤风的最佳家庭疗法是在开始时吃几片大蒜，将大蒜切成条，像吃药丸一样吃下去。如果有肠胃气胀，那么就少吃一些。对于那些有慢性或重复感染的病人或频繁的酵母菌感染者或对感染抵抗力低的人，应该每天吃一至二瓣大蒜。"

乔治·华盛顿说，如果他患了感冒，他总是在晚上睡觉前吃一些热的洋葱。

液　体

如果你患有感冒或伤风，那么医生会告诉你多喝点液体。一个较好的理由就是：当你鼻子不通时，会通过口腔呼吸，呼吸道粘膜会有些脱水。在这种干燥的环境中病毒生长更加旺盛，保持呼吸道湿润将抑制病毒生长，热的液体要比凉的更为有效，因为就其本身而言，热量也可抑制病毒的生长。正如萨克诺博士及其他学者所发现的，热水挥发的蒸汽在一定程度上也可抑制充血。每天应该饮用 6 杯～8 杯清亮的液体饮料，包括水，但不包括牛奶。

牛　奶

"感冒时不要喝牛奶"是一个普遍的建议。牛奶注定会产生粘液，让你的呼吸道感觉更加不畅通。专家说实际上情形并不如此。但当你鼻充血时仍应避开牛奶及其制品。

下面所列之事均为事实：澳大利亚奥德莱得大学的研究人员最近推翻了关于牛奶会促进粘液产生的传言。作为测试，他们用感冒病毒感染了 60 例健康成年人，然后收集其鼻腔分泌物进行比较。许多个体不喝牛奶，其他个体每人喝11 杯牛奶，大约有 1/3 的人说感冒时不喝牛奶主要是由于牛奶会引起痰和粘液。

但是研究人员未发现牛奶饮用者会产生更多的鼻腔分泌物，研究人员推测即使在肺和鼻腔中，实际上并没有很多粘液，但由于牛奶的比较粘的特性会使其感到喉咙更为阻塞，并充满粘液。

尽管如此，齐曼教授说牛奶仍会加重其充血症状，但原因却不是牛奶会产生粘液。他说牛奶具有与热调料食品相反的作用，热性物质可以刺激分泌，稀释呼吸道粘液，减轻充血。但牛奶却使口腔和胃中的感觉受体麻木，抑制水性物质的分泌，缓解充血。这就解释了当你吃了太多的热辣椒后，可以用牛奶作为口腔烧灼感的消除剂。齐曼教授说，看来牛奶可以减缓由热调料食品引发的同一种分泌性反射，他认为如果你有充血症状，应尽量避免喝牛奶。

如果你有鼻窦异常，那么安德博士认为比较明智的是尽量不要饮用牛奶，也不要食用牛奶制品。安德博士任教于亚利桑那大学医学院，他发现大多数有鼻窦疾病的患者，在停止食用牛奶及其制品后 2 个月症状有明显改善。

茶 与 酒

传说中感冒的疗法多种多样，以下是 4 种经过科学考察的方法：

- 俄罗斯辣根饮料酒：一杯热水，加上一汤匙磨碎的新鲜辣根，一汤匙蜂蜜，一汤匙磨碎的丁香，并搅拌。这是齐曼教授提供的一个配方，他说这是古老的俄罗斯人治疗咽喉疼痛的食物配方。要慢慢饮用，并且不断搅拌，因为辣根易于沉淀，或者用这种饮料酒来漱喉咙，在各种情况下它均可减轻并有助于治疗咽喉疼痛。

- 甘草根茶：甘草有麻醉作用，可减轻咽喉刺激症状，抑制咳嗽。但要注意适量应用甘草，因为甘草可以升高血压。

- 鼠尾草漱喉液：德国医生通常推荐用热鼠尾草漱喉液来治疗咽喉痛和扁桃体炎症。卡斯尔曼博士认为鼠尾草的治疗作用源于其含有的具有收缩作用的鞣酸。他提醒说，在每杯开水中放入 1 汤匙～2 汤匙干鼠尾草叶，浸泡 10 分钟，并警告不要将鼠尾草的治疗剂量应用于 2 岁以下的婴儿。
- 洋葱咳嗽糖浆：尼尔与约瑟夫在他们的著作《自然医学百科全书》中建议如下：

  在一双层锅内放入 6 个切成片的洋葱及半杯蜂蜜，用小火慢煮 2 小时，并过滤；不断地加热，停火，并保持温热，这样即可获得洋葱咳嗽糖浆。

杜克博士的喉炎治疗法

你有喉炎时难受吗？它是咽喉的一种炎症，并伴有干燥、咳嗽及喉咙疼痛。杜克博士是美国农业部的医用植物专家，他认为许多食品含有对喉炎有治疗作用的化合物。

杜克博士说："如果我患有喉炎，我将喝些菠萝汁，并加点生姜，肉豆蔻果仁，迷迭香和留兰香，放点甘草作为甜化剂。"他说所有这些都是经过科学验证后的民间食品，你也可以加点有治疗作用的麝香草和小豆蔻。如果你有高血压，那么就不要加甘草。

饮食与干草热、伤风

在花粉季节及寒冷季节来临前 3 个月应开始多吃些酸牛奶，可以增强免疫力，降低对花粉和寒冷的敏感程度。加利福尼亚大学戴维斯分校的免疫学专家哈尔彭博士对 120 个年青人及老年人进行了长达 1 年的对照研究后，发现每天食用 3/4 杯酸牛奶可显著减少食用者发生干草热的次数，尤其是与草类花粉有关的干草热。食用酸牛奶者所患的干草热及过敏症的症状也显著减轻，并且食用酸牛奶者每年患感冒的次数也比不食用酸牛奶的人减少 25%。

有活性培养物的酸牛奶可刺激机体产生 γ-干扰素，抵抗感染和过敏反应，提高机体免疫功能。γ-干扰素越多，过敏反应的主要物质 ZgE 就越少。在以前的研究中，哈尔彭博士发现那些每天食用 2 杯含有活性培养物的酸牛奶者，其 γ-干扰素产量增加了 5 倍，因此虽然每天食用 3/4 杯酸牛奶，也比较有益，但哈尔彭博士说，如果你每天食用 1.5 杯～2 杯酸牛奶，那么你可获得更多更大的对干草热和伤风的预防保护作用。你应该在花粉季节和寒冷季节来临前 3 个月开始食用酸牛奶，因为只有经过较长时间，机体的免疫系统才会产生足量的 γ-干扰素，并且酸牛奶必须包含活性培养物才能有效。在他的测试中，已杀死细菌培养物的酸牛奶不会发挥作用。

此外，吃洋葱也有助于促进干草热的恢复，洋葱中槲皮酮的含量极高，而许多人认为槲皮酮可消除过敏反应。

维生素 C

如果你患有慢性支气管炎，那么应在饮食中大量加入一些含维生素 C 丰富的食品。美国环境保护机构的施纳茨博士认为，这类食品有助于保护肺免受损害并防止发生支气管炎。实际上，慢性阻塞性支气管炎，习惯上称为"吸烟者疾病"，常有呼吸道发炎，膨胀，充满粘液，并抑制呼吸功能，这可能部分归因于缺乏具有保护性作用的维生素 C。

施纳茨博士最近通过对 900 名成年人进行的研究，支持以上结论。他发现每天摄入食品中含有 300 毫克维生素 C 的个体，慢性支气管炎患病率只相当于每天摄入 100 毫克维生素个体的 70％，这种差异表现于每天 1 个甜瓜或 2 杯 8 盎司的橘汁。

吸烟者如果长期吸烟，那么他认为他们患慢性阻塞性支气管炎的几率较大，并且高维生素 C 饮食对他们举足轻重。大量研究证实，吸烟者体内血液中维生素 C 水平极低，主要是由于维生素 C 在体内为消除吸烟过程中产生的有毒氧化性物质而被消耗，从而降低了自身水平及含量。实际上吸烟者要想获得相当于非吸烟者的维生素 C 含量必须花费更长的时间，大约是非吸烟所需时间的 3.5 倍。

施纳茨博士推测，维生素 C 只可能是一个不完全的解释，是部分原因。部分性地解释了为什么 10％～15％的吸烟者有慢性阻塞性肺病，但其他吸烟者为什么没有此病？也许那些幸运儿是由于从水果和蔬菜中摄入了更多的维生素 C，从而削弱了吸烟的危害作用，抑制了肺病的发生。他及其他专家相信，这些抗氧化剂，在保护肺组织免受导致慢性阻塞性支气管炎和肺气肿的致病因素的损害方面，起着至关重要的作用。

施纳茨博士说，高盐饮食易于引起呼吸道疾病，包括肺气肿，原因可能如下：太多的钠摄入会使钠钾比例失调，并通过呼吸道或神经系统引发异常反应，导致炎症和肺损害。

其他抗感冒食品有：生姜，可以破坏流感病毒；日本蘑菇中被称为 lentinan 的物质，根据日本的测试研究，证明它比处方抗病毒药物，更能有效地抑制流感病毒；槲皮酮，主要含于洋葱中，有抗细菌、抗病毒活性。

饮食与哮喘

有助于缓解哮喘病的食物：洋葱，大蒜，鱼油，辣椒，富含维生素C的水果及蔬菜，咖啡。

可加重哮喘的食品：动物性食品，食物过敏剂，包括坚果、鸡蛋、可乐等。

食物可以防治哮喘的观念由来已久。在公元前16世纪中叶，古埃及的医学教科书中就认为无花果，葡萄，乳香，小茴香，杜松子，葡萄酒和甜啤酒可防治哮喘病。早期的中医比较推荐茶的治疗作用，而著名的抗哮喘治疗药物茶碱就是于1888年从茶叶中提取出来的。古希腊和罗马的医生提倡用刺激性食品如大蒜，辣椒，肉桂和醋来治疗哮喘。中世纪著名哲学家、医生诺斯写了一本书《哮喘的治疗》，在书中他推荐用淡水鱼、茴香、欧芹、用威士忌加糖与碎冰及薄荷调制的饮料、水田芥叶、胡芦巴、小胡萝卜、无花果、榅桲、葡萄干、葡萄酒及大麦粥来治疗哮喘。在这些古代疗法中，今天仍然存在科学意义的是有刺激性的食品，水果，蔬菜和鱼类。

食物影响哮喘的四种方式

虽然哮喘的发病机理依旧错综复杂，依旧显得很神秘，但是基于对哮喘病因的最新理解，关于食物影响哮喘的机理又比以前清晰了许多。顺便提一下，美国哮喘病患者人数已达到前所未有的高峰，从 1980 年至 1990 年上升了 50%，总数达到 1000 万例，死亡人数也增加了一倍。

哮喘病，主要表现为反复不断的气喘、咳嗽，并伴有较轻微的或者可危及生命的呼吸短促。在这些症状中，肺中的小通气道突然充满粘液和其他分泌物；若不及时清除掉，则会危及生命，导致窒息。现在专家们知道，哮喘病潜在的长期病因，为支气管壁和鼻腔粘膜的慢性炎症和增厚，引起肌肉痉挛，气道收缩及随之而来的呼吸困难，因此，新的治疗方法首先应治疗长期存在的炎症反应。

洋　葱

最重要的事情就是经常吃些洋葱。洋葱中至少含有三种天然抗炎药物，可从根本上治疗哮喘。该领域的著名研究人员，德国麦茵的古腾堡大学多尔克博士发现无论在洋葱汁还是特殊的洋葱复合物中，都有较强的抗炎活性。在一相似的实验中，洋葱中的一种化合物二苯基硫化亚磺酸盐，表现出比普通抗炎药物更强的抗炎活性。他也发现，洋葱有直接抗哮喘效果。在实验中让豚鼠吸入组胺，组胺可以引起哮喘，发现动物对组胺的反应上升了 300%，但当他用洋葱提取物饲养动物时，它们对组胺的反应下降了，患哮喘的可能性也下降了。

洋葱对人也有相似的作用。受试者在接受刺激以前，喝些洋葱汁，结果他们支气管哮喘发生率下降了 50%。多尔克博士将洋葱中的硫化亚磺酸盐视为主要的抗炎活性物质。然而另一种强有力的抗炎物质槲皮酮，在洋葱中含量是最丰富的，槲皮酮可以缓解包括干草热在内的过敏症。抗氧化剂槲皮酮可以稳定能释放组胺的细胞膜，实际上槲皮酮的化学结构与另一种抑制组胺释放的抗过敏药物克罗莫林相似。

阿尔巴尼纽约大学的布洛克博士在洋葱中发现了一种物质，他称之为"奇特的硫化合物"，该物质在试验中有助于防止发生一系列生化改变而导致哮喘和炎症反应。

洋葱具有抗哮喘活性的另一种可能解释是，根据《美国医学会杂志》报道，某些哮喘可能起源于因肺炎表原体所致的细菌感染。在破坏细菌方面，洋葱具有较为猛烈的作用。

鱼　油

多食用含脂的鱼类是绝对正确的，鱼油可以作为治疗哮喘的长期性安全药物。作为一种已得到公认的抗炎物质，鱼油有助于治愈气道炎症，促进呼吸道上皮的再生，恢复为较轻松的呼吸。实际上在测试中，英国的研究人员让哮喘患者摄入大剂量鱼油，这相对于每天食入 8 盎司的鲭鱼而言的。连续服用 10 周。他们发现鱼油可以使炎症引发介质——白三烯的产生降低 50％。这些白三烯在刺激支气管收缩方面比组胺的作用要强 1,000 倍之多。

研究人员推测，该测试时间太短而来不及发现哮喘患者呼吸功能的改善，应该通过更长时间来观察鱼油对肿胀呼吸道的治疗作用。然而他们认为，经常食用富含抗炎性 Ω-3 型脂肪酸的鱼类如鲑鱼、鲭鱼、沙丁鱼及金枪鱼，可以防止非哮喘患者发生哮喘，并有助于治疗已患的哮喘，它主要是通过持续抑制呼吸道的炎症反应来实现的。如爱斯基摩人一贯食用海产品，很少患有哮喘。环境保护机构的施瓦茨博士最近进行研究发现，美国的食鱼者不易患哮喘和其他呼吸系统疾病。

许多研究发现，食用鱼油后哮喘会立即得到缓解。在伦敦的一家医院，食用鱼油的哮喘病患者不易发生晚期哮喘病中常见的呼吸困难，而这种状态在呼吸系统疾病初发后可延迟2个小时~7个小时。

法国巴黎的研究人员在最近的双盲性研究中发现，许多哮喘病人用鱼油替代疗法治疗，9个月后状况明显改善。

同时还应注意的是，研究还发现，对于那些对阿司匹林过敏的哮喘患者，鱼油可以加重其呼吸道堵塞和呼吸困难。

水果与蔬菜

如果你想更好地呼吸，那么多吃些富含维生素C的水果和蔬菜是比较有益的。施瓦茨博士说，它们可消除炎症反应，控制哮喘。他对9,000名成年人的饮食进行研究，发现那些食用富含维生素C的食品且血中维生素C水平高的美国人，更不容易发生哮喘、支气管炎等呼吸系统疾病。

具体而言，每天食用至少含300毫克维生素C的食品，可以将哮喘性气喘和支气管炎的患病率降低30%。300毫克维生素C相当于每天3杯8盎司的橘汁或3杯烹调好的花椰菜，大多数美国人仅仅摄入相当于此量1/4的维生素C。

那么如何解释维生素C的抗哮喘作用呢？施瓦茨博士提出了许多种可能性，包括维生素C的抗氧化活性可以中和能引发炎症的氧自由基，维生素C也可加速组胺的代谢，影响与呼吸痉挛有关的平滑肌。此外，维生素C也能影响前列腺素，而前列腺素有助于控制炎症。在其他实验中，大剂量维生素C，约500毫克~1,000毫克，每日可缓解支气管的痉挛，阻止哮喘发作，改善呼吸系统功能。

肉　食

水果与蔬菜的抗哮喘能力可能要比单纯的维生素 C 要复杂得多，有证据表明，全部食用蔬菜，放弃动物性食品，有助于缓解哮喘。对 25 例患者研究发现，在病人日常饮食中去掉肉类和牛奶类制品后 4 个月，71％的病人症状明显改善，1 年以后 92％的病人有明显改善，这意味着在饮食中没有肉、鱼、蛋及奶类制品。为何会出现上述情形呢？医生说可能是由于饮食中祛除了潜在的可引起哮喘的过敏性介质，不排除存在以下可能：炎症反应的主要引发物质是白三烯，而白三烯来源于花生四烯酸，花生四烯酸主要存在于动物性食品中。

胡　椒

食用热、刺激性食品可使哮喘得到立即缓解。辣椒、芥子油、大蒜、洋葱均可使哮喘患者的呼吸道扩张，而使呼吸变得更为容易。美国加利福尼亚大学洛杉矶分校的肺病专家齐曼教授解释说，这些食品有粘液动力性，可以稀释那些可能堵塞小的呼吸通道而使呼吸困难的粘稠液体。

齐曼教授确信，这种刺激性食品发挥作用的方式是刺激消化道内神经末梢，引起口腔内、喉咙和肺内水性液体的分泌。这些分泌物有助于稀释粘液，从而不会阻塞呼吸道，并通过正常呼吸排出粘液。

此外，调料性食品仍有其他抗哮喘活性。已经发现辣椒中的热物质开普塞辛有抗炎活性，吸入后可作为支气管扩张剂作用于较强的哮喘病患者。洋葱与大蒜也有抗炎活性。

咖啡、茶

为扩张支气管，试着喝点咖啡。在 19 世纪，咖啡因是一种主要的抗哮喘药物，但在 20 世纪 20 年代却由茶碱所替代，现在茶碱仍旧为极普遍的处方用药。然而证据表明，咖啡因有助于预防、治疗哮喘病。例如饮用咖啡者较少发生哮喘。对 15 岁以上的 72,284 例意大利人进行研究发现，经常性长期饮用咖啡，由于咖啡因的作用，既降低了支气管哮喘发作的强度又防止了哮喘的发作。对于那些每天一杯咖啡的经常性饮咖啡者，发病率下降 23%；每天 3 杯咖啡或更多，发病率下降 28%。但是每天饮用 3 杯以上的咖啡并不会有明显的效果增强现象。医生说，3 杯咖啡中的咖啡因与标准剂量的茶碱有同样的支气管扩张作用。

与之类似的是，哈佛大学的研究人员韦斯博士最近提议经常饮用咖啡可使美国哮喘患者减少 200 万例，他分析了 2,000 名美国居民的卫生资料，发现经常饮咖啡者哮喘病症状比非饮用者少 1/3，饮咖啡者尤其不易发生气喘，支气管炎和过敏反应。虽然每天 1 杯茶也有些作用，但是每天 3 杯茶的效果要比每天 2 杯茶好得多。他认为，咖啡和茶是已知最古老的支气管扩张剂，可扩张呼吸道使呼吸变得相对容易一些。一项研究认为，咖啡因相当同量药物氨茶碱 40% 的作用。理论上，咖啡因在体内可降解为其他化合物，尤其是茶碱，可以缓解支气管周围的平滑肌。

根据曼尼吐巴大学研究人员的研究结果，作为应急疗法，对于治疗哮喘的突然发作，两杯浓黑咖啡与氨茶碱同样有效。

可　乐

某些食品可以诱发尤其是儿童哮喘的突然急性发作，这些普通的过敏食物有鸡蛋、鱼、坚果与巧克力，甚至包括可乐。伦敦某医院的研究人员发现，可乐也能使年轻人发生哮喘。10名儿童，从7岁至17岁，饮用可乐后都说有明显气喘、咳嗽，且这些症状持续时间长短不等，从1小时到数天。为查明是否有身体方面的原因，研究人员让这些年轻人喝一次可乐，而其他时间则喝苏打水或普通水，然后分别测量他们的呼吸功能。但可以相信，虽然这10名儿童呼吸道功能无明显改变，但是其中9名儿童确实表明在饮用可乐后30分钟内，呼吸道对组胺的敏感性升高了。

研究人员对可乐引起的气喘和咳嗽予以严厉的谴责，他们说："我们相信这是人类第一次证明可乐能引起哮喘。"

我们应该了解食物可引起迟发性哮喘。由食物引发的哮喘通常在食后数分钟或1小时左右发作，但是某些哮喘反应需要1天或更长时间才能出现。荷兰研究人员对118例哮喘病患者进行研究发现，某些食物引发的哮喘是迟发性的，在食入32小时～38小时后发作，并持续48小时～56小时。避免这类食品6个月至1年后，哮喘病患者发病率降低了93％。

牛　奶

牛奶是值得怀疑的，它是哮喘的另一普遍存在的罪魁祸首。食用不含牛奶的饮食可以显著改善许多哮喘病患者的病状。尽管儿童对牛奶所致的哮喘最敏感，但是它也可发生于成年人。

一名29岁男子突然每周发生2次～3次支气管痉挛，每次痉挛持续1小时～2小时，每天早饭后他就开始干咳，透不过气来。他的哮喘发作如此严重，以至于有两次不得不被送至医院急诊室进行抢救。有一天他喝了一杯凉牛奶，20分钟后他发现自己躺在了医院急诊室的床上，并伴有严重的支气管痉挛和全身性荨麻疹，用药物治疗后1小时他又慢慢恢复正常。

结果发现牛奶是罪魁祸首。在被要求再饮用1/4杯牛奶后，他的支气管痉挛又发作了。给予干的酪蛋白（从牛奶中提取的）后20分钟，又发生了气喘和腹痛。医生说，没有任何警告性信息出现，可以表明会发生这种突然、急性的过敏症。这名病人无其他食物过敏史，一旦病人的饮食中祛除牛奶后，他的支气管哮喘就从未再发生过。

味　精

应切实注意味精，对味精敏感的人，食用后会有头痛，沿颈部背面的烧灼感，胸痛，呕吐，冒汗。然后味精也能引起哮喘，但这种联系不易被发现，因食味精后哮喘不会立即发作，可以在6小时～12小时后才发作。这种情况是澳大利亚的研究人员在对32名哮喘病患者进行实验时发现的，当时许多人患有味精性哮喘。

连续5天服用不含添加剂的食品后，受试者被给予不同剂量的味精，超过40%的个体有哮喘反应。在食用味精后1小时～2小时，7个人发生了哮喘，伴有"中国饮食综合征"，另外6个人直到6小时～12小时后才出现哮喘症状。研究人员说，研究证实味精可以引发哮喘，并且剂量越大，哮喘发作的可能性就越大。味精对于某些人而言是危险的。

抗哮喘饮食策略

多吃些抗炎物质，可有助于防止或缓解呼吸道表面的炎症反应。这些食品可防止新的损伤，治愈呼吸道损伤，恢复正常呼吸。在日常饮食中可试用以下食品：洋葱，大蒜，含脂鱼类，水果和蔬菜，尤其是富含抗氧化剂维生素 C 的蔬菜与水果。

避免食用植物油，如玉米油，红花子油和葵花子油，这些油类都含有大量的 Ω-6 脂肪酸。这些均会促进炎症反应，抑制或抵消抗炎食品，尤其是鱼油的作用。

限制或避免食用肉和动物脂肪，因为这些食品也可促进炎症反应。

多吃些辣椒或调料性食品，这既可预防又可缓解哮喘的发作，清除呼吸道的阻塞物质而使呼吸变得极为容易。

在应急情况下可用咖啡来缓解哮喘，如果咖啡不引起副作用，你也可以试着每天喝 1 杯～3 杯咖啡来预防哮喘病。

尽量避免食用那些使呼吸困难或引发哮喘的食品。

饮食与膀胱感染

有助于预防或缓解膀胱感染的食品主要有酸果蔓，乌饭树浆果及许多饮料；可加重感染的食品有咖啡因与巧克力。

除感冒外，膀胱感染是最令妇女头痛的问题。你有可能会经常有小便的冲动，伴有烧灼感和疼痛，并且小便时在尿中有时会有血。这种尿道感染或膀胱感染，习惯上被称为膀胱炎，通常由进入上尿道、尿道和膀胱的大肠杆菌所致。如果膀胱受到刺激，那么膀胱可能有膀胱炎而无感染。男性也有膀胱炎，但比较少见。

酸果蔓和乌饭树浆果

饮用酸果蔓汁可以防止反复发作的膀胱感染。它经历了数个世纪的检验，多年来医生们认为酸果蔓可通过产生酸性尿液来杀死引发感染的大肠杆菌。但是新的研究揭示，酸果蔓有独特的抗菌机理。酸果蔓与乌饭树浆果都含有一种独特的化合物可阻止感染的细菌粘附到尿道和膀胱壁上皮细胞，大肠杆菌通常存在于肠道中，缓慢进入尿道，用细小的毛刷样附属物锚定于膀胱细胞之上，并迅速感染扩散。但是酸果蔓中的化合物会将细菌锚定部分的着陆段扭曲，经尿液冲刷掉，大肠杆菌试图建立感染阵地的尝试被打消了。

俄亥俄州立大学微生物学索博特教授于 1984 年首先发现了酸果蔓的作用机理。1991 年以色列魏茨曼科学研究院的研究人员在《新英格兰医学杂志》上发表文章，声称他们发现至少有两种化合物存在于酸果蔓和乌饭树浆果中，可使大肠杆菌粘附于尿道壁细胞的分子失活。以色列科学家测试了几种汁液，包括柚子汁、芒果汁、番石榴汁、橘汁和菠萝汁。只有酸果蔓汁与乌饭树浆果汁含有有效的化合物，可有力灭活感染细菌的粘附能力，科学家认为这两种浆果是独一无二的,,乌饭树浆果与酸果蔓属于同一灌木属。

那么多少酸果蔓果汁才会发挥有效的作用呢？研究显示每天半杯至 2 杯都可以。塔夫剌大学医学院的帕普斯博士于 1966 年进行的一个经典的被广泛引用的研究发现，每天 16 盎司酸果蔓果汁，连续 3 周，在 60 名病人中，73％的人可预防感染的发生。当他们停止饮用酸果蔓果汁时，在 6 个星期内高达半数的患者其感染复发。根据 1991 年的研究，即使每天饮用 4 盎司～6 盎司的酸果蔓果汁鸡尾酒（含 30％酸果蔓果汁），连续饮用 7 周，可使 28 名老年男性和 2/3 的女性防止发生尿道感染。

那么酸果蔓果汁发挥作用的机制如何呢？许多医生认为酸果蔓果汁不是一种好的治疗药物，因为它可引发高酸性尿液刺激膀胱，使某些患者症状恶化，但这种担心是站不住脚的。长期以来医学上假定认为食酸果蔓会使尿液变酸，足以破坏或抑制细菌，但这可能是不对的。休斯敦贝勒医学院泌尿科格雷罗教授说，酸果蔓的酸性作用很温和，不可能对膀胱造成损害或产生刺激。费城药物科学研究院的纳迪斯博士说，在尿液变酸以前，人必须每天饮用 6 杯或更多的酸果蔓果汁方可。因此与普遍流行的医学观点相反，酸果蔓果汁不会使尿液变得酸得足以杀死细菌，或对膀胱产生刺激，或成为酸果蔓果汁阻止感染的主要机制。

液体疗法

多喝些饮料，包括水，可以预防、治疗膀胱感染。液体可以稀释尿液中细菌的浓度，引起频繁排尿，祛除尿液中细菌。由于大肠杆菌繁殖迅速，因此尿液在膀胱中潴留时间越长，含有的细菌数就越多，疼痛就越厉害。烧灼感和其他症状也更严重。所有类型的液体都可促进尿液生成，冲掉细菌。因此酸果蔓果汁有双重作用，既可冲洗掉细菌，又能同时使细菌不能粘附于尿道或膀胱壁上。

咖啡因和巧克力

在膀胱感染的过程中，尿道组织明显肿胀，因此某些具有刺激性的食物会使感染症状进一步加重。根据格雷罗教授的研究，最主要的刺激剂就是咖啡因，他建议如果你有膀胱感染应尽量避免食用咖啡因和巧克力。

下面是一些预防膀胱感染的建议：

- 如果你有反复发作的尿道感染，应尽量每天饮用1杯～2杯酸果蔓果汁或乌饭树浆果果汁鸡尾酒，如果感染菌群为普通的大肠杆菌，则可能会抑制感染。
- 尽量多吃些乌饭树浆果，因为它含有细菌粘附阻断剂，防止细菌粘附于膀胱壁及尿道壁细胞上。
- 多喝些液体，包括水，至少每天两夸脱。
- 在感染的活动期间不要喝咖啡或吃巧克力，因为它们对感染组织有刺激作用。比较重要的是酸果蔓果汁有利于防止尿道的反复感染，但不能单纯依赖于这些果汁去治疗感染，必要的处方药物如抗生素最好还是采用，以尽快消除膀胱感染。

饥饿饮食与疱疹病毒

如果你对疱疹病毒比较敏感，那么有3种食品是最为有害的：巧克力、坚果和动物胶，要尽量避免食用这3种食品。

在感冒发烧时你嘴边有疱疹吗？有带状疱疹吗？有 EB 病毒引发的感染性单核细胞增多症吗？如果有，那么你就会像其他3千万美国人一样，要受疱疹病毒的折磨，但通过饮食你可以控制其发作。虽然疱疹病毒在我们90%的个体中都处于休眠状态，但饮食可能会决定该病毒是否可被激活而引发疱疹。印第安那大学医学院感染性疾病专家，医学院格里菲思荣誉教授认为，你食入的食物分子最终进入机体细胞内，在细胞内你供给疱疹病毒的是充足的养料还是稀少的剩余物，将决定病毒是否被激活。如果你用充足的适宜的养料供给病毒，那么病毒生长会十分猖獗，身体会产生疱疹，包括生殖器疱疹和其他症状。另一方面如果你使病毒处于饥饿状态，处于抑制状态，那么疱疹病毒就不会被激活，不会引发疾病。

在对疱疹病毒的研究过程中，发现食物成分既可刺激其生长又可抑制其扩散。格里菲思教授说，在本世纪50年代，发现食物中的氨基酸可以抑制或刺激疱疹病毒的生长。在含有疱疹病毒的细胞培养物中加入精氨酸可使其疯狂生长；相反加入赖氨酸则可阻止病毒的生长及其在细胞内的扩散。其中有一个理论认为，赖氨酸在细胞周围形成保护性包被，阻止病毒进入、破坏细胞。如果以上情况属实，那么用含精氨酸少而赖氨酸较多的饮食来治疗疱疹不是很好吗？

这就是格里菲思教授所考虑的，也是这样想的。因此多年以来，他一直告诫疱疹患者应给病毒以饥饿饮食——高赖氨酸低精氨酸的食品。他说，关键的是你身体细胞内这两种氨基酸的相对含量，两种氨基酸之间的平衡与否决定了该病毒在机体细胞内是否发作并引起疾病。因此就应该多摄入赖氨酸，少摄入精氨酸，以保证病毒处于不活跃状态。

为了弄清楚精氨酸使疱疹病毒活跃的机理，格里菲思教授给予病人以高剂量精氨酸，每次500毫克，每天4次，并且限制他们对赖氨酸的摄入。结果5个病人中的3个迅速暴发了严重疱疹，以至于不得不停止研究。一名受试者平时只在嘴唇部有疱疹，现在眼睛下面也有疱疹。一名小女孩在整个嘴部也发生了疱疹。疱疹的严重发作仅仅在摄入精氨酸过夜以后。

那么在研究中需要摄入多少食品才相当于摄入的精氨酸量呢？仅仅需要2盎司花生米或巧克力即可。

同时，食用足量的富含赖氨酸的食品有助于逆转高精氨酸饮食的作用。富含赖氨酸的食品有牛奶、大豆、肉类包括牛肉和猪肉，因为赖氨酸经常被添加于动物饲料中，因此肉中赖氨酸含量较丰富。格里菲思教授说，他已经注意到疱疹病人不太喜欢喝牛奶，并且小孩在断奶、不再食用富含赖氨酸的牛奶后就会马上出现疱疹感染。

那些易于引起疱疹的食物，并不在于其量的多少，而是在于其中赖氨酸与精氨酸的比例问题。下面所列食品中精氨酸与赖氨酸比例均比较高，因此有刺激疱疹病毒生长的趋势。

应绝对避免的食品有杏仁，三角形胡桃，榎如树果，榛子，花生米，山核桃，核桃，巧克力，动物胶等。应该限量的食品有椰子果，大麦，玉米，燕麦，小麦包括麦麸，麦芽和面筋，意大利干面食与芽甘蓝等。

也许会有人认为，虽然我吃了不少坚果，但是我并没患疱疹。这是由于食用高精氨酸食品后并不是每个人都会得疱疹，也并不是停止食用高精氨酸食物后每个人的疱疹都会得到抑制。许多人可以吃所有的各种坚果而不患疱疹，为什么？格里菲思教授说，这就好像是食入氯化钠后并不是每个人的血压都升高的情况，因为这是一种高度个体化的事情。

格里菲思教授说，你可以用低精氨酸高赖氨酸饮食来预防和治疗疱疹。他说："如果你患有疱疹，那么最为恶劣的一件事情就是食用富含精氨酸的食物，这样做只会促进疱疹病毒生长，加重病情。"但并不是所有专家都同意格里菲思教授的意见，他们认为饮食中没有任何危险性，倒是那些有潜在的危险副作用的广谱药物或治疗作用较少的药物可能会加重病情。

那么如何区分食物是否会引发疱疹呢？

格里菲思教授说，如果食物含有大量精氨酸，如坚果、巧克力和动物胶，将会引起疱疹的突然发作。他坚持认为，如果你吃了以上食品，那么应观察自己，在一夜之后你就可以确定这些食品是不是引发疱疹的食物。一些人吃一把花生就会引起疱疹的突然发作，而其他人可能要吃很多才会发病，但小袋食品，相当3.5盎司坚果，就足可以用来进行测试。

通过祛除坚果，巧克力和动物胶从而祛除饮食中的大部分精氨酸是比较容易做到的。用巧克力包被的坚果更是一个双重的威胁。

格里菲思教授说，如果你没有发生疱疹反应，那么这些食品就可能不是原因，因此就不必要担心这些食品。而那些对食物诱发疱疹比较敏感的人应时刻牢记这些食品。他说："如果你吃坚果后一旦发生疱疹，那么以后每次吃坚果时都会发生疱疹，这种反应是始终存在的。"

尽早停止食用敏感食品，一旦疱疹病毒暴发成充分发展的水泡或疱疹，此时再用高赖氨酸、低精氨酸饮食来治疗就相当困难了。对病毒采取的措施越早，其治疗效果就越好。饮食措施对于预防疱疹的反复发作最为有效。在疱疹早期，也就是恰好在你刚感觉到刺痛及疱疹急性发作疼痛感时，饮食疗法对此的治疗效果也相当不错，此时应禁止食用富含精氨酸的食物。

花生油三明治

如果你想避免食物诱发的疱疹，千万不要忘记花生油也基本上是从花生米中提炼而来的，它富含精氨酸，也应尽量避免。在一个对生殖器官疱疹极为敏感的病人尤其与月经行经有关的病人中，花生油可引发严重的后果——极其严重痛苦的疱疹折磨。

格里菲思教授给一个女病人以低精氨酸饮食，并补充赖氨酸500毫克，每天二次。她的疱疹逐渐减轻，最后彻底消除了。这样有一年多的时间，然后又突然发作了，原因如下：她开始食用花生油三明治做午餐，提供了大量的精氨酸。祛除花生油后，疱疹又消失了。格里菲思教授说，这名病人以后不再受疱疹的困扰了，一直到现在，约有5年多了。

海　藻

治疗疱疹的另一个方法就是吃海藻。当疱疹病毒与某些可食性海藻相遇时，病毒将会皱缩，失去活力。这是由加利福尼亚大学伯克利分校海洋生物科学实验室的两位科学家研究发现的。他们将红藻家族的 8 种不同海藻的提取物与人的细胞共同放入试管中，这些人的细胞感染有单纯的疱疹病毒（Ⅰ型病毒可引起单纯性疱疹），或感染有Ⅱ型病毒（可引起生殖器官疱疹），结果发现病毒的扩散能力下降 50%。更为有意义的是，当科学家将人细胞与海藻提取物混合，然后加入疱疹病毒，2 小时后病毒完全失活，100% 阻断原病毒活性。

巧　克　力

带状疱疹是最令人痛苦的情况之一，它在老年人中比较常见。有人估计 80 岁以上老人 50% 患有带状疱疹。格里菲思博士解释说，原来存在于老年人体内的疱疹病毒，由于老年人的免疫抵抗力随年龄增长而逐渐降低，从而使病毒逐渐由抑制状态转为兴奋，引起带状疱疹。病毒进入神经细胞，引起皮肤水泡，疼痛，即使治愈以后，5% 的病人由于所谓的病毒后神经痛而使疼痛仍旧存在。

带状疱疹是一种比较严重的情形，需要引起医学上充分的重视。然而作为预防措施，格里菲思博士建议尽量避免食用那些富含精氨酸的食物。曾经有一位老年病人用一大块巧克力作为桌面装饰，然而有一天她吃掉了巧克力的一大半，结果她第二天就发生了带状疱疹。如果你有病毒后神经痛，那么格里菲思教授推荐服用 2 粒 500 毫克的赖氨酸胶囊，每天 3 次～4 次，观察是否有效。

那么如何预防、治疗单纯性疱疹、口腔溃疡疼痛、生殖器疱疹、带状疱疹和 EB 病毒呢？

如果你正被疱疹所困扰，那么应绝对禁止食用高精氨酸含量的坚果、巧克力和动物胶。当你疱疹发作或感觉刚开始有疱疹时，立即停止摄入富含精氨酸的食品。格里菲思教授说，采取措施越早，见效就越快、越好。这些措施对身体不会有害，并且你会很惊奇地发现疱疹已经消失了。

一般而言，格里菲思教授说，戒除高精氨酸饮食就足以抑制疱疹病毒。如果这样没有作用，那他推荐最好每天服用 1 片～2 片 500 毫克赖氨酸片，直至疱疹病毒逐渐消褪。

值得注意的是，以上措施并不是对每个人都有效，但你可由此感到稍微放松一些，毕竟还值得一试。

第六部分

饮食与骨、
关节疾病

饮食与类风湿性关节炎

最有可能引发或加重关节炎的食物有：玉米，小麦，牛奶，肉类，含Ω-6型脂肪酸的植物油（包括玉米油，红花子油，葵花子油）。可缓解关节炎的食物有：含脂鱼类，植物性饮食与生姜。

古代的医学教科书和普遍流行的看法都充满了关节炎和类风湿性关节炎的饮食疗法。避免食用蕃茄，马铃薯和其他的龙葵类植物；戒食肉类，调料性食品或酸性食品，柑橘，咖啡，白糖，谷物类；多吃些海带，钳螯，丝兰和人参。早在1766年，一本英国医学教科书就指明鳕鱼肝油能治疗慢性类风湿病和痛风。根据1907年的美国药物配方，19世纪中期，鳕鱼肝油被常规用于治疗各种各样的关节病和脊椎病。最近亚历山大博士在一本最畅销的书中进一步普及了鳕鱼肝油的应用，声称鱼肝油有助于润滑关节。他的解释虽然简单，但现在的科学研究认为这种说法并不远离其基本点。

食物与关节炎，尤其是与类风湿关节炎的关系，长期以来被认为是中世纪的危险性的无稽之谈。许多不了解当前医学发展的人可能仍旧这样认为。然而新的医学研究发现，食物既可以促进也可以抑制炎症反应，而炎症反应正是关节炎中的关键环节。著名的关节炎专家们现在承认，饮食可以缓解关节炎的症状，而在某些情形下，饮食则成为关节炎的诱因。应该相信关节炎的易患性是可以遗传的，其他因素包括病毒感染均与此相关，有强有力的证据表明，饮食是关节炎的一个真正的刺激剂。

现在甚至有科学证据表明，以前在医学界广为流传的"某些食品会像恶魔一样侵入并破坏某些较为敏感者的机体，并且治疗的惟一方法就是将该食品从饮食中去掉才可以"的说法是正确的。然而最令人烦恼的就是你喜欢吃的食品恰恰正是令你最痛苦的。假如这些话听起来有些像是没落颓废的人所言，那么你可以看一下英国的一位小姐所遇到的典型事例。

奶　酪

阅历丰富的读者，如果在廉价的小报上看到这个标题，可能会深表怀疑。但是当这个故事在这个醒目的标题下发生时，任何一个医生可能都无法笑。这篇文章的题目是："类风湿性关节炎与食品，一个典型病例研究"，发表于严肃的科学杂志《英国医学杂志》上。

这个病例讲的是一个女性患者，只有38岁，但是她患类风湿性关节炎却已有11年之久了。她的上臂、腿、髋部的各个关节严重发炎，极度肿胀，手无缚鸡之力，说话软弱无力，微微动一下身体都会伴有剧痛。每天总是有那么几个小时她都极度疲劳，身体僵硬。

但没有什么有效的治疗方法，她几乎已经尝试过现代的各种科学疗法，包括极为有效的水杨酸盐，非甾体类抗炎药，强的松，甚至血液置换术也用过了，但这些药物或治疗方法都无效。实际上这些药物的副作用反而进一步加重了此种疾病。

伦敦某医院的类风湿专家开始询问她对奶酪的渴求状

况，她承认自从二十多岁就对奶酪尤其偏爱，因此在她胃口好的时候一天可以吃掉一磅乳酪。医生注意到她对多种药物也有过敏反应，即使是阿司匹林也会使胃难受。

那么她会不会是食物过敏呢？所有的身体疼痛及疾患是否都由于身体将某些物质视为外来物，从而使免疫系统产生抗体抵御外来物，但是却反而破坏了机体自身的关节及其他部分呢？如果他们找到了罪魁祸首，那么可怕的关节炎会消失吗？虽然不太令人信服，但却值得一试。他们说服病人戒掉日常饮食中的奶制品，包括牛奶、奶油和奶酪。

结果 3 周之内她关节的肿胀和晨起僵硬减轻了；再过几个月就全部消退了。她的体力又恢复了，疼痛也消失了。血液检查分析显示她的免疫功能失调也慢慢恢复正常。在经历了十多年的现代医学不能治疗的跛行、疼痛后，她痊愈了，不仅消除了症状，而且也查出了疾病的诱因，并彻底祛除。

然而有一天她在无意识中吃些日常奶制品，12 小时后关节炎症状又报复性地出现了。为此进行一个证明实验，医学上将之称为"挑战"，比较慎重地重新食用自己过敏的食品。

在该病人又能完全活动，几乎没有关节炎约整整 10 个月后，医生们将其召回医院，让她在 3 天之内勇敢地吃下 3 磅的 cheddar 干酪，并喝下 7 品脱牛奶，观察其表现。24 小时内，她的身体开始发生变化，破坏性的抗体又重新开始聚集，类风湿性关节炎完全复发，她全身无力，晨起僵硬明显，手指肿胀，手指的环形程度成倍增加，并有过敏性免疫功能紊乱。测试证明病人机体内抗牛奶与干酪的 ISE 型抗体阳性。停止食用干酪与牛奶后 12 天，抗体水平达到最高。毫无疑问，最强烈的反应与干酪有关。以后情形正如许多人所了解的，这名女性的关节炎自从戒除干酪和牛奶后就再也没有复发过。

玉　米

　　受以上报道事例的启发，另一名医生也报道了一名同样富有戏剧性的食物引发的关节炎病例。不同的是，这名患者的病因是玉米，而不是奶制品。这位伦敦医生威廉斯博士在《英国医学杂志》上这样写道："在我的经历中最令人难以忘怀的是一个有类风湿性关节炎达25年之久的病人，一直在服用硫唑嘌呤和可溶性阿司匹林，曾进行过血浆置换，但进展缓慢，并且一直在朝着不利的方向发展。"

　　实验研究显示，她对玉米过敏，但具有讽刺意味的是，治疗中药物所用的包装材料是玉米做成的。威廉斯博士说在将其饮食中的玉米去掉后，她在一周内得到了明显的改善，甚至是惊人的改善。然而6周以后，她的关节炎又加重了。威廉斯博士认为在新的一轮治疗中，安慰剂的作用被屏蔽掉了，然后才发现病人在未经她同意的情形下又将玉米面加入到了她的肉汁中去了。当去掉玉米面以后，她又迅速恢复正常。威廉斯博士写道，她现在感觉或看来都比10年来要好得多。

　　威廉斯博士说，没有人会愚蠢到去宣称每一例类风湿性关节炎都与一种过敏食品相关，但是如果在20例中有1例如此，而且他估计会更多，那么他在怀疑我们是否有能力去进行这种简单安全、明确又无损伤的调查，调查食物在这种慢性病中的状况。

谷类食品

　　意大利瓦落那大学的研究人员也讲述了一名类风湿性关

节炎患者，停止食用谷类饮食后恢复正常的事情。他们虽然用可的松类药物治疗，并且服用金盐，但是病情却继续恶化，最后才发现她对谷类食品过敏。

因此他们将这名患者的饮食中的谷类去掉，结果3周以后她神奇性地改变。作为实验，她又郑重地食用了谷类食品，她的关节疼痛，肿胀，晨起僵硬等其他类风湿性关节炎的症状又出现了。停止食用谷物类后，病情不再继续恶化，到现在几乎有一年时间的无类风湿性关节炎的平静期。

谷类食品确实是类风湿性关节炎的一种常见引发物质。英国进行研究认为，谷类，尤其是玉米和小麦，在一组对食物过敏的类风湿性关节炎病人中是最重要的刺激剂，是首要物质。在食用谷类后，有一半多的受试者表现出关节炎症状。小麦中引发关节炎的关键性原引发物质据认为是面筋。

267

禁　食

如果类风湿性关节炎患者适当禁食或限定一些食品，那么有充分的医学证据表明他们感觉是好得多，关节疼痛和僵硬感会消失。这说明饮食有助于调节身体的炎症物质，避免食用某些食品会促进关节炎的治疗。应该相信食物反应是高度个体化的，并且只要是你能想到的任何一种食品，都可能会有人过敏，但主要的过敏物质是肉类和动物脂肪。

许多人发现，在实行严格的植物性饮食后症状得到缓解，这些饮食包括由旧金山医生多恩博士创造的多恩氏饮食，并在1973年出版的畅销书《关节炎手册》中加以普及。多恩氏饮食禁止肉类，西红柿，奶制品，胡椒，酒类，热调料及化学添加剂，尤其是味精。多恩博士认为这些食品可引发过敏反应和关节炎，这当然是有可能的。

新泽西州圣巴那巴斯医学中心医学部主任、类风湿病专家潘斯博士让 26 名长期患有进展性类风湿性关节炎的病人食用多恩氏饮食时，其中 5 个病人症状明显改善。然而那些限制不用食品的安慰剂对照组病人也有明显改善。二种饮食组中各有 20％的病人晨起僵硬减轻，握力增强，关节肿胀及疼痛也减轻。停止以上两种饮食后，许多病人的症状又加重了。潘斯博士原来对食品与关节炎有关的说法一直持怀疑态度，直到此时才承认："许多病人会对某些食品过敏"。进一步研究后，他证明其中一名病人对牛奶过敏，并引发关节炎；另一名病人对虾过敏，还有一名对熟肉中的防腐剂亚硝酸盐过敏，并导致关节炎。

现在已知食物至少通过两种方式来消除类风湿性关节炎，其一，某些食物成分，尤其是脂肪，可以调节机体内的激素样物质的功能，而该激素样物质可有助于控制炎症反应，疼痛和其他关节炎症状。

其二，某些人的类风湿性关节炎可归结为对某些食品的过敏反应，因此一方面你可以通过某些特定食品来充当药物缓解疼痛、肿胀、疲乏和关节僵硬等关节炎的症状。另一方面，避免食用一种或多种食品，可提供一种较为稳定彻底的治疗措施，永远消除症状与疾病本身。

没有人知道为什么许多人易患食物引发的关节炎。一种推测认为某些关节炎患者有不正常的可透性的或"渗漏"的肠道，从而使食物或细菌抗原（过敏原）更易于进入血流，引发感染和其他疾病。另一种理论认为，肠道中的细菌以特定食物为食，然后产生可引发疾病的毒素。

然而一些著名的关节炎研究专家认为，这些由食物引发的类风湿性关节炎可能不是人们所谈的那些典型的类风湿性关节炎，并且这种"过敏性关节炎"可能是种完全不同于传统的类风湿性关节炎的疾病。尽管如此，与饮食有关的关节炎病例正在逐步增长。

如果你有类风湿性关节炎，那么有以下几个理由可劝你戒食肉类：

首先，肉中含有的一种脂肪，可以刺激体内炎症介质的产生，引发炎症反应。

其次，肉类可产生过敏反应，引发关节炎，可能是由于个体的不同反应，也可能与遗传有关。

最后，某些肉类，尤其是加工过的肉，如熏肉，火腿，热狗和冷盘，都含有防腐剂及其他可引发过敏性关节炎的化学物质，这也是对肉中的脂肪可引发炎症反应的补充说明。

放弃肉类饮食，那么你的关节炎可能会避免发生。1991年挪威研究人员进行的被广泛认可的具有突破性的研究证明，不含肉的饮食可使 10 名关节炎患者中的 9 名其类风湿性关节炎症状得到缓解。这种饮食有治疗作用，研究人员认为并不仅仅因为机体对肉的过敏反应，还在于肉中所含的脂肪能引发关节炎症。

奥斯陆国家类风湿病医院免疫学与类风湿病学研究院的克拉夫博士发现，关节炎患者在改食植物性饮食后，与普通饮食组相比，90％的患者握力增强，关节疼痛减轻，关节肿胀减弱，晨起僵硬也减轻。在一个月内，这些患者的症状明显改善，在整个研究期间，约一年的时间内，症状均有明显改善。

第一周，为祛除患者体内剩余的食物诱导剂，患者食用素食性液体饮食，如茶，蔬菜清汤，胡萝卜汁，甜菜汁，芹菜汁或马铃薯汁。接下来的 3 个月～5 个月，他们的饮食完全是素食，绝对的素食，不含动物性食品，肉类，鱼类，牛奶和蛋类。他们也避免食用面筋（小麦），精糖，柑橘类水果，较有刺激性的调料和防腐剂，因为所有这些都会引发关节炎。然后开始逐渐地加回一些食品，一种种慢慢尝试。首先是新的素食性食品，再就是奶类食品与小麦及其制品。如果在食后 2 小时～48 小时内有症状出现，那么就应该戒食该食品。一星期后再来试一次。如果在第二次尝试过程中，这种食品仍能引发关节炎，那么就应彻底、绝对地戒食该食品。

克拉夫博士推测说，由于病人避免食用脂肪，尤其是肉类中的脂肪可刺激炎症反应，因此 70％的个体均有明显改善。他认为其他患者由于饮食中祛除了过敏性食品，其感觉也会有所改善。

根据一位新泽西州医生库曼博士的看法，他的一位女病人在采用了植物性饮食后，一直患有的关节炎消失了，对许多药物的依赖性也不复存在了。在最近的一篇文章中，他说，虽然这种简单饮食能治疗关节炎的事情看来有些反常，但却是十分有效的。下面他对该病例进行了具体的描述：

一位有严重类风湿性关节炎和其他疾病的 62 岁女患者，10 年来在服用不同的 9 种药物，并且不能用力握拳，有多处关节的疼痛。

我们决定用饮食疗法，禁食，食用植物性饮食。在实行严格医疗监控下的禁食后，发现她的关节炎奇异地消失了。5 个月后，她仍旧食用素食。她在 6 个月以前未来就诊时仍旧服用 9 种不同药物，而且症状也比较严重，而现在她没有关节炎的任何症状，并且也不需要服药了。她充满了活力，体力也恢复了，在 10 年前放弃的活动又开始了。

引发关节炎的食品

　　根据英国权威人士达林顿博士的最新研究，**下面所列是最可能引起类风湿性关节炎的食品**，其中玉米和小麦是最强的诱发剂，有超过半数的受试者发生反应。

食品名称	引起关节炎的病人百分比（%）
玉米	56
小麦	54
熏肉／猪肉	39
柑橘	39
牛奶	3
燕麦	37
黑麦	34
鸡蛋	32
牛肉	32
咖啡	32
麦芽	27
干酪	24
柚子	24
西红柿	22
花生米	20
糖（甘蔗）	20
黄油	17
小羊肉	17
柠檬	17

牛 奶

如果你患有关节炎，那么最好禁食牛奶及奶制品一周，观察症状是否有所改善。这是一种快速而简便的测试，但结果可能会令人惊奇。有许多证据表明，奶类制品对许多人都是关节炎诱发物质。例如潘斯博士曾经研究过一名52岁女患者，她的类风湿性关节炎部分归因于牛奶。当她服下未经标记的冻干奶粉胶囊时，相当于饮用一杯8盎司的牛奶，她就变得极为可怜，关节肿胀，软弱无力，每天有30分钟的晨起僵硬。在喝牛奶24小时~48小时后症状进一步恶化，并在1天~2天内自行消失。她只是避免食用这些奶类食品就可控制自己的类风湿性关节炎，在对牛奶的进一步研究中，潘斯博士仅仅是将兔子饮食中的水换为牛奶，就足以使兔子的关节发生感染性滑膜炎。

关节炎在某种程度上与乳糖不耐受或通常的"牛奶过敏反应"有关吗？以色列科学家认为是有关的，并且尤其对于女患者情形更是如此，但是他们不了解为何会有这样现象。他们对15例男性和8例女性关节炎患者进行研究发现，在禁食牛奶后，有7例患者的关节疼痛与肿胀均减轻50%以上，随之而来的医药服用也相应减少了。比较有趣的是，这7例患者全部为女性，都缺乏乳糖酶，而乳糖酶可以帮助消化牛奶中的乳糖。换句话说，她们是乳糖不耐受者，对牛奶有过敏反应。因此，如果您是一位有乳糖不耐受症的妇女，就应加倍留意，您患的类风湿性关节炎与牛奶可能有关。

272

西 红 柿

对于西红柿又如何呢？西红柿及龙葵家族的其他成员，包括马铃薯、茄子和辣椒一向均以引起关节炎而闻名。避开这些可怕的龙葵类植物，您的关节炎肯定会有所减轻，甚至消退。

佛罗里达大学园艺学奇尔德斯教授，使以上说法得到了广泛的认可。他在自己患有关节炎，并伴有严重的关节疼痛和僵硬以后，细致地研究了自己的饮食，发现其关节炎在食用西红柿后数小时即发生。他知道过去龙葵类植物极不受欢迎，例如曾经有一个时代认为西红柿可以致死，龙葵类植物中的草类（含有龙葵碱）与牲畜的类风湿病有关。

奇尔德斯教授说，他逐渐地从其饮食中祛除所有的龙葵植物，然后他所有的疼痛和其他症状都消失了。他说他已经收到另外数千人的来信，证明他们自己也有类似的经历。他认为，龙葵类植物中含有一些毒素，可攻击敏感个体的细胞，并估计这些敏感个体占美国人口的10%。

但许多专家发现，人们对西红柿的担心有些过度，因为并没有什么对照性的科学研究证明龙葵类植物可引起关节炎的过敏反应。实际上英国一项研究将西红柿列为20种最可能引起关节炎食品中的第14种，并且可影响22%的个体，列表中没有其他龙葵类植物。潘斯博士认为，许多人在排除了各种各样的龙葵类植物后，可能会比较偶然地排除一种可引发关节炎的物质。但是不是有充分理由认为，龙葵类植物一文不值，比其他食物更能作用于关节，引发疾病呢？到目前为止，证据还比较少，尽管许多人认为禁食龙葵类植物可缓解病情，虽然这些热情的想法和个人证明不容忽视，但是

273

目前任何一方都不能证明谁是谁非。如果在生化方面可以全面地广泛性地遣责西红柿，那么这将是比较有说服力的。

令人遗憾的是，人们不能依赖于一种普遍的、简单化的，所谓"正确"的饮食来治疗关节炎。人们应该自己学会调整、控制饮食，找到治疗自己关节炎的最佳饮食。

没有人真正了解食物引发的过敏性关节炎的普遍程度，由于没有确定性的研究，因此目前几乎都是人们的猜测和估计。潘斯博士认为不多于5%的类风湿性关节炎患者，他同时代的研究人员佛罗里达大学的斯特劳德博士认为，该数字更可能是20%～30%。

辛辛那提医学中心的布伦尼曼博士，他领导一个由全美过敏反应专家学会组成的调查关节炎与食物过敏剂之间关系的委员会，该委员会认为数字会更高。他说："我认为有60%～80%的关节炎患者将受益于饮食控制疗法。"更有甚者，有一双盲测试甚至认为85%～90%的关节炎患者在食用特定食品后症状会加重。

鲱　鱼

每天一片鲱鱼可以消除类风湿病，不仅如此，而且每天一片鲑鱼、鲭鱼、金枪鱼或一罐沙丁鱼或其他富含 Ω-3 型脂肪酸的鱼类也可达到同样作用。根据国立卫生研究院类风湿病专家斯坦伯格博士的看法，鱼油是一种真正的抗炎物质，有助于祛除炎症反应，并且鱼油可直接作用于免疫系统，抑制可破坏关节的白细胞介素的释放，抑制率达40%～55%。

纽约阿尔巴尼医学院克雷默副教授说，至少有6个已进行的双盲研究证明，食用适当剂量的鱼油可减轻关节炎的症状。在他进行的研究中，所有33例患者都有多处关节肿胀无力，每天有疲劳感与晨起僵硬持续半小时以上。当他们连续 14 周服用鱼油胶囊后，症状明显改善。例如他们的关节无力减少了 1/3，每天不再感到疲乏的时间明显延长达 2.5 小时。

克雷默博士发现鱼脂肪也可抑制关节炎中起重要作用的炎症介质白三烯 B_4 的释放。白三烯 B_4 释放越少，无力的关节就越少。其他研究发现鱼油在一个月内就可显著降低白三烯水平，而且在停用鱼油后一个月之内白三烯又恢复至以前水平。克雷默博士说，通常需服用鱼油一个月才能改善症状，如果你服用鱼油的持续时间越长，症状缓解就越快，越明显。

那么鱼油应服用多少量呢？研究中每日用量大约相当于 7 盎司鲑鱼或二罐沙丁鱼。一位英国专家声称，3.5 盎司的鲱鱼可提供相当于用鱼油治疗关节炎时所需的同样活性的 EPA 型鱼油。关键是在治疗活动期类风湿性关节炎时，所需鱼油数量要多于预防时所需。研究人员认为，如果你多年来一直在食用少量的含脂肪鱼类，那么你将永远不会发生关节炎。

玉米油及相关食物

如果鱼脂对关节炎有治疗作用，那么其他脂肪就不合适了。不要食用太多的陆地动物类脂肪，以免引发关节炎。实际上这些脂肪可以抵消鱼中抗炎物质的作用，那就意味着你如果食用一大块鲑鱼同时食用玉米油做的沙拉，或者是沙丁鱼伴以普通的蛋黄酱，或用红花子油煎的鱼，甚至吃鱼时食肉，就说明你的好状态即将消除，关节炎又将复发。最可怕的就是富含 Ω-6 型脂肪酸的多聚不饱和脂肪，广泛存在于玉米油、红花子油和葵花子油及食用这些成分的动物的肉中，因此许多专家对此的担心与日俱增。

问题是太多的 Ω-6 脂肪酸，远远超过 Ω-3 型鱼脂肪酸，将会主导细胞的生化活性，刺激引发炎症反应或其他严重后果的物质的产生。这些虽然并未发生，但后果却是比较可怕的，一致的，对每个人都构成了潜在的威胁。

哈佛大学的布莱克来博士警告说："如果你患有任何一种慢性炎症反应，那么就应停止食用富含 Ω-6 脂肪酸的植物油。"吃肉之所以能刺激关节炎的原因，就在于这些炎症反应性脂肪的存在。Ω-3 型与 Ω-6 型脂肪酸比例最佳的食用油是 Canola 油，橄榄油的比例也比较不错。

生　姜

可以用生姜来缓解你的类风湿性关节炎。丹麦奥登斯大学的斯瓦斯特博士说，调料也是一种抗炎物质。丹麦奥登斯大学是一所以研究调料著称于世的国际知名大学。

生姜在印度的草药治疗系统中已被应用了数千年，用于治疗各种各样的类风湿病和肌肉骨骼疾病。斯瓦斯特博士在理论上提出调料物质如何发挥作用后，对一组关节炎病人试用每天小剂量生姜，连续 3 个月。结果大多数病人的关节疼痛，肿胀及晨起僵硬等症状均减轻，机体活动性增多。

他举例说，一个 50 岁的亚洲汽车工程师在被诊断为类风湿性关节炎后，于一个月内开始服用生姜，每天他都食用 50 克与蔬菜及肉共同烹调好的姜（约 1.75 盎司），一个月后症状开始消退，3 个月后全身不再有疼痛，炎症反应及肿胀也逐渐减弱，最后彻底消除。他说，这种状况一直持续至现在，距今约有十多年了。

斯瓦斯特博士最近在 2 年内成功地用生姜治愈了 50 例关节炎患者。他给这些患者推荐的剂量是 5 克鲜姜（1/6 盎司）或 0.5 克姜粉（1/3 茶匙），每日服用 3 次。鲜姜可以放入所做的菜中，姜粉亦然。但如单独食用，姜粉最好是溶解于液体中或与食物一起服用，以免烧伤口腔。专家认为服用以上剂量的生姜或姜粉不会产生副作用。

实际上生姜的治疗效果要好于目前广泛应用的非甾体类抗炎药物，这些抗炎药物主要是通过阻断可引发炎症的激素样物质的合成来缓解关节炎。所有的非甾体类抗炎药都有很大的副作用，包括可诱发胃溃疡，不宜长期服用等。

与此相对照，生姜至少可通过两种机制来发挥作用。它阻断前列腺素和白三烯的合成，并且斯瓦斯特博士认为，生姜的抗氧化活性可以降低关节滑膜液中的酸性物质含量。

但是生姜并不是惟一的抗关节炎调料。他说，姜黄和丁香也有抗炎活性，动物实验已证明姜黄有抗炎活性。姜黄中的主要物质可以明显改善 18 例类风湿性关节炎患者的晨起僵硬，关节肿胀、疼痛等。实际上 1,200 毫克姜黄中的主要物质成分与 300 毫克抗炎药物苯丁唑酮（保泰松）有相同的抗类风湿效果。

鱼和大蒜

骨性关节炎被称为磨损型关节炎，可导致衰老样圆丘状手指，是目前较为普遍的疾病。既然骨性关节炎也与炎症反应相关，那么鱼油对此可能也有作用。英国伦敦的研究人员在对 26 名病人进行的初步研究中发现，小剂量鱼油辅以常规药物治疗，的确可减轻疼痛，使活动变得较为容易。

他们发现，姜粉在治疗骨性关节炎病人的疼痛和关节肿胀方面也很有效。在实验中，那些每天3次服1/3汤匙生姜粉，连续服用2年半的患者，症状得到明显改善。

如果你有骨性关节炎，那么比较明智的方法就是限制Ω-6型多聚不饱和脂肪酸的摄入，也就是说限制玉米油及其相关的可促进炎症反应的食物。

印度的科学家们在观察大蒜对心脏病的影响时发现，食大蒜者，尤其是骨性关节炎患者的关节疼痛可得到缓解。在实验中受试者每天食用2片～3片生大蒜或做熟的大蒜片。据说大蒜可以影响前列腺素的合成，而前列腺素可以控制炎症反应，但大蒜对骨性关节炎患者的作用他们没有进行专门研究。

消除类风湿性关节炎有四种方式：

- 寻找关节炎的过敏性食物源。最可疑的是谷类食物，尤其是玉米和小麦，还有奶制品和肉类。专家建议你不要停用全部食品而又重新引入这些食品，以寻找引发关节炎的食品，并且不能没有医生的监督。然而你可从饮食中祛除一种食品观察症状是否有所改善。在重新食用该食品以前，应耐心等候2天至一周，让症状减退。如果食用后症状又出现了，那么你应从饮食中戒掉这种食品。

- 放弃肉类，尤其是熏肉、猪肉和牛肉。对某些肉可能会有不耐受现象。肉中的饱和脂肪可刺激炎症反应，可尝试一下无肉的饮食，观察症状是否有所改善。

- 吃些含油的鱼，如鲑鱼、鲱鱼、鲭鱼、沙丁鱼或金枪鱼，每周至少3次。这些鱼的油有抗炎作用。另外每天吃些生姜，也会抑制关节炎。

- 同时减少Ω-6型脂肪的摄入。Ω-6型脂肪主要集中于玉米油、红花子油、葵花子油和用以上油类所制造的奶油。它们可以逆转鱼油的作用，扰乱细胞膜中脂肪酸的生化平衡，助长对组织和关节的炎性攻击。肉类中所含有的脂肪也有类似的作用。

陈旧性关节痛与食物过敏反应

如果你有无法解释的普通的陈旧性关节痛，然而又没有关节炎的特征，那么应高度怀疑是食物过敏。英国的类风湿病专家戈尔丁博士说，某些食物可以导致关节疼痛、炎症和肿胀，尽管你没有患关节炎。他认为"过敏性滑膜炎"是关节腔内滑膜的炎症反应，而滑膜则分泌滑液来保证关节的润滑和平滑运动，在关节运动时伴随炎症可产生关节疼痛与肿胀。大多数有以上情况的人常是各种类型的过敏者，包括皮疹，荨麻疹和枯草热。

戈尔丁博士说，有一名 49 岁女性患者，许多关节，包括手指、腕、膝踝、脚等关节，都有反复发作的荨麻疹和严重疼痛。开始时医生们认为她是类风湿性关节炎，给以强止痛剂和抗炎药物治疗，但是她真正的病因是牛奶和奶制品。

当她饮用一杯牛奶来证明自己的推测时，医生们都大吃一惊，数小时内膝关节严重肿胀。由膝关节抽取的滑膜液有严重的感染特征，证明有关节炎。戈尔丁博士将关节疼痛及滑膜炎与食用鸡蛋和牛奶制品引发的过敏反应相联系。他说，急性关节疼痛比较普遍，但无法解释，尤其对于过敏性反应患者更不易解释。实际上早在 1943 年进行的研究中，就发现 20％的过敏患者都有以上症状。如果你有无法解释的关节疼痛，那么这是一个值得追踪的线索。

饮食与骨质疏松

有助于抗骨质疏松的食物有高钙食品，坚果与水果，菠萝汁以及维生素D；不利于抗骨质疏松的食品有过量的咖啡因，钠盐以及酒类。

几乎人人都知道补充钙有利于构建强有力的骨骼，保持强有力的骨骼可防止发生骨质疏松，目前美国有2,500万老年人患有骨质疏松症，其中的 80% 是女性，每年因此而发生的骨折有 130 万例。一般妇女绝经后骨丢失速率加快，骨形成减慢，导致骨尤其是髋骨脆弱，易于发生骨折，另外许多老年男性也有骨质疏松症，美国是世界上骨质疏松发病率最高的国家之一。

虽然遗传因素是骨质疏松发病的首要决定因素，但是根据美国内布拉斯加州权威人士、专家希尼博士的陈述，饮食和其他因素如体育锻炼等也决定着骨质疏松的发病与否。他引用的最新研究显示，在抗骨质疏松过程中，钙的长期持续摄入极其重要。新的证据也显示强有力的骨骼需要较多的钙，食物可有助于清除那些自认为已经储存在体内的钙，并且科学家们发现，许多营养成分对于减少骨丢失也是必须的。

硼

最近发现微量元素硼对骨质疏松的发病有重要影响。如果你不吃水果和坚果，那么你将得不到充足的硼。硼缺乏可阻碍钙的代谢，使骨变得更脆弱。新的研究显示，硼可明显提高血中雌激素和其他化合物的水平，从而防止钙丢失和骨矿物质丢失。换句话说，硼可作为比较缓和的雌激素替代治疗物。

根据美国北达科他州农业部人类研究中心的尼尔森教授的看法，没有充足的硼你的身体将不能获得充足的钙。他发现低硼饮食的绝经后妇女更易于丢失钙、镁等骨增强性矿物质，但当她们每天摄入 3 毫克硼时，她们的钙丢失量减少了30％，而 3 毫克硼从饮食中比较容易获得。

他说，硼可提高血中类固醇激素的水平来发挥作用，在其研究中，硼会使雌二醇 17B 含量加倍，达到雌激素替代治疗的女性患者血中含量，而雌二醇 17B 是雌激素的活性形式。睾丸酮，作为雌二醇的前体物质，含量也增加了一倍。

令人遗憾的是，美国人在研究中发现，大多数美国人只摄入了机体所需硼量的一半。他怀疑美国人虽然吃了许多钙制品，但是对骨质疏松仍旧很敏感的原因可能就是硼缺乏，这也是食素者为何不易患骨质疏松的原因。水果，尤其是苹果，梨，葡萄，椰枣，葡萄干和桃子；豆类包括大豆；坚果包括杏仁，花生，榛子；以及蜂蜜中硼的含量都极为丰富。

菠　萝

为使骨骼更为强壮，应多喝些菠萝汁或吃些微量元素锰含量丰富的食物。美国得克萨斯大学奥斯汀分校营养学格雷夫斯教授认为，像硼一样，锰与骨代谢也有关。她说缺乏锰的动物可发生严重的骨质疏松。她怀疑这种情形也可发生于人。实际上在研究中她发现骨质疏松女患者血液中锰含量比正常妇女低 1/3，并且当给以锰治疗时，患病妇女锰的吸收量两倍于正常人，证明她们的确需要锰。

她说："菠萝中富含锰，当我们想增加饮食中锰的含量时，让妇女吃些菠萝或喝些菠萝汁有助于提高锰含量。"她发现菠萝中的锰比较易于被吸收，锰的其他较好的来源有：燕麦片，坚果，谷类，豆类，营养面粉，菠菜和茶叶。

钙

预防骨质疏松症的已知最佳矿物质是钙。它既可构成强壮的骨骼也有助于防止骨的降解。最好的方法就是在年轻时多摄入钙构建强壮的骨，印第安那大学的研究人员最近研究了由 6 岁至 14 岁的孪生子女的情况。他们发现那些每天摄入双倍钙量（1,800 毫克）的孪生者之一，一直到青春期，其骨密度比那些每天仅摄入 900 毫克钙的另一名孪生者高5%。研究人员说这给那些高钙消耗者提供了一个剂量范围，这些年轻人在以后的生活中骨折危险率降低 40%。

一系列研究证明，年轻时摄入大量钙相当于年老时有较强的骨骼，较少的骨折。但是如果年轻时因忽视而未摄入足够的钙又会如何呢？希尼博士说，30 岁以后吃钙将不会促进骨的发育，也就是说不会增加骨量。但成年后摄入足量的钙也很重要的，因为足量的钙有利于延缓骨丢失，防止骨折。妇女应该伴有最强有力的、最大量的骨步入绝经期。进入绝经期以后，雌激素含量明显下降，钙从骨中丢失的速率加快。保持骨强壮的最好办法就是食入足量钙，延缓骨丢失。最近对 300 名绝经后妇女进行研究发现，将钙摄入量由 400 毫克（相当于 1⅓ 杯牛奶）增至每天 900 毫克（相当于 3 杯牛奶），可使绝经后妇女与年龄相关的骨丢失延缓了 6 年时间或更长时间。另一研究显示，每天摄入超过 760 毫克钙的男性和女性比那些摄入少于 400 毫克钙的人，髋骨骨折率降低 60%。

那么多少钙是足够的呢？希尼博士说绝经后妇女每天摄入 900 毫克～1,000 毫克钙即可防止骨丢失。但是他提醒说，钙并没有神奇的特性可防止或逆转由其他因素所致的骨丢失和骨变脆。也就是说，食入钙并不能克服由遗传因素引起的骨质疏松，钙所能做的只是纠正广泛流行于美国的钙缺乏和预防骨质疏松所导致的骨折。

如果你不喜欢牛奶，那么也不要绝望。除奶制品外还有许多的钙来源，包括卷心菜和豆腐。希尼博士说，实际上卷心菜中的钙比牛奶中所含钙更易于吸收。比较有趣的是，虽然亚洲各国妇女食用较少量的牛奶及其相关制品，但是其骨质疏松的发病率却极低。到目前为止，她们食入的钙主要来源于非奶类制品，如绿色蔬菜和大豆。

283

维生素 D

如果您是一位老年妇女，那么应确保摄入足量的维生素 D。若没有足量的维生素 D，骨质会变得比较脆弱。美国塔夫剌大学农业研究中心的克拉博士对 333 例绝经期妇女进行研究，发现绝经期妇女需要摄入比每日推荐摄入量（RDA）多 10％的维生素 D 才能防止骨丢失，更严重的是她说大多数妇女摄入的维生素 D 量低于每日推荐摄入量。在她的研究中，受试者维生素 D 的平均摄入量每日只有 112 国际单位（IU），而每日推荐摄入量则是 200IU。她说老年妇女每日至少需要 220IU，因为她们年老时对维生素 D 的吸收能力也下降了。

新西兰研究人员也发现，那些连续 2 年～3 年服用维生素 D 的妇女，比那些只服用钙剂的妇女骨折要发生得少得多。维生素 D 对于骨质疏松早期比中后期更有治疗作用。

维生素 D 的最佳来源是含脂的鱼类，3.5 盎司的罐装沙丁鱼含有 300IU 的维生素 D，同样量的罐装鲑鱼含有 500IU 的维生素 D，3.5 盎司黄鳝中含有 500IU 的维生素 D，一杯牛奶中含有 100IU 维生素 D。在冬天问题会更严重，因为阳光是产生维生素 D 的重要促进剂，所以即使是那些生活在美国南部的人群，其维生素 D 水平也会明显下降。

食　盐

太多的食盐可以掠夺你骨中的钙，破坏你的骨骼，尤其当你年老时更会如此。新西兰研究人员首先给老年妇女低盐饮食（每天 1,600 毫克食盐），然后再转为高盐饮食（每天 3,900 毫克食盐），同时她们一直在服用相同剂量的钙剂。然而在高盐饮食时，超过 30％的钙由骨转化而来，并被排出体外。研究人员说，在任何年龄段高盐饮食都是有害的，尤其是对于那些对骨质疏松和骨折高度敏感的老年女性。

咖　啡

希尼博士说每天饮用一杯咖啡看来还是比较安全的。人们常担心咖啡因可促进钙的排泄，破坏骨中矿物质，促进骨质疏松的发生，许多研究说明了这种担心是有道理的。弗雷明博士进行的心脏研究，对 3,170 名男性和女性进行观察，发现每天 2 杯或更多的咖啡可以提高髋骨骨折率 50%，然而每天一杯咖啡还是比较安全的。

现在希尼博士及其同事对绝经前妇女进行了双盲研究，在研究中一部分人摄入咖啡因胶囊，相当于每天 3 杯咖啡，其他的人服用安慰剂，所有人每天都服用 600 毫克钙剂。在进行研究的 24 天中，受试者被送入代谢室，控制其饮食，分析每天的血样，结果发现咖啡因并没有显著抑制钙吸收或促进钙排泄。希尼博士说："我们没有证明适当咖啡因摄入是有害的。"那么高剂量咖啡因呢？可能是有害的。

实际上，最近哈佛大学对 84,000 例中年妇女进行研究，发现每天饮用 4 杯以上咖啡的人其髋骨骨折的可能性比那些每天饮少量或不饮咖啡的妇女高 3 倍。茶没有破坏性作用。高咖啡因同时伴有低钙摄入尤其危险。

饮　酒

喝少量酒，每周 3 次～6 次，可升高绝经期后妇女血中雌激素的水平。匹兹堡大学的研究人员发现，喝少量酒有助于预防骨质疏松的发生。然而更大剂量的酒并不会进一步升高雌激素，并且可能对骨骼和身体的其他部分造成伤害。

有证据表明，过量酒会直接损伤、破坏骨细胞，促进骨质疏松的发生。希尼博士说，尸检发现酗酒者的骨骼看起来像是大好几岁的人的骨骼。哈佛大学最近研究发现喝酒，尤其是喝啤酒和白酒可增加髋骨和前臂骨的骨折率。饮酒越多，危险性就越大。每天饮 2 瓶～3 瓶啤酒的妇女与不饮酒的妇女相比，其髋骨骨折率增加 1 倍还多。每天超过 4 杯高度烈性白酒可使髋骨骨折率增加 7 倍。

对骨最安全的剂量，与其他推荐剂量相似，每天饮酒不超过 1 杯～2 杯。

第七部分

饮食与生殖
功能

饮食与性、激素、生殖力

有利于促进生殖功能的食品有水果和蔬菜，富含Vit C 和叶酸的食品；对于生殖功能有害的食品包括高脂食品。

你可能会惊讶地发现食物中也含有性激素，可以影响血液中激素的浓度，影响各种功能，包括性冲动，生殖，绝经期症状，心血管疾病以及对激素依赖性肿瘤的敏感程度（如乳腺癌和前列腺癌）。实际上现在科学家们至少知道 300 种植物（其中许多是可食性的）有雌激素样活性，有助于调节女性体内雌激素水平，食用麦麸，十字花科蔬菜（包括卷心菜，芽甘蓝，花椰菜等），豆类和酒类，易于引起雌激素水平的波动。并且摄入的脂肪也有助于调节女性和男性激素水平，脂肪性饮食会对男性的激素调节造成紊乱，因此影响其性生活。

汉堡与意大利干面食

传统习惯认为，真正的男子汉为补充体力，为保持男性气概和战斗的勇气应该多吃肉，但是事实证明肉类更容易引发性无能。食用含脂肪的肉类看来并不是增加男性激素水平的最佳方式，实际上许多研究发现食用脂肪可压抑性冲动，释放贮存的男性激素睾丸酮入血，降解睾丸酮并降低其水平，从而抑制性冲动。

美国犹他大学医学院内分泌与代谢教授韦恩·米克尔最近研究发现，8 位男性在饮用脂肪性混合饮料（按热量计，脂肪占 57%，蛋白质占 9%，碳水化合物占 34%）后，他们血中睾丸酮的水平下降了 50%。与此相对照同样是这些男性饮用下列饮料：含 73% 的碳水化合物，25% 蛋白质，和仅仅 2% 的脂肪（按热量计）以后，他们血中睾丸酮水平并未下降。

这说明了什么？长期的高脂饮食可以妨碍人的性冲动，性兴趣，甚至性功能。

米克尔教授说食用固定饮食，高脂肪的包括含有干酪的肉饼，油煎鸡蛋，油炸食品，干酪和冰淇淋对性冲动有双重破坏作用。脂肪性食品会使男性发胖，身体脂肪含量高的，男性睾丸酮水平也下降，并且高脂饮食甚至会阻碍勃起。食用脂肪可能会妨碍阴茎的勃起，阴茎动脉阻塞是主要原因。

脂肪性食品

女性摄入的脂肪可影响雌激素水平。高脂饮食可提高雌激素水平，因此减少脂肪摄入可能会防止乳腺癌和其他激素依赖性癌症的发生，这是通过减少雌激素的供应来实现的。许多研究显示，无论是绝经前妇女还是绝经后妇女减少脂肪摄入量，按热量计，减少了 20%～40% 的脂肪，血中雌激素水平明显下降。

如果一个男人的精子不能成功受孕，可能存在许多原因。可能是因为数量或体积太少，或精子异常或功能不好或精子活动力差。它们会聚集在一起，形成一种凝聚现象，因此不能快速移动，所有这些问题会随年龄的增加而恶化。更快速、更有活力的精子属于年轻人。实际上男人在 24 岁左右就开始出现精子功能的减退，研究中 45 岁的男性与 18 岁男性相比，精子数及活动能力均低 30％ 左右，异常精子多 50％，精子活力下降 50％，因此老年人中有 3/4 是不能生育的。

维 生 素 C

但是也存在一种使精子年轻化的灵丹妙药，那就是维生素 C（Vit C）。你可能会对此比较惊讶。据可靠研究证明，足量 Vit C 可激活精子，给予精子以新的生命和活力。动物研究明确显示，Vit C 的严重缺乏会严重损害睾丸的功能，导致精子缺乏。对人而言，提高 Vit C 的摄入也可以恢复精子的受精能力。众所周知，超过 25％ 的精子发生凝聚的男性无生育能力，但是得克萨斯大学医学院妇产科教授维利姆·哈里斯给予这些男性每天 1,000 毫克的 Vit C，连续 60 天，结果令人十分惊讶，他们的精子计数增加了将近 60％；活性增加 30％，异常精子百分比下降，并且最好的证据是所有食用 Vit C 的男性在两个月的月末均使其妻子怀孕。而对照组不食用 Vit C 的个体，则无一例有受孕现象发生。

那么需要多少 Vit C 才能使老化的精子恢复活力呢？哈里斯教授及其同事进行的研究回答了该问题。他们试用了两种剂量，每天 200 毫克及每天 1,000 毫克，研究对象是 30 名年龄在 25 岁～45 岁之间的身体健康但无生育能力的男性。医生们发现大剂量 Vit C 发挥作用更迅速，但两周以后，200 毫克剂量组的个体在使精子有生殖功能方面同样有效。因此他们说这两种剂量都有效，但大剂量发挥作用的速度 3 倍于低剂量 Vit C。

理论上认为 Vit C 发挥作用主要是因为作为一种抗氧化剂，Vit C 可保护精液免受氧自由基的攻击而降解，例如绝育引发的精子凝聚看来是由氧化性损害引起的。科学家们证明一种被称为"非特异性精子凝集素"（NSA）的物质可粘附于精子表面保护精子，但如果 NSA 被自由基氧化，那么 NSA 不再粘附于精子。因此精子聚集在一起，使之不能前行或活动。

他们说，不能也不可能定义一个对所有男性有效的使精子充满活力的 Vit C 剂量，因为需要多大量 Vit C 来维持精子的正常功能，很大程度上依赖于男性个体接触到有毒物质（如空气污染物，重金属，石油化学产品和吸烟）的数量和种类。他们相信长时间的作用以后，这些有毒物质会累积于产生精液的生殖腺组织中。因此在炼油厂工作或每天吸两盒烟以上的人比那些不接触有毒物质的人需要更多的 Vit C 来保护精子免受毒害。这种有毒物质的累积有助于解释为什么随着年龄的增长不育的可能性越来越大。他们估计 25 岁以上男性中的 16％会有精子聚集现象，典型的 Vit C 缺乏和不育。他们同时证明，严重吸烟者可通过每日摄入至少 200 毫克 Vit C 来提高精子的活性。

已证明有效的这个剂量在食物中比较容易获得，并且更低剂量 Vit C 可能也有效，尽管目前并未进行研究来加以证明，他们建议那些曾经接触有毒物质的男性每天摄入 100 毫克 Vit C，连续服用两个月，以清除精液中的有毒物质，促进生育能力的恢复。此后低剂量的 Vit C，通过饮食获得，即可维持精子活力。

他们说 Vit C 只对那些没有其他不育问题的男性才有效，才能恢复其生育力。他们建议在充分相信 Vit C 的恢复能力以前应彻底检查身体及生殖系统，排除其他原因导致不育的可能性。

可使精子恢复正常功能的 200 毫克 Vit C 可在下列各种食品中发现：

1½ 个辣椒，含 212 毫克 Vit C；

2 个新鲜烹饪的花椰菜，含 196 毫克 Vit C；

3 个 Kiwi 果，含 222 毫克 Vit C；

1 个甜瓜，含 226 毫克 Vit C；

3 个橘子，含 210 毫克 Vit C；

2 杯 8 盎司的橘汁，含 208 毫克 Vit C；

1¼ 杯混合冷冻水果汁，含 234 毫克 Vit C；

2½ 杯野生草莓，含 210 毫克 Vit C。

应该从食物中而不是瓶装药物中获取身体所需的 Vit C。实验证明食物中含有其他的可阻止精子被破坏的成分，其中之一就是抗氧化剂谷胱甘肽，主要集中于绿色有叶类蔬菜，芦笋和鳄梨中。

Vit C 缺乏的男性更可能使其精子受到损害，引起生育缺陷。加利福尼亚大学伯克立分校的布鲁斯·埃姆斯博士分析了 24 位男性的精子。其中 15 人 Vit C 的水平低于正常，在这 15 人中，8 人的精子有较高水平的基因损伤。这些受损的精子增加了后代生育缺陷出现的几率，令人惊奇的是大多数男性一天吃一个橘子就可得到充足的 Vit C 来阻止精子发生基因损害。

埃姆斯博士解释说精子细胞会持续受到氧自由基的伤害。作为抗氧化剂，Vit C 可阻止这种伤害的发生。同时细胞可继续工作修复对精子的损伤。但是如果身体的修复系统超负荷工作，部分原因是由于体内没有足够的 Vit C 来抗氧化，那么就易发生生育缺陷。他说这只是增加了发生生育缺陷的几率，具体如何尚不清楚。

然而 Vit C 的安全剂量范围比较小。在埃姆斯博士的测试中，当 Vit C 的水平只是稍微低于每日推荐摄入量 60 毫克时，即发生精子的遗传学损伤。一个橘子中含有 70 毫克 Vit C，足以消除这种损伤。然而吸烟者至少需要两倍于此的 Vit C 才能保护精子不发生遗传学损伤，因为吸烟可以消除部分 Vit C 的抗氧化能力。

叶　酸

神经管缺陷，如脊柱裂和无脑畸形，会使婴儿产生脑损伤，造成瘫痪，令人痛心。然而妇女只需每日摄入 0.4 毫克叶酸—— 一种 B 族维生素，即可显著降低这些畸形的发生率。关于叶酸的保护性作用，已经研究 10 年之久。伦敦的医生们对 1,817 例女性进行了长达 8 年的国际性研究，研究中的女性以前都曾经生育过有神经管缺陷的婴儿，然而那些每天食用 0.4 毫克叶酸的妇女，再生婴儿带有神经管缺陷的几率下降了 72％。

尽管那些曾生育过有神经管缺陷婴儿的妇女，再生婴儿更可能发生这种缺陷，但大多数的神经管畸形都发生于第一个婴儿，因此所有的胎儿都有潜在的危险。

疾病控制与预防中心的戈弗雷·奥克利博士说为保证胎儿安全，在怀孕前应保证摄入足够的叶酸。由于受孕后头 28 天，大多数妇女尚未意识到已怀孕，而畸形又多在此时发生，因此 Vit C 在以后没有时间发挥作用，专家建议说，受孕前一个月及怀孕后头三个月必须保证摄入足量的叶酸。

每天 0.4 毫克叶酸可以预防神经管畸形，普通饮食中即可获得 0.4 毫克叶酸。例如下列食品全部食用即可满足要求：

1杯橘汁，含0.07毫克叶酸；

1/3杯纯谷壳冲剂，含0.1毫克叶酸；

1/2客炒好的菠菜，含0.13毫克叶酸；

1/2客炒好的干豆，含0.12毫克叶酸。

所有可以怀孕的妇女，应该每天摄入0.4毫克的叶酸来预防神经管畸形。你可以通过水果、蔬菜，尤其是绿色有叶蔬菜，谷类（许多都含有叶酸）和豆类食品来获取0.4毫克叶酸，保证一旦怀孕后胎儿的正常发育，防止发生神经管畸形。

饮食与月经异常

可治疗月经异常的食物有酸牛奶和高钙饮食，碳水化合物，高锰食物，大豆和其他"雌激素性"食物；可加剧月经异常的食物有咖啡因和低脂肪饮食。

如果您有月经异常，那么可以通过饮食来加以调节。长久以来，科学家们就了解到食物可影响女性机体内雌激素的水平并影响月经，并且了解碳水化合物与月经前症状（PMS）密切相关。最新研究，揭示了食物及其营养成分如钙、镁、脂肪和胆固醇，是如何影响月经的。

钙

每天一杯脱脂牛奶或一客羽衣甘蓝可有助于预防、治疗月经前及行经过程中的情绪波动。根据美国农业部心理学专家彭兰德博士的看法，每天摄入 2 倍于正常剂量的钙，约 1,300 毫克而不是平常的 600 毫克钙，可以缓解这种月经不舒适感。

彭兰德博士让一批有正常月经周期的妇女每天服用 600 毫克或 1,300 毫克钙，持续 6 个月。摄入钙剂量较低的妇女有更多的 PMS 症状，即月经前综合征，尤其是在月经前一周更为明显。她们情绪变化较大，包括易怒，焦虑，哭叫和抑郁。她们的工作表现及效率在月经前及行经过程中也明显受到抑制，并且在行经过程中更多地出现头痛，肌肉痉挛和僵硬。彭兰德博士说，低钙为何会引起这些病症及钙介入PMS的复杂调节机制尚不清楚。

茶和烤面包

对于经量比较多的行经，食物有何作用？很大程度上主要归因于机体对含锰丰富的食物摄入太少。北达科他州美国农业部人类营养研究中心的科学家对 15 名年轻妇女进行研究，让她们食用 5 个半月的低锰饮食，结果发现这些妇女的行经量均比较多，且来势凶猛。她们每天只摄入 1 毫克锰，这只相当于全国平均摄入量的一半。令他们感到惊奇的是，这些妇女的行经量增加了 50%，增多的血液丢失也带走了多达 50%～100% 的铁、铜、锌和锰。

行经为何如此严重尚不清楚。但他们说，这是首次研究发现饮食对行经有影响。为有效防止这种异常的行经损失，多吃一些富含锰的食物，如水果（尤其是菠萝）和蔬菜，纯谷物，坚果和种子。他们补充说，在茶中也含有大量的锰。

脂　肪

对月经和生殖功能的最大威胁之一就是饮食和身体中脂肪的缺乏。实际上，如果妇女没有足够的 LDL 胆固醇（习惯上被认为是有害的脂肪），那么她们就不会正常行经。宾夕法尼亚医学中心病理学教授劳伦斯·德默说，具有讽刺性的是许多年轻女性疯狂锻炼，采取建议错误的饮食，试图尽可能降低体内脂肪和血中 LDL 胆固醇含量，从而会损害她们的月经周期，使其暂时性不育，易于骨折，并且以后发生骨质疏松的可能性也比较大。

德默教授解释说，女性激素雌二醇可调节月经，而雌二醇部分来源于脂肪和胆固醇。他补充说："人们常认为卵巢产生雌激素，但脂肪组织也会制造雌激素。当你的身体缺乏脂肪时，生殖功能将会受到严重影响，甚至暂时中止。因此您需要一定量的脂肪，产生正常量的雌激素，维持正常的月经周期。"他认为，人也需要一定量的 LDL 胆固醇，因为雌激素是由 LDL 胆固醇的前体合成的，并认为那些体内 LDL 胆固醇水平较低的年轻女性处于比较危险的状态中。由于某些未知原因，食素的妇女尤其容易发生月经周期不规则，尽管她们摄入的脂肪也可能很多。

解决的办法就是吃足量的脂肪，保持体内脂肪储备及胆固醇水平，以维持正常的有规律的月经。橄榄油中的单不饱和脂肪酸是一种较好的饮食。

298

甜　食

那么甜食是 PMS 的诱因呢？还是其治疗物？一些伴有 PMS 症状的妇女渴望用碳水化合物作为自我治疗物以缓解症状？或太多甜食是否会引起 PMS 症状？换句话说碳水化合物，包括糖和巧克力，是 PMS 的治疗物还是诱因？

最新的研究主要支持吃糖可以阻止 PMS 症状的发生。麻省理工学院的沃特曼博士进行的研究发现，有 PMS 症状的妇女食用碳水化合物时可较快恢复正常。在一实验中，沃特曼博士让有 PMS 症状的妇女在行经前和行经后期居住于麻省理工学院研究中心数天，开始时她们被允许可食用任何想吃的东西。比较稳定的是，有严重的 PMS 症状的妇女选择的主要是碳水化合物，包括甜食，面包卷，意大利干面食和土豆沙拉，但只有在月经前才这样。

　　为进一步证实以上观点，沃特曼博士进行了一系列实验。测试中她让妇女，不管是 PMS 患者还是正常人，都食用一定量的碳水化合物，包括两客玉米片并伴有低蛋白的人工奶粉。典型的 PMS 患者抑郁，易怒，敌对感强，疲乏，易激惹。食用碳水化合物后 1 小时之内妇女的精神状况明显改善。沃特曼博士说，她们好像是服用了镇静剂一样。在情绪评估测试中，妇女们压抑降低 43%，迷惑降低 38%，疲劳降低 47%，紧张感减轻 42%，愤怒感减低 69%。在行经以后的时期中，玉米片并不改变非 PMS 患者或 PMS 患者的情绪。沃特曼博士相信碳水化合物可产生更多的神经递质5-羟色胺，从而改善情绪。

　　沃特曼博士坚持认为有 PMS 症状的妇女不要否认自己想吃碳水化合物的愿望，包括冰淇淋，糖果，面包与土豆，米饭，意大利干面食和谷类食品。她说，这种渴望代表一种对 PMS 的治疗，而不是诱因。

　　华盛顿大学的心理学家德博拉·鲍恩同意以上说法，她研究发现那些尽量满足自己的食物愿望的妇女较少发生月经异常，如肌痉挛和行动迟缓。

　　许多英国科学家也认为，碳水化合物是 PMS 较好的治疗物，高碳水化合物饮食可以缓解 PMS 症状。他们发现食用少量淀粉（面包，土豆，意大利干面食，燕麦片或米饭），每隔 3 小时吃一点，睡觉前或起床后一小时内吃一些，可以抑制 PMS。对 84 名有严重 PMS 症妇女进行研究发现，白天消耗淀粉类食物后尚有 7 个小时才能过夜。因此他们要求这些妇女每 3 小时吃些淀粉类食物，或者每天吃 6 次饭。每3 小时吃点淀粉类食物的方法极其成功，使 70% 的妇女PMS 症得到缓解，其中 1/4 可单独通过饮食来控制 PMS

症状。

英国科学家对于碳水化合物治疗的有效性有不同的解释，他们认为经常食用碳水化合物有助于维持血糖水平的持续稳定。碳水化合物摄入的长时间间隔会导致血糖水平的急剧升降，释放肾上腺素，防止孕酮的充分利用。他们推测在PMS患者中常见的对糖和碳水化合物的暴饮暴食，原因在于这些患者试图升高血糖，使孕酮恢复正常水平，缓解症状。

咖 啡 因

奥兰多州立大学公共卫生系副教授安妮特·罗西格诺建议，如果你认为 PMS 症使你的生活充满烦恼，那么可试着戒掉含咖啡因的饮料，约 2 个月时间，观察症状是否有所改善。她说，每天饮用 1.5 杯~4 杯茶的中国妇女，其 PMS 发生率是不喝茶妇女的 2 倍。由每天喝 4.5 杯茶增至 8 杯，其 PMS 发生几率将增加 10 倍。

然后她对 841 例美国女学生进行了研究。从该研究来看咖啡因是一种诱因，那些每天饮用至少一杯含咖啡饮料的女学生更容易患 PMS。消耗咖啡因越多，他们的 PMS 症状就越严重。她说，并不是所有个体的 PMS 症状会因咖啡因而恶化，许多人对咖啡因比其他人更敏感。但是你可以很快发现自己是否会受其影响。她说，你可以在 2 个月~3 个月内戒掉咖啡因，观察咖啡因是否与 PMS 有关，关于咖啡因影响 PMS 的机理目前尚不清楚。

绝经后的饮食

当妇女不再产生雌激素时，就进入绝经期，有时会伴有一些副作用，如发热和情绪变动。雌激素缺乏会升高心脏病和骨质疏松的发病率。是否可通过饮食增加体内雌激素的水平，从而消除雌激素缺乏，减轻绝经期症状？国家癌症研究院营养学家马克·梅西纳认为的确存在这种可能性，可能性有多大就不清楚了，这与妇女个体反应有关，但许多研究提示，吃大豆和亚麻籽可刺激绝经后妇女产生雌激素。

澳大利亚维多利亚医学院教授马克·万维斯特进行的研究显示，可由大豆和亚麻籽获取雌激素。他对比绝经后且未服用雌激素的妇女进行研究，让她们先采用常规饮食2周，然后再食用含大豆粉（每天1.5盎司），红三叶草嫩芽或亚麻籽（每天1盎司）的饮食。所有这些食品都可使动物产生雌激素。

大豆粉和亚麻籽确实可以升高雌激素水平和活性。根据万维斯特教授的看法，雌激素的一个敏感指标就是阴道细胞的成熟度。阴道涂片显示，食用大豆和亚麻籽的妇女雌激素活性，明显增强。这些妇女祛除特定饮食后2周，她们的阴道细胞又恢复到正常状态。

只有高蛋白的豆类产品才有雌激素活性，这说明豆类产品中，从黄豆中提取的蛋白，豆腐，豆奶等，而不是豆汁和豆油有雌激素活性。

水果和坚果

根据美国农业部研究人员福里斯·米尔森博士的研究，

食用富含硼的食品可以像服用雌激素进行替代治疗一样，可大幅度提高绝经后妇女的雌激素水平。他说硼可提高血中类固醇激素水平来发挥作用。他证实摄 入足量硼的妇女，其体内雌激素的最活跃形成雌二醇17B的含量增加了一倍，达到了雌激素替代疗法妇女相同的雌激素水平。

美国人饮食中平均含有相当于研究中有效剂量一半的硼。高含量的硼主要在水果，豆类，坚果（包括杏仁，花生和榛子）以及蜂蜜中。每天食用2个苹果，3.5盎司花生米即可获得有效剂量的硼。

酒　类

令人惊讶的是隔天喝些啤酒，高度白酒，红葡萄酒和其他含酒精饮料可提高老年妇女体内雌激素水平，缓解绝经期症状，阻止发生心脏病和骨质疏松症。匹兹堡大学医学研究副教授朱迪思·加瓦勒最近对绝经后妇女的研究提示，每周喝3次~6次酒，可升高体内雌激素水平，相当于雌激素替代治疗作用的10%~20%，并且在降低心脏病的发病率方面与雌激素替代疗法类似，但是她强调每周喝酒次数不能超过6次。否则不会进一步提高雌激素水平并产生许多副作用。

她说，酒精本身可能会刺激将雄激素转化为雌激素的转化酶的活性，从而升高雌激素水平。但是含酒精饮料的作用并不完全来自于酒精，他发现不含酒精的啤酒和烈性威士忌，它们主要来源于玉米，均可刺激绝经期妇女和动物体内雌激素的产生。因此部分雌激素活性源于用来制造酒精饮料的谷物、啤酒花和其他植物中所含的天然激素。她已经分离出了啤酒中的两种植物性雌激素。她喜欢综合筛选那些有雌激素活性的普通食品，其中一些食品可能从未被研究过，从而让女性了解哪种食品可以影响雌激素水平。

一个常见问题就是，食用提高机体雌激素水平的食物会引发乳腺癌吗？亚拉巴马大学教授斯蒂芬·巴恩斯用大豆为例回答了这个问题。他说，大豆有奇特的升高雌激素的作用，同时可抑制乳腺癌的发生。他推测大豆的作用有些类似于抗乳腺药物他莫西芬，他说，自相矛盾的就是豆类中的激素可防止发生乳腺癌，如果豆类的作用确实与他莫西芬相类似，那么豆类可能有助于预防骨质疏松症和骨丢失的发生。然而目前需要进一步研究，以搞清女性与男性所食的能控制激素的食物的复杂作用机制。

美洲山芋

许多医生告诉绝经后妇女食用山芋可作为雌激素的部分替代品。《美国医学杂志》上的一封信甚至提议：如果妇女食用大量生山芋，那么可以从中获取大量雌激素，可能缓解阴道干燥症，并预防骨质疏松症的发生。

专家认为不可相信这些东西。芝加哥伊利诺伊大学植物激素权威专家诺曼·法恩斯沃思说，小的橘形山芋，美国市场上有售，更准确应称为甘薯，有不明显的雌激素活性。真正的山芋，含有薯芋皂苷配基，它是生育控制类药中的主要类固醇物质。真正的山芋是热带的墨西哥野山芋（普通可食性美洲山芋不含有薯芋皂苷配基）。美国农业部医用植物专家简斯·杜克说，即使如此，这些野山芋也基本是不可食性的，因为山芋中的雌激素性化合物或植物甾醇是皂角甙，比较苦涩。

发热原因

　　看来似乎合理的是，许多女性认为喝热饮料或酒不会引起发热。但是英国曼彻斯特一家医院的医生们却证明，这些饮料与酒会引起发热。麦卡勒姆博士研究了绝经期妇女和治疗前列腺癌的男性，发现快速饮用一杯热茶或咖啡易引起发热，表现为上肢感觉热度增加，伴有面部和颈部的变红发热感，有时会伴有大量出汗和心跳加速。实际上大量的发热发生于饮用热茶和咖啡后的 10 分钟内，并持续约 1.5 分钟。喝一口 40 标准强度的威士忌也会引起同样发热。热饮料和威士忌产生的热量远远多于在火炉边所获得的热量。

　　研究人员推测热咖啡，茶和威士忌，均可被称为"体温控制机制的热源性冲击物"，可引起一种被夸大的试图维持体温的生理反应。

　　当研究中受试者降低他们的热饮料温度后，发热次数下降，有些受试者发热次数甚至减半。

第八部分

饮食与糖尿病
及其他疾病

饮食与糖尿病

　　有助于治疗糖尿病的食品有洋葱，大蒜，肉桂，高纤维素食品，豆类，小扁豆，胡芦巴种子，鱼，大麦，高铬食品（花椰菜）。

　　公元前 1550 年，著名的 Ebers Papyrus 建议用高纤维素的谷类食品来治疗糖尿病，植物性食物仍旧是可选药物，但现在科学家们有更有力的理由确信，这些食品的确有效。数个世纪以来确认已有 400 多种植物可以用于治疗糖尿病。在欧洲、亚洲及中东地区，生洋葱和大蒜长期以来一直是有效的抗糖尿病药物。人参在中国非常流行，普通的可食性蘑菇在欧洲某些地区广泛应用于控制血糖，在伊拉克大麦做成的面包常用于治疗糖尿病。卷心菜、莴苣、萝卜、大豆、杜松果、紫苜蓿和芫荽种子在许多文化传统中被用来治疗糖尿病。令人惊奇的是这些食物疗法确实有着抗糖尿病的科学机理。现代实验证实以上所有食品或从中分离出的化合物可以降低血糖，刺激动物或人及细胞培养物的胰岛素分泌。

　　那么什么是糖尿病呢？食物又是如何影响糖尿病的呢？

　　本质上糖尿病就是血中糖太多。当你的胰腺不能分泌胰岛素，胰岛素不足或无效时，就易患糖尿病，而胰岛素可以刺激细胞吸收并贮存葡萄糖。如果胰岛素不能对葡萄糖产生作用，那么血糖水平会异常升高，引起许多功能紊乱，包括大量排尿、饥渴、虚弱、疲乏，同时伴有心血管和肾的损害。

糖尿病主要有两种类型。比较严重而少见的Ⅰ型糖尿病多发于儿童，偶见于年轻人，多在 35 岁以下。由于分泌胰岛素的细胞逐渐被破坏（主要由许多免疫反应所引起），因此Ⅰ型糖尿病患者必须接受胰岛素注射，因为他们自己的胰岛几乎不能产生胰岛素。Ⅰ型糖尿病也称为胰岛素依赖性糖尿病，或青春型糖尿病。

对大多数美国人而言，威胁更大更广的是Ⅱ型糖尿病，几乎总是在 40 岁以后发病。具有讽刺性的是该型糖尿病患者体内经常有许多胰岛素，但却不能正常发挥作用，因此，细胞对其产生抵制。这种糖尿病也称非胰岛素依赖性糖尿病，或成年型糖尿病，约占所有病例的 90%，大约有 1,200 万美国人患有此型糖尿病，也许还有相当于此数量一半的人尚不知自己已患有此病。

既然所吃食品对血糖和胰岛素有很重要的影响，那么食物在引发、加重或控制糖尿病的过程中就显得举足轻重了。

食物影响糖尿病的方式有以下几种：

- 过多食入能使血糖升高的食品可加重胰岛素的负担，限制该类食品摄入可望能维持血糖的稳定。
- 某些食品中含有能刺激胰岛素活性和潜能的物质以及可直接调节血糖的物质。
- 食物中的抗氧化物，如 Vit C 和 Vit E，可防止自由基对 β-细胞的攻击，以免加重炎症反应或造成其他损害。这些抗氧化物质也可抑制糖尿病患者自身 LDL 胆固醇的氧化，而糖尿病患者由于 LDL 胆固醇的氧化比非糖尿病患者更易受到损害。Ⅱ型糖尿病患者的心脏病的患病率是非糖尿病患者的 2 倍～3 倍。
- 尤其令人奇怪的是这种可能性的确存在：Ⅰ型糖尿病

的发生可被牛奶中的蛋白成分等引发的迟发性过敏反应所增强，加重病情。

美国糖尿病学会的盖万德·伯斯丁博士说："认为糖可以引起糖尿病的看法是错误的，正确的原因在于不足或不能起作用的胰岛素，以为糖是发病原因未免有些本末倒置。"

糖尿病的发展十分复杂，且常被错误理解，但现在认为，人在出生后即有患糖尿病的可能性。然后环境中的某种东西，包括饮食，就会启动并引发糖尿病的所有症状。

也许并不奇怪，饮食与糖尿病一直密切相关，因为糖尿病原本就是胰腺的功能紊乱，而胰腺可以分泌胰岛素，将食物中的糖转化为能量，首先在胃中碳水化合物被降解为常见的葡萄糖；胰腺分泌胰岛素将葡萄糖由血液转道至肌肉中，贮存起来或转化为能量。以前曾认为一次摄入大量糖会引发糖尿病，现在却不再认为，糖尿病的发展相当复杂，仍然有许多待研究的问题。但糖尿病也不是一夜之间就能发生的，通常需要较长时间，长的可达数年。在发病的关键时期选择适当的食物可有助于克服糖尿病发病的遗传学可能性。

牛　奶

尽量不要给婴儿喝牛奶，尤其是当家族有糖尿病病史时更要避免。这看来似乎有些奇怪，婴儿期喝牛奶会使有遗传易患倾向的人日后患有Ⅰ型糖尿病的几率大增。这提示青春型糖尿病是食物过敏反应的一种恶性表现。这也说明在至关紧要的时期，即婴儿出生后的第一年，尽量让婴儿不要食用牛奶及奶制品，这样可使无数儿童日后免于发生糖尿病。

关于牛奶可引发青春型糖尿病的证据比较充分。专家认为牛奶中的某些蛋白作为抗原，可欺骗机体免疫系统来攻击机体自身组织。在此情形下，胰腺中 β-细胞被攻击，产生胰岛素的能力被破坏，多伦多儿童医院的多沙博士及其同事研究发现，在一组Ⅰ型糖尿病患者中，全部个体的血液中均存在这种抗体，说明机体对牛奶中的某些蛋白抗原产生了免疫反应。研究中只有 2.5%的非糖尿病患儿有此种抗体。研究人员相信蛋白可引发能导致糖尿病的过敏性免疫反应。在实验大鼠中，牛奶蛋白可以破坏分泌胰岛素的 β-细胞，从而引发糖尿病。

那些长期用母乳喂养不喝牛奶的婴儿，日后不易患糖尿病。在其他的最新研究中，芬兰赫尔辛基儿童医院的研究人员对较早接触牛奶与日后糖尿病的患病危险性的关系进行了研究，他们发现在生命开始的 2 个月~3 个月内单纯用母乳喂养的婴儿在 14 岁发生糖尿病的几率降低 40%，隔离牛奶更长时间可进一步降低糖尿病的发病率。出生后 4 个月开始食用基于牛奶的替代性食品喂养的婴儿，糖尿病以后发生的几率也下降 50%左右。

蛋　白

瑞典斯德哥尔摩的研究人员也发现年轻人从出生后至 14 岁，食用的高蛋白饮食越多，高含量、复杂的碳水化合物饮食及含亚硝胺的食物越多，日后就越易患糖尿病。他们推测某些蛋白成分可直接攻击胰腺的 β-细胞，例如富含复杂碳水化合物的食物（如面包），也富含小麦麦角蛋白，该蛋白可以直接损伤小鼠的 β-细胞。亚硝胺，有时存在于已做好的熏肉中，是一种致癌物质。他们推测这种物质对 β-细胞也有毒害作用。

加利福尼亚大学洛杉矶分校生理学巴纳德教授说："我

们已经了解遗传因素可使某些人易患糖尿病，但所有实验均提示生活中的因素，尤其是饮食和锻炼可以决定这些遗传因素在疾病发生中是否起决定性作用。

Ⅱ型糖尿病可以悄悄地逼近你。现在你可能没有糖尿病，但你可能正处于发病的边缘。体重超重是一种可怕的威胁，有Ⅱ型糖尿病的人大多数均超重，减轻体重是一种有效的预防或治疗措施。然而另一种危险可能会使你患上糖尿病，多达25%的美国人有正常体重，但对胰岛素却有抵抗性作用，这就意味着你体内的胰岛素不再能正常发挥作用，尽管其水平并不低。胰岛素抗性是Ⅱ型糖尿病的典型特征，肥胖者比较常见，更有意义的是它可以预言糖尿病的发生。

发生的机理在于：机体细胞对胰岛素指示其摄入葡萄糖的反应比较迟钝，或无效。然后胰腺为保持血糖水平正常而持续分泌更多的胰岛素。过度负荷，胰腺最后功能衰竭，不能产生足够的胰岛素，从而发生Ⅱ型糖尿病。许多专家相信，长年累月地食用某些食品有助于防止Ⅱ型糖尿病，胰岛素抵抗性可能会遗传，但一直会维持在隐秘状态，除非由一些环境因素，大多数为饮食因素可引发糖尿病。

对饮食的许多研究，旨在防止胰岛素抵抗性或葡萄糖耐量低减及糖尿病的发生。

鱼

饮食可使你患Ⅱ型糖尿病的几率下降一半。荷兰国立公共卫生和环境保护研究院的研究人员测试了175名男性和女性，确信他们均无糖尿病亦无葡萄糖耐量低减现象，4年以后重新检查时发现许多人有糖耐量低减现象。但有意义的是那些经常吃鱼的个体中只有25%的个体有糖耐量低减，而不吃鱼的个体中则有 45％的个体出现糖耐量低减。

　　研究人员推测食鱼者发生糖尿病的几率只相当于不食者的 50％。比较明确的就是鱼所含的某些物质，也许是 Ω-3 型脂肪酸，可以保护机体处理葡萄糖的能力免受伤害，防止发生糖尿病。用于保护作用的鱼所需量相当少，每天仅仅一盎司含脂肪的或罐装鱼。

脂　肪

　　应该限制脂肪的摄入，脂肪会促进你患糖尿病的步伐。科罗拉多大学卫生科学中心的研究人员最近研究发现，每天额外食用 40 克脂肪（相当于 4 盎司汉堡和大的油煎食品中所含的脂肪），糖尿病发病率会增加 3 倍！饮食中过多的脂肪，尤其是饱和型动物脂肪会损害胰岛素的有效作用。澳大利亚悉尼大学的研究人员通过手术获得了无糖尿病的老年男性和女性的肌肉细胞，他们测量了该细胞的细胞膜中的饱和脂肪酸的含量。并检查病人有无胰岛素抵抗性作用。结果发现细胞中饱和脂肪酸含量越大，胰岛素抵抗性作用就越强。另一方面，组织中高水平的多聚不饱和脂肪，尤其是鱼油，则表明胰岛素有较高的活性，并且很少有胰岛素抵抗性作用发生。

　　实际上研究人员也报道了用 Ω-3 型鱼油饲养动物可有效克服胰岛素抵抗性作用。

　　在另一研究中，食用脂肪可消除胰岛素的作用，促进血糖水平的异常升高。路易斯安那州立大学助理教授珍妮弗·洛夫乔伊研究了 45 名无糖尿病的男性和女性的饮食习性及其胰岛素活性，其中一半人有肥胖、超重，另一半人则是标准体重。结果发现肥胖及食用脂肪均可促进胰岛素抵抗性作用。洛夫乔伊博士说，这意味着即使是正常人，食用许多脂肪，尤其动物脂肪，可降低体内胰岛素的活性，增加糖尿病的发病率。

加利福尼亚大学圣迭戈分校医学教授菲利斯·克拉普说，减少奶类食品与饱和的动物脂肪摄入，增加含脂鱼类的摄入有助于防止发生糖尿病。对于糖尿病患者而言，土豆类似于糖果，土豆粉比冰淇淋更能引起血糖的较大变化。

葱

在古代医学中洋葱作为糖尿病的治疗药物就比较受欢迎，现代研究显示洋葱确实可以降低血糖。举例说，印度的研究人员让受试者服用洋葱汁和整个洋葱（每天 25 克～200克），结果发现剂量越大，血糖降低就越多，这与洋葱生熟无关，研究人员推测洋葱可影响葡萄糖在肝中的代谢或者胰岛素的释放，防止发生胰岛素的降解作用。

降低血糖的活性物质可能是烯丙基二硫化物和 allicin，实际上早在 1923 年科学家就发现洋葱中含有降低血糖的物质。在 20 世纪 60 年代，研究人员从洋葱中分离出了抗糖尿病的化合物，该化合物类似于普通的抗糖尿病药物氨磺酰（甲糖宁），可以刺激胰岛素的合成与分泌。在用兔子进行的动物实验中，洋葱提取物采用标准剂量时，其作用相当于77％的同量氨磺酰的作用。

花 椰 菜

多吃些花椰菜，其中含有丰富的铬，而铬可以对血糖产生奇迹般作用。如果你有Ⅱ型糖尿病，那么铬有助于调节血糖，常常降低患者对治疗药物和胰岛素的需要量。如果你濒于发生糖尿病的边缘，那么铬也可以防止你发生糖尿病。如果你的糖耐量不稳定（大约 1/4 的美国人均如此），那么铬可以修正你的糖耐量。即使你有低血糖而不是高血糖，铬照样可以使其恢复正常。马里兰州美国农业部人类营养研究中心的安德森博士说，无论你的血糖水平怎样，铬都使之恢复正常。安德森博士将Ⅱ型糖尿病发病率的升高部分归因于饮食中缺乏铬，并引用本世纪 80 年代的 14 项研究证明铬可以改善糖耐量。

铬可以促进胰岛素的有效作用，因此你可以需要较少的胰岛素来发挥作用。铬如何发挥作用尚不清楚。但安德森博士提示在试管测试中，有生物活性的铬可紧密粘附于胰岛素上，使激素的主要作用——将葡萄糖转化成二氧化碳和能量的活力提高了 100 倍。

然而约有 90% 的美国人每天摄入的铬低于推荐的每日摄入 50 毫克～200 毫克。一些高铬含量的食物有坚果，牡蛎，蘑菇，纯谷物，玉米，啤酒，葡萄酒，菜用大黄，酿酒用的酵母和花椰菜。分析发现，一客花椰菜中含有 22 毫克铬，10 倍于其他食品的铬含量。大麦中铬含量也很丰富，这也许可以解释其在伊拉克长期用于治疗糖尿病的状况。在动物实验中，大麦有助于抑制胰岛素的波动。

咖　喱

不要小瞧胡芦巴种子的作用。它在中东和印度长期用于治疗包括糖尿病在内的许多疾病。现在有证据表明，这些种子确实有助于控制糖尿病。

印度国家营养学研究院的科学家们最近将胡芦巴种子磨

成粉，给Ⅰ型糖尿病患者服用。结果他们的空腹血糖水平下降，糖耐量升高，血胆固醇水平下降。研究人员因此推测磨碎的胡芦巴种子是一种有效的抗糖尿病药物。

以色列耶路撒冷犹太人大学的科学家也证明，胡芦巴种子可以降低糖尿病患者和正常人的血糖及血胆固醇水平，并且他们从胡芦巴种子中分离出了一种活性成分，它是一种凝胶样可溶性纤维，称之为 Galactomannan，在动物实验中胡芦巴种子中的凝胶样的物质与胆酸结合，降低胆固醇，作用方式类似于普通药物。

肉　　桂

许多调料可以增强胰岛素活性。我们将肉桂和丁香作为调料放入甜食如南瓜饼中，其原因不仅在于我们的味觉使然，而且与其他原因也有关。这些调料有药物样活性，有助于处理这些甜食中的糖类，美国农业部安德森博士发现许多调料有助于刺激胰岛素活性，从而机体可以更有效地利用糖类，因此可需要较少的胰岛素。安德森博士测量了这些调料存在时的胰岛素活性，虽然大多数调料的作用不明显，但却有3种调料和一种草类可使胰岛素活性升高3倍，他们是肉桂、丁香、姜黄和干草叶，其中肉桂最为有效。

安德森博士说，只需一点点肉桂，撒于烤面包上的一点肉桂，即可刺激胰岛素活性，在食品中掺入少量肉桂就可使血糖水平恢复正常。

豆　　类

多吃些高碳水化合物，高纤维素食品，如豆类，可防止或适当控制糖尿病。根据肯塔基大学医学院专家们的看法，这是对糖尿病患者的重要建议。他们坚持认为降低胆固醇并有抗心脏病作用的同一种食品对于那些有心脏病的糖尿病患者而言效果比较不错，这些食品中可溶性纤维素含量较高。他们说，有大量研究显示这些高纤维素食品可以显著降低血糖、甘油三酯和胆固醇。

高纤维素饮食如此有效，以至于采取该饮食的许多病人，其替代治疗所需的胰岛素和其他抗糖尿病药物的需要量会显著下降。

胡萝卜与糖果

多吃一些不会引起血糖突然持续升高的食品。多年来一直认为简单的碳水化合物（糖类）无疑是升高血糖的主要物质，而复杂碳水化合物（水果、蔬菜、谷物和豆类，如土豆和胡萝卜）吸收较慢，作用中性，有益于身体健康。但是在本世纪70年代末、80年代初，这种观点受到强烈的冲击。当时许多科学家，包括加州大学圣迭戈分校的克拉普教授，多伦多大学詹金斯博士让受试者食用不同食品测量血糖水平。令他们惊讶的是，血糖升高最快的不是由糖果和冰淇淋引起的，而是由胡萝卜，土豆及加工后的谷类食品引起的，那种认为复杂碳水化合物比简单的碳水化合物对糖尿病患者更为安全的观点看来已经成为历史了，不再是真实的了。

10年来科学研究与争论主要集中于各种食物升高血糖的能力，即"糖血物质列表"，讨论对糖尿病的实际意义。当食物在胃中混合时，会引起麻烦吗？詹金斯博士坚持认为会产生不适。他的研究结果显示多吃些"糖血物质列表"中排位较低的食物可以改善两种类型的糖尿病患者的血糖总体控制能力，并且他也强调饮食可降低甘油三酯水平。

詹金斯博士及其他人也指出，即使是患糖尿病的人也可受益于"糖血物质列表"中的低位食品，举例说，这些食品可能防止胰岛素发生波动，引发胰岛素抵抗性作用，导致糖尿病。最新研究显示血中高水平胰岛素不利于身体健康，且会引起其他不良后果，例如可促进癌症的发生。吃些降低血糖的物质有助于降低血糖，机体需要维持血糖的胰岛素量也相应减少。

根据美国和英国大多数专家的看法，以下是糖尿病患者的最佳饮食：每天摄入的热量中，碳水化合物占 50% ~ 60%，脂肪低于 30%（饱和脂肪低于 1%），30 克 ~ 40 克纤维素。据最新调查糖尿病患者，很少有人能满足以上要求。研究的 92 个病人中只有 3% 的个体摄入的热量中碳水化合物占 50%，大多数个体在 40% 左右。只有 14% 的个体其脂肪摄入保持在总热量的 35% 以下，大多数个体摄入的脂肪量超过正常剂量 60% ~ 80%。只有 40% 的男性及 10% 的女性摄入了建议剂量的纤维素。

研究学者解释说，许多糖尿病患者会多年不找饮食专家咨询，因此一直在沿用控制碳水化合物的陈旧方法。

糖血物质列表

以下是糖血物质列表，或与葡萄糖相对照，普通食品对血糖的影响作用。其中葡萄糖升高血糖的幅度最大为 100%。而食物引发血糖升高的能力按百分比依次排列：

100%：葡萄糖

80% ~ 90%：玉米片，胡萝卜，防风草根，马铃薯（捣

碎立即可食的），麦芽糖，蜂蜜

70%～79%：面包（全粗面），粟，米（细米），大多数豆类（新鲜的），马铃薯（新产的）

60%～69%：面包（白面包），糙米，磨碎的小麦，Muesli 谷类，脆薄饼干，甜菜根，香蕉，葡萄干，Mars 棒

50%～59%：荞麦，意大利面条（细面），高糖玉蜀黍，纯麦麸，燕麦饼干，冻豌豆，山芋，蔗糖，土豆片

40%～49%：意大利面条（全粗面），燕麦片，甘薯，豆类（深蓝色的），干豌豆，橘子，橘汁

30%～39%：利马豆籽，Butter 扁豆，黑山藜豆，苹果，冰淇淋，脱脂牛奶，全脂牛奶，酸牛奶，西红柿汤

20%～29%：菜豆，小扁豆，果糖

10%～19%：花生、黄豆

维 生 素

肯塔基大学医学院的专家们建议说，如果你患有糖尿病，那么应该确保吃些富含抗氧化剂的食品，如 Vit E，Vit C 和 β-胡萝卜素。因为糖尿病患者的动脉凝血机制出现异常，并且比较严重。具体而言，糖尿病患者的不良型 LDL 胆固醇更易于被氧化，更有可能变成有毒物质。并且这些被氧化的 LDL，理论上更易于堵塞动脉。因此糖尿病患者心脏病的发病率是正常人的 3 倍～4 倍。

那么危险性的被氧化的胆固醇是如何产生的呢？这可能与糖尿病患者体内持续高水平的血糖有关。当糖被代谢时，释放出氧自由基，氧化胆固醇，使之产生毒性。通过服用抗氧化剂有助于消除这种氧化作用。

下面所列是预防和治疗糖尿病的最佳饮食：

- 为防止发生Ⅰ型糖尿病，至少在婴儿出生后的第一年内尽量不要食用牛奶及奶制品。

- 为防止发生Ⅱ型糖尿病，多吃些鱼，大豆，坚果和高铬食品，如谷类和花椰菜；同时还应注意减轻体重，并限制脂肪的摄入，因为脂肪会促进胰岛素抵抗性作用。

- 如果你有糖尿病，那么大多数专家推荐高纤维素，高淀粉饮食。多吃些在"糖血物质列表"中排位较低的食品，如粗面包，面包，米，燕麦和大豆。由于高纤维素、高淀粉饮食消化所需时间较长，因此吸收进入血液就比较慢，不会引起血糖的突然变化。

- 尤其应推荐的是富含水溶性纤维的饮食，如大豆和燕麦。这些纤维在消化道中转化为凝胶，延长了食物中的糖吸收入血的时间，防止引起血糖突然的、有危险性的波动。

- 所有建议中最有效的就是食用与预防心脏病所采取的同样饮食，尤其是脂肪含量低，富含高纤维碳水化合物的食物，如豆类，燕麦，纯谷类食品，坚果，水果和蔬菜。

饮食与其他疾病

粉　刺

如果你认为巧克力会引发粉刺或丘疹，那么你将不是单独的一个。这是一种普遍的想法，但却是一种医学谎言。宾夕法尼亚大学的皮肤病专家试着让 65 名脸上长满粉刺的人服用过量巧克力，连续 1 个月，他们每天服用 1 磅又苦又甜的巧克力，在另一个月，他们服用假的巧克力，当这些受试者大量食用真正的巧克力时，粉刺并未加重。

另一方面，如果你易于发生粉刺，就注意不要摄入太多的碘。过量的碘可刺激皮肤的孔道，引起粉刺的突然发作。当然你主要从含碘盐中获取碘，但是在快餐和牛奶中也有大量碘。消费者联合会曾经发现快餐中的碘平均含量是碘推荐每日摄入量 150 微克的 30 倍，也就是每份快餐中含有惊人的 4,500 微克碘。最近对威斯康星州 175 个奶牛群收集的奶样进行分析发现，每升牛奶中平均含碘 466 微克，这些奶样中有 11% 的碘含量超过 1,000 微克/升。碘可能是通过污染牛奶设备和饲喂奶牛的药品而进入牛奶中。

在食物中，海藻的碘含量尤其高。海带中的棕色海藻是已知食品中碘含量最高的。虾、牡蛎等水生贝壳类动物中碘含量也相当高。

加州纽波特海岸的粉刺研究所主任贾尼思·富尔方说，

多少量的碘会引发丘疹，依赖于个体对碘的敏感度。他说："我认为对许多易发生粉刺的人而言，每天 1,000 微克或 1 毫克碘就会出现异常。"其他研究显示每天两片海带，每片含 225 微克碘，就会引起粉刺的突然发作。

瑞典人研究显示，粉刺患者通常缺乏锌。锌的来源主要是什么呢？水生贝壳类动物尤其是牡蛎和大螯虾，麦芽，纯谷类早餐食品，花生米，山核桃，大豆，肝，火鸡。

艾 滋 病

对人类而言没有具体证据证明饮食有助于预防或减缓甚至祛除 HIV 病毒感染。但是实验进行的显示存在一些模糊的可能性，也存在有许多食物及其成分有助于提高免疫功能，有助于祛除艾滋病过程中伴随的一些感染和其他疾病。

植物中的病毒抑制物：在试管试验中，有两种食物成分可以阻止 HIV 的扩散，它们是 Vit C 和谷胱甘肽，后者是一种主要含于水果和蔬菜中的较强的抗氧化剂。康奈尔大学医学院的迈斯弗博士进行的实验研究，令人惊讶地发现谷胱甘肽可阻断 90％ 的 AIDS 病毒的扩散。迈斯弗博士在佩特里细菌培养皿中刺激人细胞复制 AIDS 病毒；当他加入谷胱甘肽后，病毒复制明显受到抑制，并且加入的谷胱甘肽越多，效果越显著。迈斯弗博士说，AIDS 患者体内谷胱甘肽的水平极低，谷胱甘肽的缺乏可能有利于 AIDS 病毒的扩散。

增强免疫功能的蘑菇：任何增强机体免疫系统功能的食品均有益于健康，研究发现日本蘑菇的提取物有神奇的效果，在抗 HIV 病毒方面，日本蘑菇比普通的治疗 AIDS 药物 AET 更为有效。

大蒜的抗感染作用：天然抗生素如大蒜在 AIDS 病人的

免疫系统受抑制时，可以抑制体内发生的有巨大破坏力的条件性感染，常见的有肺结核和真菌感染。在民间医学和现代医学中，常用大剂量的蒜来帮助治疗这些肺部感染。例如在现代药物产生前的20世纪二三十年代，大蒜被医生们广泛用于治疗肺结核。许多医生正在研究大蒜对AIDS患者的机会性感染的抵抗力。

良性乳腺疾病

小的，非癌肿性的，但经常疼痛的乳腺肿块被认为是乳腺的良性疾病或乳腺的纤维囊性疾病。避免食用甲基黄嘌呤族食品（最著名的有咖啡因）可抑制以上肿块，1979年俄亥俄州立大学的明顿博士发现，两组妇女在放弃饮用含有甲基黄嘌呤类（如咖啡因，可可碱，茶碱）的咖啡、茶、可乐和巧克力时，65%的个体良性肿块奇怪地消失了。

进一步研究发现了一些令人惊讶的结果。举例说，意大利研究人员于1985年进行的一次大规模研究，发现女性饮用咖啡因越多，良性乳腺肿块出现的机会就越大。每天1杯～2杯咖啡可使几率加倍，每天3杯～4杯咖啡，可使肿块出现几率增加4倍，然而每天5杯或更多，几率不会进一步增大。

然而也有许多研究发现二者之间并没有联系。由国立癌症研究院进行了迄今为止最大的调查，对3,400名妇女进行研究，发现甲基黄嘌呤类物质的摄入与乳腺纤维囊性变的发生率无相关性。

另一种可能性存在于卷心菜中。根据最新研究，提示多吃些十字花科植物，包括卷心菜、花椰菜和花菜可促进雌激素的代谢，而雌激素则可加重乳腺肿块，因此可抑制乳腺纤维囊性疾病的发生。

哺乳与大蒜

为刺激哺乳的婴儿的食欲，母亲在哺乳前一小时多吃些大蒜。的确母乳中强烈的大蒜味可诱使婴儿吃更多的奶。

为验证以上理论，研究人员给正在哺乳婴儿的母亲中的一半人吃大蒜胶囊，另外一半人给以安慰剂胶囊。

结果吃蒜的母亲产生的乳汁确实有刺鼻性气味，然而婴儿却非常喜欢。当嗅到大蒜味时，婴儿偎依在母亲乳腺上的时间更长，吸吮更为有力，喝的奶会更多。

阻止婴儿吃太多奶的一个方法就是在哺乳前母亲喝点酒。这与民间说法相矛盾，民间认为哺乳前喝点啤酒、葡萄酒或高度白酒可促进乳汁分泌，提高婴儿的食欲。另一方面饮用含酒精的橘汁的母亲，其婴儿吸奶量也明显减少。

研究人员认为强烈的气味一般可以刺激婴儿的食欲，而酒精则可抑制食欲，损害婴儿的吸吮能力与乳汁的分泌。

白 内 障

吃蔬菜，尤其是菠菜可防止老年时发生白内障。白内障是眼球晶体变浑浊，可引起视力丧失，根据英国医学杂志的研究，菠菜是所有食品中最能预防老年妇女白内障的食品。原因可能在于菠菜中富含抗氧化剂，包括 β-胡萝卜素。实际上研究人员发现，那些食入大量含 β-胡萝卜素的水果和蔬菜的妇女只有40％的人可能发生白内障。

该理论认为，白内障的发生部分归因于晶体的氧化，例如日光长年累月地对晶体的作用。因此保持眼球晶体中有大量保护性的抗氧化剂可以消除或延缓白内障的发生。

实际上研究显示，那些较少食用水果和蔬菜的人更易于发生白内障。例如美国农业部的研究人员雅克博士研究发现，那些每天食用水果和蔬菜少于三份半的人患白内障的几率增加了4倍。每天食用少于1份半水果和蔬菜的人患白内障几率增加了6倍。

并且雅克博士发现，那些血中植物性类胡萝卜素水平最低的人，发生老年性白内障的几率增加了7倍，那些血中Vit C缺乏的人，发生白内障的几率增加了11倍。叶酸主要含于绿色有叶类蔬菜中，如菠菜和花椰菜，低水平叶酸易引发白内障。喝茶的同时服用一些抗氧化剂可以防止发生白内障。

一个古老的草药配方，长期以来一直认为可以防止白内障的恶化。新的研究显示这种疗法实际上增加了眼球晶体内抗氧化剂谷胱甘肽的水平，而在所有类型的白内障患者的眼球晶体内，这种抗氧化剂严重缺乏，这种低水平的谷胱甘肽有助于解释白内障的发病原因。我们可以从许多水果、蔬菜中获取谷胱甘肽，包括芦笋、鳄梨、西瓜和橘子。这种机制有助于解释蔬菜为何有抗白内障能力。

慢性疲劳

如果你或你认识的人有慢性疲劳，可能会被诊断为慢性疲劳综合征，那么应清楚了解所有痛苦可能起因于一种延迟的食物过敏反应。慢性疲劳综合征很难治愈，主要表现为极端疲劳，抑郁，多沉思。然而乔治城大学医学院的过敏反应专家、临床医学教授塔尔·诺索里发现，来就诊的慢性疲劳患者中的 60%归因于食物过敏反应。他说这几乎是不可能令人相信的，但当他们避免食用所有引起过敏的食品时，他们就完全恢复了。

他发现慢性疲劳综合征的主要诱因有三个，是小麦、玉米和牛奶。

如果通过皮肤试验和普通血液检查证明病人有食物过敏反应，那么诺索里教授让病人在 3 周内避免食用这些可疑的食品。如果病人症状得到改善，那么应该再让病人做一次"食物挑战试验"，重新食用可疑食品，观察症状是否又出现了。如果确实又出现了，那么就证明这种食物就是发病的原因。

有一病例，女，18 岁，被诊断为慢性疲劳综合征，因有严重抑郁而实行心理监护治疗，并服用抗抑郁药物。经检测，她对小麦过敏。诺索里教授说："她持续服用不含小麦的饮食，3 周内症状开始减退。她不再去找精神分析专家，不再服用抗抑郁剂，表现一直较好。"他提醒道，由于食物残渣在体内滞留时间较长，因此在你希望症状改善以前需要等待 3 周～4 周时间。

节段性肠炎

节段性肠炎是多发于儿童及年轻人的结肠感染性疾病。具体病因尚不清楚，但却存在许多食物不耐受的证据。英国剑桥的医生曾经用饮食疗法成功治疗节段性肠炎达 7 年之久。他们首先判断哪种食品与节段性肠炎的发作相关联，然后将这些食品从病人饮食中去掉。约翰·亨特博士声称这种治疗方法与手术疗法、药物疗法同样有效。他说，X－线结果显示病人有显著性改善，炎症指标逐渐恢复正常。

他说："应用这种满意的饮食疗法的病人一年后复发率低于 10％，这与手术治疗的结果基本相同。"他认为饮食甚至比普通药物更有效。他发现最可能引发节段性肠炎的食品有小麦、牛奶及其制品，十字花科蔬菜（卷心菜、花椰菜、花菜和芽甘蓝），玉米、酵母片、西红柿、柑橘和鸡蛋。

苏格兰的医学院最近进行研究，证明吃酵母片对节段性肠炎患者确实有害。向节段性肠炎患者的饮食中加入少量酵母，并持续一个月，则会使病情加重或恶化。当病人食用低酵母饮食时，他们的病情减轻。体内有抗酵母抗体的节段性肠炎患者病情发作时尤其猛烈，说明体内存在过敏性免疫反应。当然酵母主要存在于面包中，研究人员推测某些节段性肠炎病人对许多促进炎症反应的食品有异常的免疫反应。

并且，比较明智的是让节段性肠炎病人多吃些抗炎的含脂鱼类，尽量避免食用动物脂肪和 Ω-6 型植物油，这样做可有助于消除炎症反应。高糖性饮食与节段性肠炎也有关联。

耳 部 感 染

如果你的小孩或婴儿有耳部慢性炎症反应，那么在服用广谱的，有危险性的，甚至不必要的抗生素和其他药物以前，应仔细研究一下饮食。比较奇怪的是，这些常见的耳部感染常常是由食物过敏反应引起的。

那么年轻人是如何发生耳部感染的呢？食物过敏剂可引发中耳的慢性炎症和肿胀，导致液潴留，滋养细菌，引发严重感染，医学上称之为重型中耳炎，习惯上称之为"胶性耳"。如果治疗不当，那么感染可损害耳的骨性结构，引起听力丧失和严重学习障碍。

令人难以置信的是，最新研究显示大多数耳部慢性感染可归因于食用了不适食品。在最近的一个大型研究中，过敏专家兼免疫学家诺索里教授和乔治城大学医学院的贝兰蒂博士对 104 个儿童进行了食物过敏测试。这些儿童年龄从 1 岁半到 9 岁，均有耳部慢性感染。令人惊讶的是 78％ 的儿童对许多食品显示有过敏反应。更重要的是当这些儿童停止食用这些过敏食品 16 周后，86％ 的个体的耳部感染均被消除了。毫无疑问的是当他们重新食用他们的正常饮食时，几乎全部个体都出现了耳部感染。最常见的过敏食品有牛奶、小麦、鸡蛋、花生和豆制品。

根据诺索里教授的研究，这些年轻人中的大多数都去看过许多专家，都应该做手术，并插一导液管至耳朵中，幸运的是当他们真正的食物诱因被发现以后，手术就避免了。过敏性反应通常在祛除过敏性食品后数天或数周内消失。但诺索里教授说，要彻底清除耳部感染需要数月时间。

青 光 眼

预防青光眼的一个新方法就是吃鱼与鱼油，这是由肯塔基州路易斯维尔大学的库卡尼博士所提出的。在研究中常用兔子眼部作为研究对象。在新的研究中用鳕鱼肝油浸泡过的食物喂养兔子，结果兔子的眼内压明显下降。而患青光眼的兔子眼内压通常会升高。库卡尼博士说："如果在人类的作用与动物实验一致，那么这将是一种比较好的青光眼预防剂。"当正常兔子吃浸过鱼肝油的食品时，他们的眼内压下降了 56％。祛除鳕鱼肝油后，动物眼内压又恢复到实验前水平。

库卡尼博士对爱斯基摩人调查，发现他们青光眼发病率非常低。他认为原因主要在于爱斯基摩人富含鱼油的海洋性饮食。当然这还需要对人类继续进行研究。但是应该相信吃鱼在通常情况下都有益于身体健康，他相信经常食用含脂鱼类可有助于预防青光眼。

牙 龈 疾 病

如果你没有足量的 Vit C，那么你的牙龈将会腐烂。科学家们已经确切地了解在 14 世纪至 19 世纪早期坏血病的疯狂流行，尤其在那些出海航行数月，没有新鲜水果可吃的海员中更是广为流行。下面是一段对当时坏血病流行状况的描述：

"他们的嘴发出恶臭，牙龈腐烂，所有新牙龈全部脱落，甚至直烂至牙根。"

在 1747 年英国海军医生詹姆斯·林德发现了坏血病的治疗方法，那就是食新鲜水果，尤其是柑橘类，其中的活性成分后来被确认为维生素 C。

现代研究证明，低水平的 Vit C 摄入会使牙龈出血，出现牙龈炎的许多其他症状。当猴子和其他动物缺乏 Vit C 时，它们的牙龈肿胀，出血，胶原变性，牙齿松动。缺乏 Vit C 的人也有同样表现。例如加拿大研究人员首先让受试者不摄入 Vit C，然后每天给以 60 毫克～70 毫克的 Vit C 替代品，相当于一个橘子的含量。实验证明 Vit C 在生化上可使牙龈充满活力，出血减少，白细胞生成增多，产生胶原的成纤维细胞增多，牙龈显示有健康的生物学特征。然而这并不意味着大剂量 Vit C 会使牙龈更健康。Vit C 只是改善那些缺乏 Vit C 的个体的牙龈症状。

并且美国政府进行的大规模研究显示，那些食用含 Vit

C 较多的食品的人不易于发生牙龈疾病。

比较明确的可以肯定的信息是：为保持健康的牙龈，应多吃些富含维生素 C 的水果和蔬菜。

尿 失 禁

如果你有尿失禁的可能（所谓的频繁而又急迫的排尿冲动），那么喝茶或咖啡则会加重这种可能性。但这并不仅仅是因为咖啡因是一种利尿剂可增加尿量。最近伦敦圣乔治医院的研究人员又发现了咖啡因的另一种作用机制。咖啡因可以收缩环绕膀胱的肌肉，从而增加了对膀胱的压力，在某些易失禁的个体中增强了排尿的冲动。研究人员研究了 20 名经常有排尿冲动的尿失禁女性和 10 名正常女性。每人均摄入 200 毫克咖啡因，约相当于 2 杯稀咖啡中的咖啡因含量。

实验显示服用咖啡因后 30 分钟内，有尿频倾向的妇女膀胱迅速充满。失禁妇女的膀胱收缩力两倍于正常妇女的膀胱收缩力，咖啡因对正常妇女无以上作用。

酒精也是一种可引发尿失禁的利尿剂。尽管有不同说法，但是根据哈佛健康卫生中心的研究，没有证据表明其他食品对尿失禁有作用。

狼 疮

狼疮是一种自身免疫功能紊乱，并伴有虚弱，慢性疲劳，亮红色皮疹和关节疼痛。饮食可有助于缓解这些症状。与其他感染性疾病相似，你吃的脂肪类型对你很重要。作为通用规则，应尽量避免食用动物脂肪和 Ω-6 型多聚不饱和油类，如玉米油、红花子油和葵花子油，这些脂肪可促进炎症反应。多吃些油性鱼，如沙丁鱼和鲑鱼，可以促进机体的抗炎作用。

英国学者最近对 27 例狼疮患者进行研究，发现在 34 周的实验过程中，那些食用鱼油胶囊的个体症状明显改善，而那些服用安慰剂的个体症状有所恶化或无变化。亚利桑那大学医学院的韦尔博士建议狼疮病人每周吃 3 次用沙丁鱼油包装的沙丁鱼。

狼疮患者限制对豆类和紫苜蓿芽的摄入是有重要意义的。有证据表明，狼疮与某些不适食品引发的异常反应有关。在一个持续 6 个月的研究中，波特兰的研究人员发现吃紫苜蓿的猴子发病，经测试惊奇地发现有狼疮的医学特征。祛除紫苜蓿后，猴子基本恢复正常。重新食用紫苜蓿后，它们又发病了，并且病情更加严重，甚至有一只猴子死了。进一步研究发现，经常吃紫苜蓿芽也有类似的现象发生。研究人员发现紫苜蓿中的活性物质是一种被称为 L-刀豆氨酸的氨基酸。用直链 L-刀豆氨酸饲养猴子也会引发狼疮样症状。

毫无疑问的是这种情况也可发生于人类。一名 50 岁男性患者，在降低胆固醇实验中食用紫苜蓿种子后，亦出现狼疮样症状。在停止食用紫苜蓿种子后他又完全恢复正常。

黄斑退化

胡萝卜可以挽救老年人的眼睛，事实的确如此。每天一个胡萝卜可防止你年老时失明。随着年龄增加，视网膜中间的一个小点，称为黄斑。由于阳光和其他环境因素产生的许多氧自由基可攻击并损伤黄斑，最终黄斑变质，视力减退，甚至失明。黄斑退化已影响大约 1,000 万 50 岁以上的美国人及 75 岁以上人群中的 30% 的个体。然而通过饮食给眼睛提供低水平的抗氧化剂，可有助于防止因自由基攻击而造成的视力损伤。

实际上那些食用富含β-胡萝卜素的水果和蔬菜的人群更不容易发生与年龄相关的黄斑退化。1988年芝加哥伊利诺伊大学的研究人员分析了3,000位美国老年人的饮食，他们发现每天只吃一个胡萝卜或其他富含β-胡萝卜素的水果和蔬菜，与每周吃一次这些食品相比，其黄斑退化的发病率降低40%。并且吃的胡萝卜素食品越多，发病危险性就越低。研究显示，富含另一种抗氧化剂Vit C的食品也可防止黄斑退化。

乌饭树浆果在保护视力方面也有其特殊作用。乌饭树浆果的提取物富含花色素苷酸，临床证明可减轻视力损害。

老年人经常缺乏锌，也会促进黄斑退化的发生，锌可刺激一种酶的活性，而该酶对维持视网膜细胞的功能相当重要。如果由于缺乏锌而使该酶活性耗尽，就如同人年老时一样，那么视网膜细胞会发生异常变化，促进黄斑退化。在实验研究中，锌可使该酶活性增加190%，因此在医生指导下，服用大剂量锌替代品，可使某些人体的黄斑退化受到抑制。

代　谢

吃些芥子油和辣椒之类的热调料性食品可促进代谢，激发热能的产生。在实验中，英国研究人员将3/5汤匙辣椒汁或普通的芥子油加入到饮食中。这些物质可使12名受试者的代谢增强25%，接下来的3个小时内多产生了45大卡热量。芥子油和热调料汁可使一个人多产生76大卡热量或者相当于一顿776大卡饮食提供热量的10%。

澳大利亚的最新研究显示，生姜也可促进代谢，激发热能。生物化学专家将鲜姜或干姜加入到动物组织中，发现组织耗能比平时增加20%。对此种增强的活性起主要作用的是姜中的"Gingerol"，该物质使姜有刺激性味道。

生姜对人类的有效程度如何尚不清楚。许多研究人员相信许多刺激性调料和食品均可刺激热量的产生。

多发性硬化

多发性硬化是一种神秘的神经系统疾病，症状或轻或重，重至瘫痪。最近研究人员正在寻找多发性硬化病与饮食的相互关系。目前已有许多线索：食用大量脂肪尤其是牛奶性脂肪的人群，多发性硬化病的发病率比较高，食鱼的人群对此种疾病有相当的免疫力，从而提示脂肪消化过程中的某些异常，可能是发病的关键所在。

波特兰神经学家斯旺克博士实际上早就应用低饱和脂肪饮食，成功治疗多发性硬化症。斯旺克博士在1990年的英国医学杂志《柳叶刀》上撰文记载了他成功治疗多发性硬化症的饮食。他追踪观察了144例多发性硬化症病人34年，发现那些将饱和脂肪摄入量控制在每天20克以下的人比多于20克的人的多发性硬化症破坏程度降低，死亡率也明显降低。

最显著的受益表现在于那些在严重瘫痪前就已开始采用低脂肪饮食的患者。斯旺克博士说："如果我们在其瘫痪以前给以低脂饮食，那么95%的个体可以生活30年而不瘫痪。那些没有采用低脂饮食的所有个体病情均恶化，大多在20年内就去世了。"他发现每天吃较少的脂肪，低于15克，则会有更明显的改善作用。牛奶中的脂肪对多发性硬化症的破坏作用最强，肉中的脂肪作用次之。

同时多发性硬化症患者需要更多的 Ω-3 型脂肪。在最近的研究中，明尼苏达大学的霍尔曼博士和 Mayo 临床诊所的科尔曼博士证明，多发性硬化病人血中脂肪酸类型异常，严重缺乏 Ω-3 型脂肪酸。

霍尔曼博士将脂肪酸的不平衡主要归因于代谢性脂肪的缺乏，并建议食用富含 Ω-3 型脂肪酸的油来克服脂肪酸的不平衡。他说："鱼油在此方面比较不错。"但是植物油，主要是 canola 油和亚麻籽油也有助于纠正该种不平衡。霍尔曼博士认为服用大剂量的油也不能纠正 Ω-3 型脂肪酸的缺乏。他说："我们正在讨论每天服用数茶匙的油来逐渐纠正不平衡现象。"

在英国最近进行的一项研究中，发现鱼油可以在 3 年内减轻 312 例多发性硬化病人的症状及复发次数。

下面是斯旺克博士的低脂肪多发性硬化饮食：

- 第一年不吃红肉，包括鸡肉和火鸡。此后每周不超过 3 盎司红肉，尽可能要瘦。
- 不要吃含 1% 或更多乳脂的牛奶制品。你可以吃任何量的不含脂肪的牛奶，脱脂牛奶，提取奶油后的酸牛奶（不加奶油或乳脂），蒸发后的脱脂肉，不含脂肪的干奶粉，漂洗过的低脂松软白干酪，干凝乳松软白干酪，99% 不含脂肪的干酪。
- 不吃用饱和脂肪加工过的食品。
- 每天食用不超过 15 克或 3 汤匙的饱和脂肪。一杯纯牛奶含 5 克饱和脂肪酸，1 汤匙黄油含 7 克饱和脂肪，1 盎司的奶油乳酪或英国干酪含 6 克饱和脂肪。
- 每天至少食用 4 汤匙，最多不超过 10 汤匙的不饱和脂肪，如葵花子油，玉米油，棉籽油，豆油，芝麻籽油，麦芽油，亚麻籽油，花生油和橄榄油。

● 每天一茶匙鳕鱼肝油，并且每周吃两次鱼或每天平均吃1盎司的海产品。

神 经 痛

能寻找到任何一种饮食性缓解措施对于15,000名每年发生三叉神经痛的美国人而言将是上帝赐予的礼物。三叉神经痛，又称面部疼痛性痉挛，是一种疼痛性神经功能紊乱，可突然发作，持续不足1分钟后迅速消失。疼痛主要发生于口腔、牙齿和鼻的周围，可仅仅因为咀嚼，微笑谈话或触及面部而引发。常用药物治疗，或比较少见的神经离断术来缓解疼痛，同时会引起并发症，产生副作用，包括面部表情丧失及对运动控制的丧失。

通过饮食缓解这种状况的希望来源于俄克拉何马大学卫生科学中心研究人员的研究。他们报道了一位妇女通过戒除咖啡因来消除神经痛的病例，是她自己主张采用饮食疗法的。她45岁时第一次严重的间歇性疼痛发生于脸右侧，情况如此可怕，即使是吹过面颊的微风或试着微笑都会引起疼痛。

她通常每天饮3杯～4杯速溶咖啡，当疼痛严重时喝得更多。想弄清咖啡因是否为部分发病原因，她开始喝去咖啡因的咖啡，2周～3周后疼痛明显减轻，她可以抚摸自己的脸部而不会引发严重疼痛。有一整年她避免咖啡因，也从未再发生过间歇性神经痛。然后作为试验，一周内她喝了两杯可可茶，在下一周，神经性疼痛就开始出现了。后来她注意到，每天只需1杯咖啡（含咖啡因）就足以引起持续1周的中等强度的间歇性疼痛。

采用低咖啡因饮食来控制疼痛已有 2 年，现在她每天只喝极微量的咖啡因，至多每天 10 毫克咖啡因，而在以前疼痛时，每天可饮用 380 毫克咖啡因。

上面病例是由俄克拉何马大学的格洛尔博士报道的。他说不知为何咖啡因可使某些敏感个体的三叉神经受刺激。他强调到目前为止没有证据表明有此神经痛的每个人均可通过戒除咖啡因来治疗疾病，然而倒值得一试。

印第安那大学医学院格里菲思名誉教授说，疱疹病毒与这种类型的神经痛也有关联。因此他建议戒掉高精氨酸食品，如巧克力和坚果，可有助于控制疱疹病毒。一例病人因食用了大量的坚果和巧克力而发病，他听从了格里菲思教授的建议，他说他面部的疼痛几乎在一夜之间就消失了，也不需手术治疗了。一个病人不可能用作研究，但是尝试一下格里菲思教授的方法也没有损害。

335

寄生虫感染

任何人都有肠道寄生虫，如果你到世界各国去旅行，就更有可能。世界范围内最广泛的寄生虫之一就是兰氏贾第鞭毛虫，常见于饮水中，并在胃中引起疾病。研究发现这种肠道寄生虫病常被误认为肠激惹综合征，伴有腹疼，便秘，腹泻，呕吐。一位纽约医生说其病人中的一半常抱怨肠激惹综合征，实际上是感染了兰氏贾第鞭毛虫。

一种方法就是长期服用抗生素，但有严重副作用。另一种方法是用大蒜来治疗。

埃及医生在最近研究中证明大蒜比较有效，低剂量的大蒜和大蒜胶囊可以在一天之内祛除兰氏贾第鞭毛虫的感染症状，大便检查发现在 3 天内就完全治愈了。与之相比，医生说抗该种鞭毛虫的药物必须服用一周，有时会多达 10 天，并伴有许多无法预料的副作用。

研究人员准备用大蒜治疗时，先将 30 瓣大蒜去皮，然后与少量水混合，直至匀成浆。将此混合物冷冻，再将 1 份混合物与 20 份水混合，或 1/3 杯大蒜溶液，每天两次让儿童服用。

医生发现大蒜也可杀死另一种称为 H. nana 的寄生虫。10 名感染 H. nana 的儿童食用大蒜后，其中 8 人症状在两天内明显改善，3 天后症状消失了。另外两个儿童在 5 天后也恢复了。

另外有科学证据表明，吃南瓜种也可杀死肠道寄生虫，而这正是民间医学所推荐的。

帕金森氏病

如果在你生活早期没有食用足够的某些食品，那么在许多年以后会出现许多问题。帕金森氏病，作为一种进行性的神经系统功能紊乱，可因抗氧化剂 Vit E 的缺乏而发生于早年。

新泽西州神经学家格洛伯博士对 316 例帕金森氏病患者进行研究，发现女性患者不像年轻人那样食花生和花生油较多。而花生与花生油中富含 Vit E。男性病人在其幼年时不吃沙拉。另外研究显示非帕金森氏病患者食用更多的富含 Vit E 的种子，坚果和沙拉油。因此研究人员推测在早年生活中摄入含 Vit E 食品太少，在一定程度上使大脑日后易患帕金森氏病。甚至有证据支持大剂量 Vit E（每天 800—3,000 单位）可减缓该病的进展。

前列腺疾病

如果你有男性易患的前列腺肥大症，那么吃些南瓜种可能会有所帮助。根据美国农业部杜克博士的研究，每天一把南瓜子是世界上许多地区（包括保加利亚，土耳其，乌克兰）广为流行的民间疗法。并且此法有一定的科学性，南瓜种富含包括丙氨酸、甘氨酸和谷氨酸在内的氨基酸。对45例男性进行研究发现单独这些氨基酸可减轻前列腺肥大。举例说他们夜尿减少95％，尿急降低了81％，尿频也减轻了73％。

令人惊讶的是杜克博士说，半杯南瓜子所含的氨基酸5倍于研究中的每日有效剂量。因此他估计南瓜子与纯粹的氨基酸和专门治疗此病的药物等效。

杜克博士说，治疗前列腺肥大的其他食物有黄瓜种、西瓜种、芝麻籽、大豆、亚麻籽、杏仁、核桃、三角形胡桃、花生和棕榈果实。他建议说这些食品与南瓜种子一同磨碎制成花生奶油样物质。每天1盎司或两汤匙可以提供治疗剂量的氨基酸和其他有用物质。

337

牛 皮 癣

研究证明鱼油有助于防止和减轻牛皮癣。牛皮癣是一种皮肤感染性疾病，伴有皮肤红肿、干燥，呈鳞屑状，并有疼痛和瘙痒感存在。例如英国研究人员发现一定剂量的鱼油，相当于每天吃5盎司的含油鱼，如鲭鱼，8周内可显著缓解牛皮癣的症状，尤其是疥疮。加州大学戴维分校的皮肤病专家齐布博士发现连续8周服用鱼油胶囊可使一小群病人中的

60％有中等程度的改善，皮肤红度减轻，瘙痒感减轻，然而其他研究未发现鱼油对牛皮癣有改善症状的作用。

然而，既然牛皮癣是一种感染性疾病，而鱼油又是一种抗感染因子，那么食用大量鱼油还是有积极意义的。随时间的推移，鱼油的轻微作用会累积，起较大的作用。鱼油中最有效的部分是EPA，而EPA主要集中于鲑鱼和鲭鱼中。

同其他感染性疾病相类似，减少动物脂肪及Ω-6型植物油的摄入是比较明智的。Ω-6型植物油有玉米油、葵花子油、红花子油、人造奶油等。

直肠瘙痒与烧灼感

如果你有直肠瘙痒或烧灼感，那么可能与饮食有关。研究认为可能的瘙痒引发物有咖啡因、坚果和巧克力。如果你认为这些食品真起作用，那么建议你避免食用这些食品，维持数周，观察症状是否改善。

吃太多的辣椒可使某些人在排便时有烧灼感。得克萨斯大学的医生们研究了球根牵牛的作用后甚至为此专门起了一个名字，球根牵牛直肠炎。每名受试者食用了3个～13个球根牵牛辣椒，辣椒中的主要成分开普塞辛进入粪便中，当粪便经过直肠时便会产生烧灼感。

睡　眠

促进睡眠的最佳食品就是甜食与淀粉。民间医学中蜂蜜一直看作为安眠药使用，因此如果你入睡困难，那么可在睡前半小时吃1盎司甜食或淀粉性食物。沃特曼博士说，这对于大多数人而言跟安眠药同样有效。但无以下副作用：晨起头昏眼花及安眠药的滥用等。

她建议采用低脂食品，不含牛奶的早餐食品，玉米花，无花果，脆姜饼，蛋奶烘饼加一匙枫糖浆，所有这些对脑都有安眠作用。

但是民间认为一杯热牛奶也可治疗失眠，又如何解释呢？无数人一直采用此法治疗失眠，然而现代医学对此却持否定态度，专家们坚持认为牛奶无效。因为牛奶中未含足够的睡眠引发物质色氨酸，而色氨酸在大脑中转化为5-羟色胺，导致睡眠，实际上麻省理工学院的科学家认为牛奶可能会使大多数人更加清醒。

然而最新研究发现，牛奶中被称为"casomorphin"的天然鸦片类物质可证明牛奶的安眠作用。理论上这些casomorphin物质可使人昏昏欲睡。普渡大学权威人士泰勒博士说，牛奶对某些人有安眠作用，具体机制不清，但可能与casomorphin有关。韦尔博士同意认为牛奶有助于某些人克服失眠，他曾亲眼目睹许多人在睡前饮用牛奶后确实产生了安眠作用。

对此的惟一建议就是根据自己对牛奶的反应，如果牛奶能促进你的睡眠，那么就尽管饮用牛奶。

另一方面牛奶对某些婴儿睡眠有威胁。根据比利时的研究，那些在夜间经常无故醒来的婴儿可能患有牛奶性失眠症。布鲁塞尔大学儿童医院的研究人员研究了17名儿童，年龄由2个月至29个月，这些儿童都有严重失眠，但与噩梦或腹痛无关。

当这些婴儿服用不含牛奶的饮食时，发生了明显改变，所有人中除了一个以外睡眠均恢复正常，不再像过去那样喝牛奶后每晚平均醒5次，现在他们通常只醒一次，不再是每晚只睡5个小时，而是13个小时。

研究人员推测牛奶中的天然物质可刺激婴儿的神经系统，保持大脑清醒，或引发过敏反应，使他们不得安宁。

最强的饮食性睡眠抵抗剂为咖啡因，几乎人人皆知，当你相当困乏时，咖啡因会使你保持清醒。Vanderbilt大学医学院进行的研究证明，睡前半小时到一小时饮用咖啡可明显扰乱某些人的睡眠，他们需要更长时间入睡，且睡眠时间比以前明显减少。然而受影响最小的是那些长期大量消耗咖啡因的个体。那些经常不饮用咖啡因的个体，咖啡因对其睡眠影响最大。

吸　烟

如果你想戒烟，那么许多食品可以抑制你对尼古丁的渴望性冲动。

吃一些燕麦食品，如燕麦片和燕麦皮，有助于抑制对尼古丁的渴求，并戒除吸烟的习惯。煮过的燕麦在印度的医学中长期被用于治疗鸦片上瘾。然后有人注意到上瘾者恢复正常后对吸烟也失去了兴趣。苏格兰格拉斯哥的Ruchill医院的研究人员阿纳德博士为此进行了一个双盲对照试验，并发表于《自然》杂志。

他找了许多吸烟成瘾者，让一组人服用新鲜燕麦的提取物，另一组则给以安慰剂。一个月后燕麦组的个体对吸烟的渴求度降低了，抽烟量是试验前或非燕麦组吸烟量的1/3。实际上燕麦组共13人，其中5人已完全戒烟，另外7人吸烟量降低50%，只有1人仍旧跟从前一样，并且吸烟者停止食用燕麦后，燕麦的作用仍可持续2个月。对小鼠进行研究发现，燕麦中的一种化合物据认为是抑制吸烟的活性成分。

高碱食品，如菠菜和甜菜，可促进尼古丁在体内的反复循环，维持高水平的成瘾性物质，因此这些食品可减轻对尼古丁摄入的需求。其他食品，如肉，可使尿变酸，冲洗掉尼古丁，从而增强机体吸烟的愿望。因此饮食中多些碱性食品，少点酸性食品将有助于降低对吸烟的渴望。他说如果你事先没有想戒掉，那么结果总是一样的，消除或抑制了吸烟的冲动。

多特恩博士给予吸烟者碳酸盐，发现碳酸盐在体内变成碱，会更容易戒烟，5周以后几乎所有人想戒了烟，只有一个人还每天抽2支烟。所有其他未服用碱性物质的人仍旧继续吸烟。

哥伦比亚大学的心理学沙克特教授证明那些体内酸度较高的人吸烟高于体内碱度较高的人。他说：在酸性环境中对于一个每天吸两包烟的人而言，吸烟量会上升17%，相当于每天多抽7支烟。

如果你正用尼古丁糖来戒烟，那么酸性食品可以阻断糖的有效性，引起吸烟更甚，更沉溺于尼古丁。至少在吃尼古丁糖以前15分钟不要吃高度酸性的食品或喝高度酸性的饮料，尤其是可乐、咖啡、果汁和啤酒。专家发现那些在咀嚼尼古丁糖以前用咖啡或可乐漱口的男性几乎不能吸收糖中的尼古丁，从而不能获取小剂量尼古丁，尼古丁糖也起不到应有的作用。因此吸烟者被迫吸更多量的烟以获取正常量的尼古丁。

阴 道 炎

如果你曾听说酸牛奶可抗酵母感染，那么就应该相信一天一杯酸牛奶可以预防阴道炎。约纽长岛感染性疾病专家希尔顿博士说，这是一个古老的传说，但确实有效。

在其研究中，她让一组有复发性阴道炎（又称为念珠菌或酵母菌感染）的妇女连续 6 个月每天一杯普通酸牛奶，另一组不喝酸牛奶。食酸牛奶的妇女阴道炎发生率比不食酸牛奶妇女低 3 倍，那些以前在 6 个月中有 3 次阴道炎发作的人，食用酸牛奶后只发作一次或不发作。

比较重要的是酸牛奶中必须含有活的活性嗜酸菌培养物，同研究中所用酸牛奶一样。希尔顿博士将嗜酸菌当做酸牛奶中的抗感染活性成分。虽然许多制造商在酸牛奶中加入嗜酸菌培养物，但是美国酸牛奶中并不要求必须含有它。在食用前应检查一下标签，或者你可以用卫生食品店中出售的嗜酸菌培养物自己制作酸牛奶。培养物必须保持活性，才能有治疗作用。加热酸牛奶可杀死培养物，使酸牛奶抗炎活性成分失活，从而失去治疗阴道炎的作用。

342

食物中的药物成分与健康

  以下所列是食物充当普通药物的许多方式，在所有的举例中，讨论的食品的药理活性都已有科学研究报告。这些研究的一个主要来源是芝加哥伊利诺伊大学的 NAPRALERT 数据库，该数据库包含有 10 万篇以上的关于植物的药理活性的论文，以下所列的食品大部分来源于该数据库，其他的或为学术机构或政府团体，如国立癌症研究院或美国农业部的科学家所引用的，或为国立医学图书馆的医学和科学文献数据库所收入的。

  这些编辑物会引导你找到有潜在的药理活性的食品，然而单纯从现在的数据还不清楚某一食品的效果有多大，也不知应该吃多少才会发挥作用及体内作用的显著性如何。对某些食品而言，其有效的活性化合物及其作用机制已被确认，但其他食品即使有特殊药理活性，机制也仍然不清楚。

抗 生 素

  你可能会想起前文中我们的第一种主要抗生素，青霉素来源于发霉的面包，这可能并不真实，但今天应用的商业性青霉素来源于发霉的甜瓜上的一个株。随着 20 世纪 40 年代青霉素成功的商业应用，科学家们陆续发现了其他的自然杀菌剂，并转化为药物，最有效的当属大蒜。实际上早在

1858 年，帕斯特博士就注意到与大蒜接触的细菌会死亡。1944 年，卡瓦利托博士从大蒜中分离了一种有力的抗生素——可散发气味的 Allicin。但 Allicin 的寿命较短，且难以捉摸，因此不能被制成药物，必须以其原始形式——大蒜瓣才能保存其活性。

大蒜是自然界中一种最强有力，最复杂、广谱的抗生素。实验显示大蒜至少可以杀死 72 种可传播腹泻、痢疾、食物中毒、结核和脑炎及其他疾病的感染性细菌。洋葱也是一种极强的抗生素和防腐剂，二战中俄国军队中常用来治疗受伤后的感染。在古希腊和罗马战场上蜂蜜和红酒也被用来清洗、治疗伤口。食物成分通过几种机制破坏细菌，主要是抑制细菌蛋白质、叶酸和转肽酶的合成而使细菌不能增殖。乌饭树浆果和酸果蔓不仅可抑制细菌增殖，而且可阻止细菌与人细胞的粘附。

有抗菌活性的食品：苹果，香蕉，紫苏，甜菜，乌饭树浆果，卷心菜，胡萝卜，檟如果树，芹菜，辣椒，细香葱，椰子果，咖啡，酸果蔓，小茴香，莳萝，大蒜，生姜，蜂蜜，辣根，甘草，酸橙，黑芥子种，海藻，肉豆蔻果仁，橄榄，番木瓜，李子，马齿苋，洋葱，鼠尾草，糖，茶，西瓜，红酒，酸牛奶。

有抗菌活性的食物中的化合物：Allicin（大蒜），Lactobacillus（酸牛奶），Eugenol（丁香）。

抗 癌 剂

癌症是由致癌物质引发单个细胞启动的缓慢过程。根据明尼苏达大学的波特医学博士说，食物及其成分在癌症发生的 10 个阶段阻断其发生。食物中的化合物可以阻止潜在的致癌物被活化，亦可阻止细胞DNA的突变（DNA是遗传物质），可刺激体内的酶，促进体内致癌物的排出，亦可防止致癌基因被激活，也可抵制与胃癌有关的细菌，也可控制能引起癌症的激素水平，并中和掉有毒物质，亦可减低癌症细胞增生、形成肿瘤的能力，甚至有助于防止癌细胞扩散形成新的癌症病灶。抗癌化合物主要集中于水果和蔬菜。

有抗癌活性的主要食品： 大蒜，卷心菜，甘草，大豆，生姜，伞形植物（胡萝卜、芹菜、防风草），洋葱，茶叶，姜黄，柑橘类（橘子，葡萄，柠檬），纯小麦，亚麻，糙米，茄科植物（西红柿，茄子，辣椒），十字花科植物（花椰菜，花菜，芽甘蓝），燕麦，薄荷，薄荷科香料植物，黄瓜，迷迭香，鼠尾草，土豆，麝香草，细香葱，甜瓜，紫苏，龙蒿，荞麦，浆果，海藻，橄榄油。

有抗癌活性的一些食品中的化合物： 硫化丙烯（大蒜，洋葱，细香葱），胡萝卜素类（绿色有叶植物，胡萝卜素，甜土豆），儿茶酚（茶，浆果），香豆素（胡萝卜，欧芹，柑橘类），吲哚（卷心菜，花菜，花椰菜，甘蓝，芽甘蓝），异硫氰酸盐（芥末，辣根，小萝卜，及其他十字花科植物），Limonoid（柑橘），蛋白酶抑制剂（大豆，豆荚，坚果，谷物，种子），Sulforaphane（花椰菜，绿洋葱，甘蓝，红卷心菜，芽甘蓝，生姜，花菜，红叶莴苣）。

维生素亦能阻抑癌症，维生素也是潜在的抗癌物质，维生素C是研究最多的，有神奇的抗癌力。例如它可以阻断氨基酸与硝酸盐转化为亚硝胺，而亚硝胺是已知各种类型癌症的致命致癌物。维生素C可中和掉细胞膜内游离的基本致癌物，阻断癌症发生的第一步。它也有助于调节免疫，防止致癌基因与病毒将健康细胞转化为癌细胞。在动物实验中维生素 C 可抑制肿瘤的生长及其恶性度，例如用维生素 C 饲养的大鼠，自发性癌出现的时间比正常大鼠晚 1/3 的时间。在其他实验中，用维生素 C 处理的动物，其肿瘤较小，侵略性差，不易于扩散。

1990 年，国立癌症研究所对维生素 C 和癌的研究报告概括写道，维生素 C 对许多生物学活性有多种复杂的作用，也许比其他任何营养成分更广泛。

抗 凝 剂

阿司匹林，最重要的"血液稀释物"或抗凝剂之一，来源于柳树皮。但是直到 20 世纪 70 年代，随着激素样物质前列腺素的发现，科学家们才开始理解阿司匹林的作用机理。他们现在知道阿司匹林有抗血小板聚集的能力，它能抑制体内最小的血液成分——血小板的凝聚，降低血液粘度，不易形成凝块堵塞动脉。这就解释了为何医生认为低剂量的阿司匹林有助于防止心脏病及中风的发生。只要 1/10 粒阿司匹林，仅仅 30 毫克就可抑制血小板聚集。阿司匹林可阻止前列腺素样物质——血栓素的作用而发挥效用，而血栓素可刺激血小板聚集在一起。

随着以上发现，认为其他植物和食品也可通过前列腺素系统抑制血小板聚集能力就丝毫不为奇了。像阿司匹林一样，许多食物成分是血栓素的拮抗剂，其他的如大蒜和洋葱，含有数种抗血小板聚集的化合物，这些化合物通过不同的生物化学机制发挥作用。

有抗凝集（抗血小板聚集）活性的食品：肉桂，小茴香，鱼油，大蒜，生姜，葡萄，甜瓜（绿色和黄色），蘑菇（黑木耳或木耳），洋葱，茶，西瓜，葡萄酒（红酒）。

有抗凝集（抗血小板聚集）活性的一些食物化合物：
Ajoene（大蒜），儿茶酚（茶），Ω-3 型脂肪酸（深水脂肪鱼），Resveratrol（葡萄皮，红葡萄酒）。

抗抑郁物质

最常见的就是食物，似乎可以通过影响大脑中最有意义的神经递质之一5-羟色胺来控制情绪，食用那些可耗尽神经系统中5-羟色胺的食品会使人情绪低落，抑郁，导致大脑中5-羟色胺正常的食品可提高情绪，有些类似于药物，有5-羟色胺活性的药物常用于治疗抑郁症。

吃东西时肠中释放的肽类也可直接作用于大脑和迷走神经，而迷走神经可将信息传递到大脑。虽然并不是每个人真正认可其发生的机理，但大家广泛认可的是碳水化合物可以充当情绪改善剂，尤其是缓解某些类型的抑郁症，例如伴随经前综合征的抑郁及季节性情绪紊乱（SAD）的情绪低落，近来已证实其他食物成分如叶酸通过对大脑生物化学的复杂作用，调节5-羟色胺的水平，从而影响情绪的高低。

有抗抑郁活性的食品：咖啡因，生姜，蜂蜜，糖。

食物中有抗抑郁活性的成分：碳水化合物（糖，面包，谷物，蛋糕，家常小甜饼），咖啡因（咖啡、茶、巧克力），叶酸（绿叶植物和豆类），硒（海产品，谷物，坚果）。

抗腹泻物质

许多食品可有效地抗腹泻，因为它们含有鞣酸及其他收敛药物成分，这样，可有效地排出小肠中的水，使粪便变硬，并有助于抑制小肠收缩，而小肠收缩可促进内容物的排出。这种收敛剂可解释干的乌饭树浆果治疗腹泻的有效作用（注意：只有干的乌饭树浆果中才含有高浓度的收敛剂，而新鲜乌饭树浆果中则不会有高浓度的收敛剂）。其他一些食品可以抵抗肠道中的细菌，并发挥安慰作用，从而达到抗腹泻作用。

有抗腹泻活性的食品：乌饭树浆果（干果），肉桂，葫芦巴种子，大蒜，生姜，甘草，肉豆蔻果仁，米，茶，姜黄。

抗高血压药物

芝加哥大学医学和药学助理教授威廉·埃利特说，许多药物性治疗高血压的方法是以直接方式降低血压，并有许多副作用，如虚弱，瞌睡和阳痿。与之相对照的是，他发现食物，至少在动物实验中，以更直接的方式降低血压。芹菜就是以该机制发挥作用的。他发现芹菜中一种被称为酞酸的化合物可松弛血管壁的平滑肌，扩张血管，从而降低血压。并且埃利特博士发现这种化合物可阻断产生儿茶酚胺的酶的作用，从而达到效果。而儿茶酚胺则是强有力的激素，这些激素可使血管收缩，升高血压，因此芹菜似乎可抑制能升高血压的激素的产生，降低血压。

比较有趣的是，大蒜和洋葱以相同的方式降低血压，二者都含有一种平滑肌松弛剂。

有降血压活性的食物：芹菜，葫芦巴种子，鱼油，大蒜，葡萄，橄榄油，洋葱。

抗氧化剂

似乎没有什么可以超过稳定供应的抗氧化剂对细胞的防护，从而保护机体健康、延长生命。食物抗氧化剂是一类巨大的、广泛的化学保护剂家族，直接抑制附着于细胞上，损害细胞的氧化物质，抗氧化剂是身体主要的防卫力量，据认为可以帮助清除几乎所有的慢性疾病，包括心脏病、癌症、支气管炎、白内障、帕金森氏病，以及本身的老化过程。这些抗氧化剂的缺乏会使你易患疾病，尤其是你暴露于如吸烟烟雾、工业化合物、空气污染物等危险时。

维生素和矿物质可以充当较好的抗氧化剂，有许多生物化学活性的酶和许多外源性化合物也是抗氧化剂，抗氧化剂主要集中于植物食物中，也可见于海产品，偶见于动物性食物中。

有高浓度抗氧化剂和较强抗氧化能力的食品： 鳄梨，芦笋，紫苏，浆果，三角形胡桃，花椰菜，芽甘蓝，卷心菜，胡萝卜，辣椒，丁香，羽衣甘蓝，莳萝，鱼，大蒜（强有力的作用），橘子，花生，胡椒，薄荷，南瓜，鼠尾草，芝麻籽，留兰香，菠菜，甘薯，西红柿，西瓜。

食物中的一些主要抗氧化剂：

β-胡萝卜素： 作为一种橘色色素，可防止心脏病、不规则心跳、中风、癌症，尤其是 β-胡萝卜素可提高免疫功能，祛除单氧自由基。癌症患者（尤其是肺癌，胃癌，食道癌，小肠癌，宫颈癌和子宫癌）常伴有低水平的 β-胡萝卜素，反映在他们饮食中 β-胡萝卜素水平较低。根据一项研究，肺癌患者血中的 β-胡萝卜素水平比正常人水平低 1/3。同样地，最近一项英国研究发现那些血中胡萝卜素水平较高的男性发生癌症的可能性是血中胡萝卜素水平较低男性的60％。

β-胡萝卜素的主要来源：黑橘与黑绿有叶蔬菜，甘薯，胡萝卜，干杏子，羽衣甘蓝，甘蓝，菠菜，南瓜中含量最多。含量次之的有粉红色葡萄、芒果、绿色莴苣及花菜中。黑橘或绿色蔬菜及水果中含有较多的β-胡萝卜素。在绿色蔬菜中，叶绿素盖过并掩盖了潜在的橘色，实际上根据美国农业部的测试，28种普通水果和蔬菜中均含有不同含量的β-胡萝卜素。

注意，根据美国农业部的测试，β-胡萝卜素在烹饪时并不会损坏。

谷胱甘肽：谷胱甘肽是一种重要的抗癌物质。Emory大学医学院生物化学副教授简·琼斯说，谷胱甘肽可以灭活至少30种致癌物质。该化合物可防止脂质过氧化，并充任灭活自由基的酶。因此谷胱甘肽可以提供强有力的保护作用，防止发生心脏病、白内障、哮喘和癌及其他与自由基损害有关的疾病。谷胱甘肽可以对体内有毒物质如环境污染物解毒，阻止其损害作用。并且实验中，谷胱甘肽几乎可完全阻断AIDS病毒的复制。

谷胱甘肽的主要食物来源：鳄梨、芦笋和西瓜。根据琼斯博士对98种普通食品的分析，这3种食物含有最多的谷胱甘肽。其他富含谷胱甘肽的食品有：鲜柚子和橘子，草莓，鲜桃子，秋葵荚，白土豆，西葫芦，花椰菜，花菜，生西红柿。一些肉类，尤其是煮好的火腿，瘦的排骨，小牛肉排，也含有中等量的谷胱甘肽。

注意，只有新鲜及冻存的水果和蔬菜中含有高浓度的谷胱甘肽。在琼斯博士的测试中，罐装及加工过的食品其谷胱甘肽含量只有新鲜及冻存蔬菜和水果的1/8。烹饪或磨碎或榨汁均可破坏许多谷胱甘肽。

吲哚： 作为最早发现的能抗癌的食品化合物中的一种，吲哚在阻止动物癌症发生方面比较成功。它们通过解除致癌剂的毒性来起作用。在人类，吲哚比较可能会有助于阻止大肠癌以及通过影响雌激素代谢防止发生乳腺癌。

吲哚的主要食物来源： 所谓的十字花科家族，包括花菜、芽甘蓝，卷心菜，花椰菜，水芹，辣根，甘蓝、苤蓝、芥子末、小萝卜，大头菜和萝卜。

注意，马尼托巴大学的研究发现，沸腾的十字花科植物大约将 50％ 的吲哚留到菜汤中去。

番茄红素： 比较有趣的是番茄红素被当做一种抗癌剂。例如约翰·霍普金斯的研究人员发现那些血中严重缺乏番茄红素的个体常会有胰腺癌，他们也观察到直肠癌及膀胱癌患者的番茄红素水平也比较低。芝加哥伊利诺伊大学的研究人员发现，那些血中番茄红素水平较低的妇女发生宫颈内膜肿瘤的危险性较高。许多人认为，番茄红素的抗氧化活性优于β-胡萝卜素。

番茄红素的主要食物来源： 最广泛食用的高浓度番茄红素的来源是西红柿，尽管按重量计算，西瓜含番茄红素的量更大。每 100 克西红柿中含 3.1 克番茄红素，西瓜则是每 100 克中含有 4.1 克。番茄红素可使其产生红颜色。杏中也含有少量的番茄红素。番茄红素与红浆果的颜色无关。

注意，番茄红素在烹饪或罐装时不会毁坏。美国农业部测试显示，煨或焖的西红柿中，番茄红素的含量与生西红柿的含量相同。

槲皮酮： 槲皮酮是黄烷类物质家族生物活性最强的成员之一，主要集中含于水果和蔬菜。槲皮酮可能是洋葱产生神奇治疗作用的主要物质。根据加州大学伯克利分校生物化学与分子生物学莱顿教授的实验，许多洋葱富含槲皮酮，以至于该化合物可占洋葱元素含量的 10%。

槲皮酮有多种多样的抗疾病潜能。莱顿教授说，槲皮酮是迄今为止发现的最有潜力的抗癌物质之一。它灭活许多致癌物质，防止对细胞 DNA 的损害，抑制刺激肿瘤生长的酶。槲皮酮还有抗炎、抗细菌、抗真菌的抗病毒活性。它可通过免疫系统抑制过敏反应（通过抑制细胞组胺的释放），因此有助于抵抗如枯草热之类的过敏反应。实际上槲皮酮化学结构与 cromolyn（可抑制组胺的抗过敏药）相似。该特性，再加上其抗炎活性可解释洋葱对哮喘和过敏反应的较强的治疗作用。槲皮酮是一种抗凝血物质，有助于阻止血液凝块的形成。作为一种抗氧化剂，它可吸收氧自由基，有助于防止脂肪被氧化（脂质过氧化），因此槲皮酮阻止氧自由基对动脉的损害及氧化低密度脂蛋白胆固醇，有助于维持动脉干净、畅通。

槲皮酮的主要来源：黄或红洋葱（而不是白洋葱），冬葱，红葡萄（而不是白葡萄），花椰菜及意大利黄色西葫芦。奇怪的是大蒜、洋葱的类似物，并不含有槲皮酮。

注意，槲皮酮在烹饪或冷冻时并不受到损害。

辅酶 Q10：辅酶 Q10 是一种了解较少的食物成分，也是有助于低密度脂蛋白胆固醇解毒的最佳抗氧化剂之一。发现低密度脂蛋白的胆固醇颗粒中含有高浓度的辅酶 Q10，而辅酶 Q10 是最有效的抗氧化剂，甚至比维生素 E 更强，可维持低密度脂蛋白胆固醇不受到氧化的危险。辅酶 Q10 有助于维生素 E 的再生，因此二者一起发挥作用。辅酶 Q10 可能是防止心脏病的重要原因。

辅酶 Q10 的主要来源：沙丁鱼，鲭鱼，花生，阿月浑子，大豆，核桃，芝麻籽，某些肉类。

维生素 C：作为一种广泛应用的强有力的抗氧化剂，维生素 C 可防止发生哮喘，支气管炎，白内障，心律不齐，心绞痛，男性不育及男性生殖系统缺陷，所有类型的癌症，它也可终止测试管中 AIDS 病毒的生长。许多专家认为维生素 C 的抗氧化能力有助于防止低密度脂蛋白胆固醇被氧化，从而成为堵塞血管和发生心血管疾病的主要威胁，维生素 C 和维生素 E 可一起发挥作用，互相补充，互相再生。

维生素 C 的主要来源： 红绿钟形辣椒，花椰菜，花菜，草莓，菠菜，柑橘类水果，卷心菜。

注意，烹饪（煮、焖、烤）可破坏蔬菜中一半的维生素 C，然而，这与你加入多少水无关。用 1/4 杯水做的花菜跟用一夸脱水做的丧失掉的维生素 C 的量是相同的。最佳方法：用微波加热，只会破坏花菜中 1%～15% 的维生素 C。

维生素 E（生育酚）： 由于其抗氧化活性，维生素 E 被认为是心脏和动脉的强有力的保护剂。血中维生素 E 水平较高的人不易发生心律不齐，心绞痛及心脏卒中。维生素 E 不像维生素 C 和 β-胡萝卜素，是脂溶性的，有助于保护脂肪分子免受致病的氧化性损害。例如维生素 E 是氧自由基破坏细胞，氧化细胞膜的链式反应的强有力抵抗者。维生素 E 的存在可以阻止该反应的发生，科罗拉多大学抗氧化剂专家麦科德博士说，维生素 E 就像是细胞膜上的小型灭火器。

维生素 E 存在于低密度脂蛋白胆固醇中，意味着可防止低密度脂蛋白胆固醇脂肪分子免受氧化或变成有毒物质，从而防止动脉堵塞及受伤。

维生素 E 的主要来源： 植物油，杏仁，大豆，葵花子。

抗 炎 物 质

在 20 年以前，激素样物质前列腺素和白三烯发现以前，人们不可能理解如鱼油类食品是如何影响关节炎及哮喘等炎症疾病的。现在知道前列腺素和白三烯是一种称为花生四烯酸的脂肪酸的酶解产物。你吃的食品决定了花生四烯酸量的多少，何种类型的前列腺素和白三烯。

如果你摄入一些肉和Ω-6型植物油，可能会产生更多的花生四烯酸，引发链式反应，产生引发炎症反应的特异性的白三烯类物质。另一方面，某些食品，如鱼油可控制前列腺素系统，阻止产生大量的白三烯以至破坏组织，引发炎症，生姜等食品至少在三个环节上阻断复杂的生物化学性质的炎症反应。

另一方面，开普塞辛，使辣椒产生辣味，可通过不同的机制发挥作用，这些是根据最近对源于开普塞辛的一族抗炎药物的研究结果。

有抗炎活性的食物：苹果，黑醋栗果，鱼油（Ω-3型脂肪酸），大蒜，生姜，洋葱，菠萝，鼠尾草。

有抗炎活性的食物化合物：开普塞辛（辣椒），Ω-3型脂肪酸（脂肪鱼，如鲭鱼，沙丁鱼和鲑鱼），槲皮酮（洋葱）。

抗血小板物质

某些食物可降低血液中纤维蛋白原的含量，而纤维蛋白原是血栓形成的物质基础。并且食物影响纤维溶解系统，纤溶系统可溶解血栓，那些纤维蛋白原水平较高，纤溶活性较低的人更容易发生动脉硬化，心脏卒中。

抑制血凝的食品：辣椒，鱼油，大蒜，生姜，葡萄汁，洋葱，瓦坎米（棕色海草），葡萄酒（红酒）。

抗溃疡物质

英国及意大利研究人员的许多有意义的发现，解释了食物及其成分增强胃对有毒致溃疡液的抵抗力的机理，例如给动物食用芭蕉粉（似香蕉样水果），其胃壁可增厚20％。印度研究人员拍摄了豚鼠溃疡细胞的复活情况。增加胃中粘液蛋白，而粘液蛋白可防止胃壁受到损害，饮用卷心菜液时可产生粘液蛋白，促进治疗。因此食物抗溃疡的一种方式就是增强胃壁使其不易受到酸的侵蚀。某些食品可刺激胃壁细胞的增生，引起胃粘液的快速分泌，覆盖于细胞表面，形成保护性表面，防止受到酸性损伤。

并且抗菌性食物如酸牛奶、茶、卷心菜和甘草比以前想像的能更合理的抗溃疡和胃炎。胃炎是胃壁的炎症反应，这主要是因为医生们发现幽门螺旋杆菌在很多情况下似乎是以上两种疾病的原因。胃溃疡的治疗措施现在经常包含抗生素，抗菌性药物可能有助于治疗胃溃疡。

有抗胃溃疡活性的食物：香蕉和芭蕉，卷心菜和其他十字花科植物（花菜，花椰菜，芽甘蓝，甘蓝和萝卜），葫芦巴种子，无花果，生姜，甘草，茶。

抗病毒物质

一个人吃的食品可使寄居于体内的病毒的状态发生改变，是否开始增殖，是否会饿死，从而决定是否引发疾病。对感染有能致宫颈癌的病毒的妇女进行研究，亚拉巴马大学的巴特沃思教授发现，如果存在有足量的叶酸，病毒会被灭活。叶酸是一种B族维生素，叶酸主要含于绿叶类蔬菜和豆类食物中。他解释说当缺乏叶酸时，染色体在脆弱部位更容易断裂，从而允许病毒插入健康细胞的遗传物质中，促进引发癌症的一系列变化。红细胞内叶酸水平较低的个体，其发生这些癌前病变的几率比高叶酸含量的个体高5倍。

疱疹病毒是另一个感染原因。印第安那大学医学院格里菲思教授坚信饮食可决定这种病毒是否生长，是引起麻烦还是保持无害的休眠状态。他说在实验研究中显示，精氨酸会促进疱疹病毒的生长，而赖氨酸可停止其生长。他推测，赖氨酸将自己包裹于细胞上，形成一层病毒不能透过的屏障。

酸牛奶也有抗病毒活性，原因之一就是刺激自然杀伤细胞的活性，促进对病毒的杀伤。

有抗病毒活性的食品： 苹果、苹果汁、大麦、黑醋栗果、乌饭树浆果、细香葱、咖啡、芥子粉、酸果蔓、生姜、大蒜、醋栗、葡萄、柚汁、柠檬汁、蘑菇（尤其是日本蘑菇）、橘汁、桃子、菠萝汁、李子、李子汁、覆盆子、鼠尾草、海藻、留兰香、草莓、茶、葡萄酒（红）。

有抗病毒活性的食物化学成分： 谷胱甘肽（芦笋、鳄梨、西瓜、花菜、橘子），Lentinan（日本蘑菇），槲皮酮（红、黄洋葱，红葡萄、花椰菜、黄色夏季西葫芦），蛋白酶抑制剂（豆类植物、玉米、坚果、种子）。

驱 风 剂

药草和调料在古代医学中长期被用作驱风剂，驱风剂有助于排气，缓解肠胃气胀，主要的药理活性物质据认为是植物中的油类，松弛平滑肌，使气体排出。在某些病例中，气体通过食管和胃之间松弛了的括约肌排出，称之为打嗝。驱风剂也有抗痉挛作用，松弛肠道肌肉。

有驱风剂活性的食品：茴香、紫苏、甘菊、茴香种、大蒜、薄荷、鼠尾草。

胆固醇改善剂

食物可降低不良型低密度脂蛋白胆固醇的水平，提高良型高密度脂蛋白胆固醇的水平，有助于防止因低密度脂蛋白胆固醇的氧化而产生的对动脉的更大损伤。现代药物也模仿自然。几年以前，威斯康星大学麦迪逊分校的美国农业部实验室的科学家们发现，一种被称为生育三烯醇的食物成分可抑制能阻碍肝脏胆固醇产生的酶的活性。需要胆固醇的细胞将胆固醇从血液中吸取，血液胆固醇水平从而降低。其他食品也产生不同的化学物质，降低内源性胆固醇的产生。并且这也解释了降胆固醇药物美降之（洛伐他丁）作用的机理。

另一方面，某些食品，例如燕麦可耗尽肠道中的胆汁酸供应，否则将转化为胆固醇。

随着新的和更令人兴奋的发现，食物抗氧化剂可有助于保持不良型低密度脂蛋白胆固醇免受氧化而成为对动脉有毒的物质。根据哈佛大学的弗赖教授说，食物抗氧化剂起作用的方式有三种：首先，它们可阻断活性氧或将低密度脂蛋白变成毒性物质的氧自由基的生成。抗氧化物质攻击酶物质，尤其是能产生使低密度脂蛋白改变的脂肪氧合酶。第二，抗氧化剂可俘获血液中或动脉壁产生的危险的氧化性物质，据认为一种有害物质——过氧化物可由动脉壁细胞产生。弗赖教授说维生素C可灭活该过氧化物。第三，吃抗氧化剂增强低密度脂蛋白分子的防御能力，以便更好地抵制破坏性氧化作用。正如弗赖教授所述，低密度脂蛋白胆固醇分子除含有脂肪和蛋白质外，还含有自然性抗氧化剂，如维生素E

和β-胡萝卜素。食入较多的抗氧化剂成分可增强低密度的脂蛋白分子抵抗氧化攻击，以免破坏低密度脂蛋白胆固醇分子或对动脉产生危险性。

能降低不良型低密度脂蛋白胆固醇的食物：杏仁、苹果、鳄梨、大麦、干豆类、胡萝卜、大蒜、柚子果肉、燕麦、橄榄油、米壳、日本蘑菇、黄豆、核桃。

保持低密度脂蛋白胆固醇不产生毒性的食品：富含维生素 C 的食品，富含β-胡萝卜素的食品，富含维生素 E 的食品，富含辅酶 Q10 的食品、富含不饱和单脂肪的食物（橄榄油，鳄梨、杏仁），红葡萄酒。

利 尿 剂

普渡大学植物学专家泰勒博士说，就原理而言，植物充当利尿剂的机理与处方药物不一样，药物性利尿增加水和盐的排出，植物利尿剂应该更准确地被称为"水利尿剂"，他说，因为植物只会刺激使少量水排出，而没有盐的排出，一些食物通过刺激肾的细胞滤过结构来促进尿液排出，因此它们的机理与药物性利尿剂不同。但如果你有肾疾病，那么它们的刺激机制可能会有害。他说，欧芹是一种相当强的食物"水利尿剂"，你可以饮用欧芹茶来达到利尿效果，将满满两茶匙干欧芹放入一杯开水中，即可得到欧芹茶。他还认为茶中的儿茶酚的利尿效果好于咖啡因。但他说当你习惯于这两种饮料时，其利尿效果会迅速丧失。

有利尿活性的食品：茴香、芹菜、咖啡、香菜、莳萝、茄子、菊苣、大蒜、杜松子果、柠檬、甘草、肉豆蔻果仁、洋葱、欧芹、薄荷、茶。

减充血剂

数个世纪以来就已知道热的、调料性的、刺激性食品有助于清理肺及呼吸通道。它们可使粘液变稀薄，促进其顺序移动，从而达到清理的目的。注意一下当你吃热的刺激性食品时的情形，眼睛会流泪、鼻子会抽动，同样的事情也会发生于肺中。据认为，热的刺激性食品刺激食道和胃的神经末梢，引起水样反应。

有粘液动力性的食物：辣椒、咖喱粉、大蒜、辣根、芥子粉、洋葱、黑胡椒、麝香草。

激　素

许多的植物含有植物雌激素，其分子结构与人类雌激素相似，但效果较弱，有些不同。因此植物的雌激素，效果较弱，产生作用更慢，然而它们却比较安全，没有人工合成的雌激素产生的严重副作用，许多食品，尤其十字花科的植物，增加身体利用，处理体内雌激素的速率。豆类，尤其是黄豆，有极强的雌激素，是商业上用来制造计划生育药丸的化合物的主要来源。

有雌激素活性的食品：茴香、苹果、花菜、芽甘蓝、卷心菜、胡萝卜、花椰菜、咖啡、玉米、莳萝、亚麻籽、大蒜、甘草、燕麦、菠萝、花生、土豆、米、芝麻籽、黄豆。

免疫刺激物

健康的主要特征就是你的免疫系统抵抗外敌入侵，如病毒、肿瘤细胞的能力，在酸牛奶中这种可能性显而易见。食用酸牛奶至少可刺激两种重要的免疫物质即自然杀伤细胞（NK细胞）和γ-干扰素。每天两杯含有活性培养物的酸牛奶可使人体内γ-干扰素水平升高5倍。酸牛奶也可增强攻击病毒和肿瘤细胞的NK细胞的活性。kraft通用食品有限公司的营养学专家西米克博士解释说，在体内循环的NK细胞检查并发现体内肿瘤细胞，然后如同在录像中看到的太平洋人吃猎物一样将肿瘤细胞破坏。他说，NK细胞是抵御肿瘤细胞和病毒的最佳防御之一。他发现即使酸牛奶被加热后杀死了95%的细菌培养物，仍旧可以激活NK细胞。

可刺激免疫功能的食品： 大蒜、日本蘑菇、酸牛奶。

刺激免疫功能的食物的化合物： β-胡萝卜素（胡萝卜、菠菜、甘蓝、南瓜、甘薯）、维生素C（辣椒、橘子、花椰菜、菠菜）、维生素E（坚果、油类）、锌（水生贝壳类动物、谷物）。

止 痛 剂

两种普通食物成分的发现阐明了食物止痛的机理。一种是咖啡因，最近发现是一种温和的止痛剂，不依赖于与其他止痛药的联合应用；另一种是开普塞辛，是辣椒中的较剧烈的化学成分，现在被广泛用作强有力的止痛剂。

咖啡因可在体内冒充腺苷，中断疼痛信号向大脑的传递，从而止痛。例如佛罗里达大学医学教授贝拉蒂涅里博士解释说，假设你正在跑步，并感到胸部有刺痛，那是腺苷在告诫你减慢速度。他说，疼痛是身体出现故障的标志。然而如果你饮用足量咖啡，就可掩盖疼痛信号。像一群暴徒一样，咖啡因的分子将腺苷分子推离细胞表面受体，取代其位置，使疼痛信息中断。虽然咖啡因并不具有同样的化学特性，但由于其化学结构与腺苷类似，因此与受体结合。如果喝咖啡因治疗头痛是有意义的，但也不太安全，因为咖啡因可掩盖心脏的疼痛。他担心咖啡因是较好的一种止痛剂，从而使人忽略了心脏疾病，可以解释为心肌缺血，此时在无痛的情况下会发生心脏病。

许多年以来，人们将辣椒的提取物放入口腔治疗牙疼。现在已知道，辣椒中的开普塞辛是一种局部的麻醉剂和令人兴奋的新止痛剂。开普塞辛使神经细胞释放出 P 物质，延迟到达中枢神经系统的疼痛感，从而达到止痛的效果。因此，开普塞辛有助于阻断疼痛感。最近，辣椒的提取物已经被注射或制成药物来治疗头痛、糖尿病性神经病、慢性搔痒、类风湿性关节炎和神经痛。

有止痛活性的食品：咖啡（咖啡因），辣椒（开普塞辛），丁香，大蒜，生姜，甘草，洋葱，薄荷，糖。

361

水杨酸盐

食物中也有阿司匹林？绝对有。某些食物，主要是水果，有阿司匹林样活性。证据如下：对阿司匹林敏感的人食用这些食品时，他们会产生类似于阿司匹林的作用。因此过敏专家提醒对阿司匹林敏感的个体应避免食用这些含有水杨酸盐的食品。而阿司匹林就是由水杨酸盐产生的。

另一方面，科学家们发现食物中的水杨酸盐可产生服用阿司匹林后才有的一些保护作用。新近的研究提示常规低剂量的阿司匹林（每天半片或更少）有助于防止心脏病、中风甚至直肠癌。也许持续食用含水杨酸盐的食品也可中止某些头痛症状。专家说这种天然药物的存在解释了许多植物性食品有抗心血管疾病及癌症的能力的原因。水杨酸盐有抗凝、抗炎、止痛效果。它们也可影响前列腺素，阻滞肿瘤的生长。

含天然阿司匹林（水杨酸盐）极高的食品：乌饭树浆果，樱桃，干黑醋栗果，咖喱粉，干椰枣，小黄瓜，甘草，红辣椒，梅干，覆盆子。

水杨酸盐含量中等的食品：杏仁，苹果，橘子，辣椒（甜的和热的），柿子，菠萝，茶。

注意，一般而言，水果都含有相当量的水杨酸盐，而蔬菜则不含（罐装及加热看来不会影响水杨酸盐的浓度）。

镇 静 剂

许多天然镇静剂像吗啡一样，结合到大脑中的阿片受体发挥作用。其他镇静剂可能刺激神经递质，如平静大脑的5-羟色胺的水平或活性。蜂蜜、糖和其他碳水化合物据认为可影响5-羟色胺，使大多数人镇静，进入睡眠。糖或葡萄糖也可直接作用于下丘脑的神经元。并且，许多食物含有或在肠中释放能将信息从小肠直接传入神经系统和大脑的肽类。

有镇静活性的食品：茴香、芹菜种、丁香、莳萝、大蒜、生姜、蜂蜜、酸橙皮、香味薄荷、洋葱、橘子皮、欧芹、鼠尾草、留兰香、糖、茶（去咖啡因），并且任何富含碳水化合物的食品——糖或淀粉——对大多数人都有镇静作用。

60 种普通食物的抗疾病能力

既然食物是许多化学物质的复杂的超强组合，因此它们不会只有一种生物学效应，而处方药却正是设计只有一种生物学作用来达到其特殊目的。实际上食物可刺激机体产生多种多样的作用。根据最新证据，以下是普通食品的许多药理作用。

苹果：降低胆固醇，含有抗癌物质。有温和的抗菌、抗病毒、抗炎、雌激素活性。富含纤维素，有助于防止便秘，抑制食欲。苹果汁可引起儿童腹泻。

芦笋：含有大量的谷胱甘肽，谷胱甘肽是有较强抗癌能力的抗氧化剂。

鳄梨：对动脉有益。降低胆固醇，扩张血管。主要的脂肪是单不饱和油酸（也富集于橄榄油中），可充当阻止不良型低密度脂蛋白胆固醇损害动脉毒性的抗氧化剂。富含谷胱甘肽，实验中可阻断 30 种不同的致癌剂和 AIDS 病毒的增殖。也是一种血管扩张剂。

香蕉和芭蕉：使胃舒适。治疗消化不良。增强胃壁抗酸和溃疡的能力。有抗生素活性。

大麦：在中东一直被认为心脏医学的一部分，降低胆固醇。有抗病毒及抗癌活性。含有强有力的抗氧化剂，包括生育三烯醇。

豆类（大豆，包括扁豆、黑豆、菜豆、杂色豆及小扁豆）：强有力地降低胆固醇。每天半杯做好的豆可降低10%的胆固醇，调节血糖水平。糖尿病患者的最佳食品。降低癌症的发病率。富含纤维素。在大多数人中是肠道气体的主要产生者。

钟形辣椒：富含抗氧化剂维生素C，因此可抵御伤风、哮喘、支气管炎、呼吸道感染、白内障、黄斑退化、心绞痛、动脉粥样硬化及癌症。

乌饭树浆果：一种特异类型的抗生素，可阻止细菌粘附，防止引起尿道感染。含有能治疗腹泻的化学物质。也有抗病毒活性，天然阿司匹林含量也较高。

花菜：多种疾病抵御者的集合体。富含多种较强且广为人知的抗氧化物质，包括槲皮酮、谷胱甘肽、β-胡萝卜素、吲哚、维生素C、黄体素、Sulforaphane。有极强的抗癌能力，尤其是抗肺癌、结肠癌、乳腺癌的能力。与其他十字花科植物类似，加速体内雌激素的代谢，抑制乳腺癌的发生。富含降胆固醇的纤维素，有抗病毒、抗溃疡活性。富含铬，有助于调节胰岛素与血糖。

注意，烹饪及加工会损坏许多抗氧化剂或抗雌激素活性物质，如吲哚和谷胱甘肽。生吃或轻度烹饪，翻动油煎及微波加热时保护性作用最强。

芽甘蓝：作为十字花科家族的一员，拥有许多与花菜和卷心菜相同的特性。确定有抗癌和雌激素活性，含有多种多样的抗氧化剂的吲哚。

卷心菜：在古罗马被用于治疗癌症。含有许多抗癌物及抗氧化剂。加速雌激素的代谢，有助于阻止发生乳腺癌和抑制结肠癌的标志物——结肠息肉的生长。在研究中，每周服用卷心菜两次或两次以上可抑制男性的结肠癌，发生率降低

66％，每天两茶匙做好的卷心菜可防止胃癌。有抗溃疡化合物，卷心菜汁有助于治疗人类的溃疡。有抗菌、抗病毒活性。在某些人可引起气胀。泡菜（富含酪氨酸）可引起周期性偏头痛。注意，许多化合物的抗氧化、抗癌及抗雌激素活性（尤其是吲哚），烹饪时会被破坏。生卷心菜与凉拌生菜丝有更强的药理活性。

胡萝卜：含有大量的胡萝卜素。胡萝卜是强有力的抗癌、动脉保护、增强免疫、抗感染、有广泛保护作用的抗氧化剂。一天一个胡萝卜可使妇女中风率下降 68％。一个中等大小的胡萝卜含有的 β-胡萝卜素，使肺癌的危险性降低一半，即使是对那些以前大量抽烟的人也如此。胡萝卜中大量的 β-胡萝卜素可显著降低退化性眼疾病——白内障和黄斑退化及胸痛（心绞痛）的发生。胡萝卜中的高度可溶性纤维素可降低血胆固醇，使之恢复正常。注意，烹饪并不会破坏β-胡萝卜素，实际上，小火烹饪会使胡萝卜素更易于被机体吸收。

花椰菜：著名的十字花科家族中的一员。含有许多与其同族的花菜及卷心菜相同的抗癌和调节激素的化合物。认为可有助于阻止发生乳腺癌和结肠癌。注意，大火烹饪可破坏许多药理活性。应吃生的、小火烹饪的或微波炉烹饪的。

芹菜：越南人传统上用来治疗高血压。芹菜中的化合物可降低动物血压，相当于人类的剂量为每天 2 根～4 根主茎。也有轻度的利尿效果。含有 8 种不同的抗癌化合物，如酞酸、聚乙炔，可解除致癌剂，特别是烟雾的毒性。在某些人剧烈运动前后吃芹菜会引发轻微或严重的过敏反应。

辣椒：增强机体的血凝块溶解系统，通畅鼻窦及呼吸道，裂解肺内的粘液，可充任化痰剂或减轻鼻子充血的药物，有助于防止支气管炎、肺气肿和胃溃疡。辣椒的药理活

性大多与开普塞辛有关，因开普塞辛而使干辣椒发热。开普塞辛是一种有力的止痛剂，吸入时可缓解头痛，注射可减轻关节疼痛。由干辣椒制成的辣椒粉富含天然阿司匹林，有抗菌、抗氧化活性。在食物中放入热辣椒汁也可促进代谢，产生大量热量。与普通观念相反，辣椒并不会损害胃壁，引发溃疡。

巧克力：有可影响大脑中神经递质的化学物质。加入牛奶中，巧克力有助于消除乳糖不耐受症。巧克力看来不会升高胆固醇，引发或加重粉刺。黑巧克力铜含量较高，有助于阻止心血管疾病。在某些人可引发头痛。加重烧心感。与囊性乳腺疾病有关。

肉桂：胰岛素活性的较强刺激剂。对于那些Ⅱ型糖尿病患者是有意义的。中等程度的抗凝剂。

丁香：长期以来用于治疗牙痛。作为风湿病的抗炎药物。有抗凝活性（抗血小板聚集），其主要成分丁香酸有抗炎活性。

咖啡：咖啡的大多数而不是全部药理活性作用来源于其高浓度的咖啡因。咖啡因，依赖于每个人的生物组成和特异敏感性，是一种情绪改善剂和精神提高物质，改善精神表现，早晨一杯咖啡会使大脑有一个清醒的开端。咖啡因是哮喘的一种应急治疗物。并且经常饮用咖啡，哮喘发病率降低，症状减轻。扩张支气管。是温和的添加剂。在某些人中可引起头痛，焦虑与恐慌。过量可引起精神紊乱。并确实可引发失眠症。咖啡刺激胃酸分泌（含咖啡因和不含咖啡因的咖啡均如此）。加重烧心感。可促进一些人的肠部运动，也可引起其他人腹泻。

无明显证据支持咖啡因或咖啡与癌症有关。咖啡因可促进某些妇女的乳腺纤维囊性症。几乎没有证据证明每日低于

4杯～6杯咖啡或适量咖啡因会产生心血管病危险。通过滴的方法调制的咖啡对血胆固醇无害或损害极小。

咖啡因的来源：	毫克（平均）
咖啡——5液体盎司（一杯，不是一口缸）	
煮的	
滴法	115
滤过法	80
去咖啡因法	3
速溶的	
普通的	65
去咖啡因的	2
茶——5液体盎司	
泡的	
美国商标	40
进口商标	60
速溶的——1茶匙速溶粉	30
软饮料	
可乐（普通及饮食）	46
山上的露水	54
巧克力	
可可类饮料——5盎司杯	4
牛奶巧克力——1盎司	6
黑巧克力，半甜的——1盎司	20

羽衣甘蓝：富含多种多样的抗癌、抗氧化化合物，包括黄体素、维生素C，β-胡萝卜素。动物实验中可阻止乳腺癌的扩散。像其他绿色有叶类植物，可降低所有癌症的发病率。富含草酸盐，不适于那些有肾结石的患者。

玉米：抗癌及抗病毒活性，可能与玉米中的蛋白酶抑制剂有关。可增强雌激素活性。食物不耐受症的常见原因，该食物不耐受证与类风湿性关节、肠易激惹综合征、头痛及儿童偏头痛相关性癫痫的症状有联系。

酸果蔓： 有较强的抗生素活性，通过抑制细菌粘附于膀胱壁及尿道细胞，从而防止细菌感染。因此它有助于防止复发性尿道（膀胱）感染。也有抗病毒活性。

椰枣： 富含天然阿司匹林。有通便活性。干果，包括椰枣，可降低某些癌症尤其是胰腺癌的发生率。含有可使某些敏感个体头痛的化合物。

茄子： 根据澳大利亚的研究，称为葡萄糖生物碱的茄子物质，加入到相应的药物中，可用于治疗皮肤癌（如基底细胞癌）。并且吃茄子也可降低血胆固醇，有助于消除脂肪性食品对血液的某些不良作用。茄子可能也有抗菌、利尿作用。

葫芦巴种子： 中东普遍应用的一种调料，在美国的许多食品商场也能发现。有抗糖尿病作用，有助于控制血糖和胰岛素的波动。也有抗腹泻、抗溃疡、抗糖尿病、抗癌能力，倾向于降低血压，防止胃肠胀气。注意，葫芦巴种子的主要成分除乙醇外就是葫芦巴，1875 年来到美国市场，并用于治疗妇女疾病。

无花果： 在民间长期被用于抗癌。其提取物及无花果中化合物苯甲醛有助于使人的肿瘤缩小。也是通便剂，有抗溃疡、抗菌、抗寄生虫的能力，在某些人可引发头痛。

鱼和鱼油： 非常显著的治疗及预防性食品。可终止心脏病，防止心脏诱发死亡（每周食用 2 份）。一天一盎司可使心脏病发作率降低 50%。鱼中的油类可缓解类风湿性关节炎、骨性关节炎、哮喘、牛皮癣、高血压、雷诺病、偏头痛、溃疡性结肠炎和多发性硬化症的症状。有助于防止中风。是显著的抗炎物质及抗凝物质。提高良性的高密度脂蛋白胆固醇，显著降低甘油三酯。有助于抑制糖耐量低减和Ⅱ型糖尿病的发生发展。许多鱼类富含抗氧化剂，如硒和辅酶Q10，在阻止发生结肠癌及阻止乳腺癌扩散方面有较强的抗癌活性。注意，富含Ω-3型脂肪酸的鱼类有较强的保护性作用，包括沙丁鱼、鲭鱼、鲱鱼、鲑鱼、金枪鱼。沙丁鱼富含草酸盐，在某些敏感个体可促进肾结石的形成。

大蒜：一种多用途的奇特药物，自从有文明以来就用于治疗一系列疾病。已证实的广谱抗生素，可抵抗细菌、寄生虫和病毒。高剂量可治疗脑炎。降低血压和血胆固醇，抑制危险性的血液凝集，一天2瓣～3瓣大蒜可使心脏病发病率降低50％。含有多种抗癌化合物和抗氧化剂，位于国立癌症研究院关于抗癌食品排名的首位。尤其可以减低胃癌发生率。较好的感冒治疗药物。可充当抗鼻充血剂、化痰剂、抗痉挛剂，抗炎物质。增强免疫反应。有助缓解胃肠胀气，有抗腹泻、雌激素及利尿活性。改善情绪，并有中度镇定作用，高剂量的生蒜（1天3瓣以上）可引起气胀、头脑发胀、腹泻和发热。注意，为抵抗细菌，生大蒜更好，然而煮或烧并不会减低大蒜稀释血液及其他的心血管保护性作用，相反实际上可通过释放抗血栓物质Ajoene增加以上功能。作为一种抗癌物质，专家认为生姜，腌姜或老化的姜优于烧煮后的大蒜。食生蒜或烧煮后的大蒜可得到多种保护性作用。

姜：在亚洲数个世纪以来常用于治疗恶心、呕吐、头痛、胸部充血、霍乱、感冒、腹泻、胃痛、类风湿病和神经系统疾病。大姜证明是一种治疗恶心、运动系统疾病的药物，疗效可达到甚至超过晕海宁。有助于阻止或预防偏头痛和骨性关节炎。减轻类风湿性关节炎的症状。对人有抗血栓形成、抗炎活性。在试管测试中有抗生素活性（杀死沙门菌和葡萄球菌），对动物有抗溃疡活性。并且也有抗抑郁、抗腹泻和较强的抗氧化活性。抗癌活性排名较高。

葡萄：富含抗氧化剂，抗癌化合物。红葡萄（不是白或绿葡萄）富含抗氧化剂槲木酮。葡萄皮含有 Reseratrol，可抑制血小板聚集和血栓形成，提高良型高密度脂蛋白胆固醇。在试管试验中红葡萄有抗菌、抗病毒活性。葡萄籽油也可提高良型高密度脂蛋白胆固醇。

柚子：果肉含有的果胶（膜和果汁囊而不是果汁）可降低动物血胆固醇，逆转动脉粥样硬化。有抗癌活性，防止发生胃癌和胰腺癌。

果汁有抗病毒活性。富含多种抗氧化剂，尤其是抗病毒的维生素 C。可加重烧心感。

蜂蜜：较强的抗生素活性。诱发睡眠，有镇静作用。警告：不要用蜂蜜喂 1 岁以下的婴儿，有致死性食物中毒的危险。

甘蓝：富含多种抗氧化剂，抗癌化合物。β-胡萝卜素含量比菠菜多，黄体素含量是菠菜含量的 2 倍，是测试的所有植物中最多的。甘蓝也是十字花科植物之一，含有抗癌物质吲哚，有助于调节雌激素，抗结肠癌。在抗癌及全面抗病植物中排名较高。

kiwi 果：在中国传统医学中常被用于治疗胃癌及乳腺癌。富含维生素 C，有多种抗病活性。

甘草：一种强有力的，有多种作用的药物。较强的抗癌能力，可能与其高浓度的甘草甜素有关。饮用溶于水的甘草甜素的老鼠皮肤癌发生率减低。也可杀死细菌、治疗溃疡和腹泻。可以作为利尿剂。由于其可升高血压，因些吃太多的甘草是有危险的。对于孕妇建议不要服用。注意，只有真正的甘草才有以上活性。在美国销售的称为甘草糖果的东西大多数是假的，是用茴香而不是甘草制造的。检查一下商标。真正的甘草说"甘草块"。模仿甘草称为"人造甘草"或"茴香"。

瓜类（绿色或黄色，如甜瓜与香瓜）：有抗凝（稀释血液）活性。橙色瓜含有抗氧化剂 β-胡萝卜素。

牛奶：有抗癌能力，可抗结肠癌、肺癌、胃癌及宫颈癌，尤其是低脂奶。一项研究发现饮用低脂牛奶者比不饮用牛奶者，癌症患病率低。可有助于防止高血压。脱脂牛奶可降低血胆固醇。牛奶中的脂肪可引发癌症和心脏疾病。

牛奶还是一种不受欣赏的恐怖物质，触发"过敏"反应，包括关节疼痛和类风湿性关节炎、哮喘、肠易激惹综合征和腹泻等症状。对儿童和婴儿而言，牛奶可引起腹痛、呼吸系统疾病、失眠、疱疹、偏头痛、癫痫发作、耳部感染、甚至糖尿病。与普通观点相反，牛奶可刺激胃酸的产生、延迟溃疡的愈合。

蘑菇（亚洲蘑菇，包括日本蘑菇）：在亚洲长期被尊称为长寿补药，心脏病及癌的治疗药物。现代实验显示亚洲蘑菇，如日本蘑菇，有助于防止和治疗癌症、病毒性疾病如感冒和脊髓灰质炎、高胆固醇血症、粘性血小板和高血压。每天食用日本蘑菇，新鲜的（3盎司）或干的（1/3盎司）可分别降低血胆固醇的 7% 与 12%。日本蘑菇的化合物 Lenti-nan 是一种广谱的抗病毒药物，可提高免疫功能。在中国常用于治疗白血病，在日本用于治疗乳腺癌。日本科学家发现日本蘑菇的提取物（硫酸 β-葡聚糖）在治疗艾滋病上比经典药物 AZT 更为有效。食用黑木耳可稀释血液。注意，已知美国市场上纽扣样蘑菇无治疗作用。

芥菜（包括辣根）：数个世纪以来一直被当做减轻鼻充

血药物和化痰剂。有助于裂解呼吸道的粘液。可较好地治疗感冒和鼻窦疾病引起的充血，也有抗菌活性。促进代谢，产生额外热量。在一项英国实验中，3/5茶匙普通黄芥末可使代谢率增加25%，3小时内多产生45大卡热量。

坚果：有抗癌和保护心脏的作用。可降低心脏病发病率。核桃和杏仁有助于降低胆固醇，含有高浓度的抗氧化剂油酸及单不饱和脂肪，与橄榄油中所含相同，可防止动脉受到伤害。坚果通常富含抗氧化剂维生素E，可防止发生胸痛和动脉损伤。三角形胡桃硒含量尤其高，硒是一种抗氧化剂，可降低心脏病和癌的发病率。核桃含有Ellagic酸，一种抗氧化剂和抗癌剂，也富含Ω-3型油。坚果，包括花生，可较好地调节胰岛素和血糖，防止突然升高，对于那些糖耐量低减和糖尿病患者是较好的食品。花生还有雌激素活性。饮食中缺乏坚果的人日后容易发生帕金森氏病。花生是某些敏感个体急性过敏反应的主要原因。

燕麦：每天两碗燕麦壳或三碗燕麦片可降低10%或更多的胆固醇，依赖于每个人的不同反应。燕麦有助于稳定血糖，有雌激素及抗氧化活性。也含有对精神起特殊作用的化合物，可抑制对尼古丁的渴求，并有抗抑郁活性。高剂量可引起气胀、腹胀及疼痛。燕麦，像其他谷物，也可使某些敏感者引发食物不耐受症，引起慢性肠道疾病。

橄榄油：动脉保护剂，可降低不良型低密度脂蛋白胆固醇但不降低良型高密度脂蛋白胆固醇。有助于防止不良型胆固醇转化为毒性形式或氧化形式，因此保护动脉以免发生蚀斑。降低血压、调节血糖、有强力的抗氧化活性，防止发生癌。

洋葱（包括细香葱、青葱、冬葱、韭葱）：医学中应用最古老的东西之一，在古老的美索不达米亚几乎用来治疗所有疾病。极强的抗氧化能力。富含多种抗癌物质。在动物可明显阻止癌的形成。洋葱是含槲木酮最丰富的食品，槲木酮是较强的抗氧化剂（含于青葱及黄洋葱与红洋葱、而不含于白洋葱）。可抑制人肺癌的发生。稀释血液，降低胆固醇，升高良型高密度脂蛋白胆固醇（推荐剂量为每天半个生洋葱）。防止血凝，抵制哮喘、慢性气管炎、枯草热、糖尿病、动脉粥样硬化和感染。有抗炎、抗菌和抗病毒活性。有广泛的抗癌能力。槲木酮也是一种镇静剂。洋葱可加重烧心感，促进气体产生。

橘子：含有已知天然抑癌物质的每一类——类胡萝卜素、萜、黄烷类。也富含抗氧化剂维生素 C 和 β-胡萝卜素。可特异性降低胰腺癌的发病率。橘汁可保护小鼠精子免受放射损害。由于其高含量的维生素 C，橘子有助于消除哮喘发作，支气管炎、乳腺癌、胃癌、动脉粥样硬化、牙龈疾病，某些男性可增加生殖力及健康精子数。橘子和橘汁可加重烧心感。

欧芹：有抗癌活性，含有丰富的抗氧化剂，如单萜、酞酸、聚乙炔。有助于解除致癌物质的毒性，中和烟草雾中的某些致癌物，并且也有利尿活性。

防风草：优异的抗癌能力。含有 6 种类型的抗癌物质。

菠萝：抑制炎症反应。水果及其主要成分，一种称为菠萝蛋白酶的抗菌酶，都有抗炎作用。菠萝可帮助消化，帮助溶解血凝块，由于其锰含量高，可防止骨质疏松和骨折。也有抗菌、抗病毒活性及中度雌激素活性。

李子：抗菌、抗病毒，可作为通便剂使用。

土豆（白色）：含有抗癌的蛋白酸抑制剂。富含钾，因此有助于防止高血压和中风。有一定的雌激素活性。

梅干：有名的通便剂。富含纤维素、山梨醇和天然阿司匹林。

南瓜：β-胡萝卜素含量极高，有助于阻止发生许多健康问题，包括心脏卒中，癌症和白内障。

覆盆子：有抗病毒、抗癌活性。天然阿司匹林含量很高。

米：抗腹泻、抗癌活性。像其他种子，含有抗癌蛋白酶抑制剂。在所有谷物中，它最不可能引发肠道胀气和不良反应（不耐受症）及肠疾病如结肠痉挛。米外壳可抗便秘，降低胆固醇，阻止肾结石的形成。

大黄：富含草酸盐，对敏感个体促进形成肾结石。很少或没有通便效果。

海藻（棕色或昆布型海藻）：昆布型海藻具有与海藻同样的抗细菌、抗病毒活性。例如它可杀死疱疹病毒。海藻也可降低血压和胆固醇，瓦克米海藻可提高免疫功能，可杀死细菌，帮助治愈溃疡。瓦克米海藻中的一种化合物是抗凝物质，在一测试中其效力是肝素的2倍。大多数的海藻有抗癌活性。海藻富含碘，可加重粉刺发作。

豆类：有药理学活性。富含激素，可提高绝经后妇女的雌激素水平。有抗癌活性，据认为是乳腺癌的拮抗剂，可能是日本人前列腺癌和乳腺癌发病率低原因之一。富含强有力地抗癌、抗病毒的蛋白质抑制剂。在许多人类试验中，豆类可明显降低血胆固醇。在动物中，豆类可以延迟肾结石的形成，并有助于溶解肾结石。

菠菜：与其他绿色有叶类蔬菜共同属于大多数人最经常吃的食品。含有大量的抗氧化剂和癌拮抗物质，β-胡萝卜素含量是花菜的4倍，黄体素含量是花菜的3倍。富含纤维素有助于降低血胆固醇，草酸盐含量较高，因此有肾结石的人推荐不要食用。要注意的是菠菜在烧煮后许多抗氧化剂可被破坏，因此应吃生菠菜或用小火烧煮的菠菜。

草莓：具有抗病毒、抗癌活性，不易发生癌症的人经常食用草莓。

糖：镇静剂，睡眠诱导剂，止痛剂，抗抑郁物质，有较强的抗菌能力，外用时有助于伤口愈合。像其他碳水化合物一样，糖也有助于引发牙齿破坏，形成洞，与节段性肠炎有关，可引起血糖升高，刺激胰岛素产生。

甘薯（也称为山芋）：抗氧化剂胡萝卜素的重要来源，可防止心脏病，白内障，中风及各种癌症。半杯山芋粉含 14 毫克 β-胡萝卜素。

茶（包括黑茶、乌龙茶及绿茶）：由于含有儿茶酚而具有广泛的药理活性，可作为抗凝剂，抗腹泻物质，抗病毒物质，利尿剂（咖啡因），止痛剂（咖啡因），中度镇静剂（去咖啡因）。对动物而言，茶是多种癌症的有力阻断剂；常饮茶者动脉粥样硬化及中风较少发生；过量饮茶，由于茶有大量咖啡因可引起或加重焦虑，失眠及经前综合征 PMS 的症状。由于其高草酸盐含量，可促进肾结石形成。

注意，亚洲各国流行的绿茶，儿茶酚含量最高，其次是乌龙茶与普通黑茶，因此绿茶被认为能力最强，然而研究发现绿茶、黑茶对动脉的作用无明显差别。黑茶在美国市场上容易买到，跟散茶或包茶有些类似情形。绿茶不太普遍，但随着其优良作用的宣传而变得越来越普遍，在亚洲餐馆可见到绿茶。

西红柿：是番茄红素的主要来源，番茄红素是一种奇特的抗氧化剂和抗癌物质，可中断氧自由基形成的链式反应。西红柿亦可降低胰腺癌和宫颈癌的发病率。

姜黄：是世界上最神奇的医药性调料之一，主要活性成分是 Curcumin，可使姜黄呈镉黄色。研究显示 Curcumin 具有与可的松相同的抗炎活性，可降低动物的炎症反应，减轻人类的类风湿性关节炎的症状。在其他试验中，它也可降低胆固醇，阻止血小板聚集（血凝），保护肝脏免受毒素损伤，增强胃壁对胃酸的防御能力，降低糖尿病患者的血糖水平，是许多癌症的强有力拮抗剂，有多种抗癌活性。

西瓜：含有丰富的番茄红素和谷胱甘肽，抗氧化剂及抗癌化合物。并且有中度的抗细菌活性与抗凝活性。

小麦：高纤维素纯小麦，尤其是麦麸，是便秘的最佳预防药物。麦麸是有力的抗癌剂。对人类麦麸可明显抑制能发育成结肠癌的结肠息肉的发生。对女性而言，麦麸可降低雌激素以抑制乳腺癌，也有抗寄生虫活性。不利的一方面，小麦易引发食物不耐受症和过敏反应，导致类风湿性关节炎，肠激惹综合征和神经系统疾病。

葡萄酒：每天1杯~2杯酒有益于心血管系统。红、白葡萄酒均可升高具有心脏保护作用的 HDL 胆固醇，尤其是红葡萄酒可有助于防止心脏病、血凝和中风，因为葡萄皮含有血液稀释物质（葡萄皮用于酿制红葡萄酒而不是白葡萄酒）。可升高雌激素水平，进一步增强葡萄酒升高 HDL 胆固醇的作用。可杀伤细菌，抑制病毒，并抑制胆结石的形成。对某些人，红葡萄酒可引发周期性偏头痛。过量的葡萄酒，由于酒精的影响，可损害心脏、肝和大脑。

酸牛奶：这是一种古老而神奇的食品，有较强的抗细菌、抗癌活性。每天1杯~2杯酸牛奶可刺激 γ-干扰素的产生，提高免疫功能，刺激、增强杀伤病毒和肿瘤细胞的自然杀伤细胞活性。每天1杯可降低人患感冒和其他上呼吸道感染的几率。有助于抗骨疾病，如骨质疏松，由于酸牛奶中钙含量很高。嗜酸杆菌酸牛奶培养物可中和肠道中的致癌物。普通酸牛奶，无论其培养物的死活，均可阻断动物肺癌的发生，有活性培养物的酸牛奶对有乳糖不耐受症的个体比较安全。

第九部分

附录

附　录

富含 β-胡萝卜素的食物

食物名称	β-胡萝卜素含量（毫克/100 克）
干杏	17.6（28 个半份）
干桃	9.2（7 个半份）
烧煮的山芋	8.8（1/2 杯山芋粉）
胡萝卜	7.9（1¼ 个中等大小的胡萝卜）
羽衣甘蓝	5.4（1/2 杯）
甘蓝	4.7（2/3 杯切碎的）
生菠菜	4.1（1½ 杯）
生杏	3.5（3 个中等大的杏）
南瓜	3.1
甜菜	2.2
冬季产西葫芦	2.4
Romaine 莴苣	1.9
粉色柚子	1.3
芒果	1.3
绿色莴苣	1.2
炒花菜	0.7
芽甘蓝	0.5

富含钙的食物

食物名称	含钙量（毫克/份）
Ricotta 奶酪（1/2 杯）	337
Parmesan 奶酪（1 盎司）	336
牛奶（1 杯）	300
钙强化橘汁（1 杯）	300
罐装含骨鲭鱼（3 盎司）	263
脱脂酸牛奶（4 盎司）	225
罐装含骨鲑鱼（3 盎司）	191
冻存或炒好的羽衣甘蓝（1/2 杯）	179
干无花果（5 个）	135
带骨沙丁鱼（1 盎司）	130
硬豆腐	118
新鲜或炒好的绿萝卜（1/2 杯）	99
煮甘蓝（1/2 杯）	90
新鲜或炒花菜（1/2 杯）	89
冻存或炒秋葵夹（1/2 杯）	88
烘烤豆类（1/2 杯）	88
煮黄豆（1/2 杯）	65
煮山藜豆（1/2 杯）	60
煮白豆（1/2 杯）	45
煮杂色豆（1/2 杯）	40

注意，所有奶制品都富含钙，所有奶酪每盎司平均含 200 毫克钙，尽管许多奶酪含钙更多。

富含叶酸的食物

食物名称	含叶酸（微克/份）
炖鸡肝（1/2 杯）	539
煮滋补麦片（2/3 杯）	158
冻存或炒秋葵夹（1/2 杯）	134
新鲜或罐装橘汁（1 杯）	136
新鲜或炒菠菜（1/2 杯）	130
煮白豆（1/2 杯）	120
煮红菜豆（1/2 杯）	114
冷冻或稀释橘汁（1 杯）	109
麦芽（1 盎司）	100
煮黄豆（1/2 杯）	100
新鲜或炒芦笋（1/2 杯）	88
新鲜或炒绿萝卜（1/2 杯）	85
佛罗里达产鳄梨（1/2 个）	81
冷冻或煮芽甘蓝（1/2 杯）	79
干或煮利马豆（1/2 杯）	78
煮山藜豆（1/2 杯）	70
葵花子（1 盎司）	65
橘瓣（1 杯）	54
新鲜或炒花菜（1/2 杯）	53
新鲜或炒绿芥菜（1/2 杯）	51
新鲜或炒甜菜（1/2 杯）	45
冷冻覆盆子（1/2 杯）	33

富含钾的食物

食物名称	钾（毫克/份）
Blackstrap（1/4 杯）	2400
焙马铃薯（1 个中等大的）	844
甜瓜（1/2 个）	825
佛罗里达产鳄梨（1/2 个）	742
炒甜菜（1/2 杯）	654
干桃（5 个半份）	645
梅干（10 个半份）	626
番茄汁（1 杯）	536
低脂酸牛奶（1 杯）	530
snapper（3.5 盎司）	522
鲑鱼（3.5 盎司）	490
干或煮利马豆（1/2 杯）	517
煮黄豆（1/2 杯）	486
炒瑞士甜菜（1/2 杯）	483
干杏（10 个半份）	482
鲜橘汁（1 杯）	472
南瓜种子（2 盎司）	458
煮山芋（1/2 杯）	455
香蕉（1 个）	451
杏仁（2 盎司）	426
炒菠菜（1/2 杯）	419
鲱鱼（3.5 盎司）	419
脱脂奶（1 杯）	418
鲭鱼（3.5 盎司）	406
花生（2 盎司）	400

富含硒的食物

食物名称		硒（微克/100克）
三角形胡桃		2960
麦粒		123
亮金枪鱼	用水罐装	80
	用油罐装	76
白金枪鱼	用水罐装	65
	用油罐装	60
炒葵花子		78
炒牡蛎		72
炒鸡肝		72
小麦面粉		71
罐装蛤肉		49

注意，动物器官的肉中常含有丰富的硒，与谷类相似。大多数水果和蔬菜中硒含量较低，最高的是大蒜，每100克中含14微克硒。

富含锌的食物

食物名称	锌（毫克/份）
烟熏牡蛎（3盎司）	103
无壳生牡蛎（3盎司）	63
蒸蟹肉（2个蟹）	4
炒蟹肉（1/2杯）	6
炖肉（3盎司）	7
炒牛肝（3盎司）	7

烤火鸡黑肉（3.5 盎司）　　　　　　5

南瓜种或西葫芦种（1 盎司）　　　　3

　　注意，肉和家禽中常含有大量锌，许多谷物每份含 4 毫克锌，应注意检查商标。

富含 Vit C 的食物

食物名称	Vit C（毫克/份）
番石榴果（1 个）	165
红甜辣椒（1 个）	141
甜瓜（1/2 个）	113
罐装甜辣椒（4 盎司）	107
绿甜辣椒（1 个）	95
番木瓜（1/2 个）	94
生草莓（1 杯）	84
芽甘蓝（6 个芽）	78
柚子汁（1 个柚子所得的汁）	75
kiwi 果（1 个）	74
橘子（1 个）	70
炒番茄（1 杯）	45
橘汁（浓缩型，1/2 杯）	52
炒花菜（1/2 杯）	49
番茄汁（1 杯）	45
柚子（1/2 个）	42
生花菜（1/2 杯）	41
生花椰菜（1/2 杯）	36
生绿豌豆（1/2 杯）	31
炒甘蓝	27

富含 Vit D 的食物

食物名称（均为 3.5 盎司）	Vit D（国际单位 IU）
黄鳝	4700
沙丁鱼	1500
鲜沙丁鱼	1500
鲜鲱鱼	1000
红鲑鱼	800
粉鲑鱼	500
Chinook 产鲑鱼	300
罐装鲱鱼	225
金枪鱼	200
牛奶（脱脂或低脂全牛奶，8 液盎司）	100

富含 Vit E 的食物

Vit E 是一种脂溶性物质，主要集中于植物油、坚果和种子中，豆类及外壳中含量也相当高。在动物性食品中几乎不存在 Vit E。虽然水果和蔬菜中 Vit E 含量相当低，但是美国人的饮食中水果和蔬菜提供 Vit E 量占总摄入量的 11%。大约 64% 来源于油类，人造奶油和糕饼松脆油，7% 来源于谷物。

食物名称	Vit E（毫克/3.5 盎司）
坚果和种子	
葵花子	52
核桃	22

杏仁	22
榛子	21
槚如树果	11
烤花生	11
三角形胡桃	7
山核桃	2

外壳及豆类

麦芽	28
干黄豆	20
米糠	15
干利马豆	8
麦麸	8

油类

麦芽油	250
豆油	92
玉米油	82
葵花子油	63
红花子油	38
芝麻籽油	28
花生油	24

油中脂肪酸的类型

油类	饱和酸含量%	单不饱和酸含量%	Ω-6 型脂肪酸含量%	Ω-3 型脂肪酸含量%
亚麻籽油	9	18	16	57
Canola 油	6	62	22	10
酱油	15	24	54	7

核桃油	16	28	51	5
橄榄油	14	77	8	1
花生油	18	49	33	0
玉米油	13	25	61	1
红花子油	10	13	77	0
芝麻籽油	13	46	41	0
葵花子油	11	20	69	0

注意，容易看出玉米油、红花子油和葵花子油中含 Ω-6 型脂肪酸最多，Ω-3 型脂肪酸含量最少，因此这些油类对身体健康比较危险。亚麻籽油和 Canola 油中 Ω-3 与 Ω-6 型脂肪酸比例最佳。橄榄油中具有心脏保护作用的单不饱和脂肪酸含量最多。

海产品中 Ω-3 型脂肪酸含量

新鲜或冷冻鱼	Ω-3 型脂肪酸含量 （毫克/3.5 盎司）
拌调料的鱼鳍、鱼卵	2345
大西洋产鲭鱼	2299
太平洋产鲱鱼	1658
大西洋产鲱鱼	1571
太平洋产鲭鱼	1441
黑鱼	1395
Chinook 鲑鱼	1355
西班牙产鲭鱼	1341
加调料的银鱼	1258
蓝鳍金枪鱼	1173
红鲑鱼	1172

粉鲑鱼	1005
格陵兰大比目鱼	919
加调料的鲨鱼	843
小鲑鱼	814
青鱼	771
条状鲈鱼	754
太平洋产牡蛎	688
银鳞小鱼	693
箭鱼	639
狼鱼（Wolfish）	623
加调料的淡水鲈鱼	595
加调料的海水鲈鱼	595
鳟鱼	568
佛罗里达产鲣鱼	568
加调料的鱿鱼	488
加调料的小虾	480
蓝贻贝	441
美国东部产牡蛎	439
瓦鱼（Tilefish）	430
大西洋产绿鳕鱼	421
小河道产鲶鱼	373
阿拉斯加产绿鳕鱼	372
雪蟹	372
鲤鱼	352
加调料的太平洋产岩鱼	345
鳐鱼	325
蓝蟹	320
加调料的 snapper	311

神奇的食物